LA CITÉ DES TÉNÈBRES

L'ÉPÉE MORTELLE

L'auteur

Cassandra Clare est une journaliste new-yorkaise d'une trentaine d'années. Elle a beaucoup voyagé dans sa jeunesse et lu un nombre incroyable de romans d'*horror fantasy*. C'est forte de ces influences et de son amour pour la ville de New York qu'elle a écrit la trilogie à succès « La Cité des Ténèbres », dont *L'Épée Mortelle* est le deuxième tome.

Cassandra Clare

LA CITÉ DES TÉNÈBRES

L'ÉPÉE MORTELLE

Traduit de l'anglais (États-Unis)
par Julie Lafon

POCKET JEUNESSE
PKJ·

Directeur de collection :
Xavier d'Almeida

Titre original :
City of Ashes
Book Two in *The Mortal Instrument Trilogy*

Dans la même série :

La cité des ténèbres

1. La coupe mortelle
2. L'épée mortelle
3. Le miroir mortel
4. Les anges déchus

La Cité des Ténèbres - Les Origines

1. L'ange mécanique

Loi n° 49 956 du 16 juillet 1949 sur les publications
destinées à la jeunesse : mars 2012.

First published in 2007 by Margaret K. McElderry Books
An imprit of Simon & Schuster Children's Publishing Division,
New York.

ISBN : 978-2-266-22284-6

À mon père, qui a toujours été un ange.
Enfin, presque toujours.

Cette langue amère

Je connais tes rues, ma ville aimée
Je connais les anges et les démons qui se perchent
et s'agglutinent sur tes branches tels des oiseaux.
Je te connais, mon fleuve, comme si tu coulais en moi,
dans les méandres de mon cœur.
Moi, ta fille guerrière.
Il est des lettres faites de ton corps
Comme l'eau jaillissant d'une fontaine.
Il est des langues dont tu es la racine
Et tandis que nous les parlons
La cité se lève.

Elka Cloke

Prologue
Diamants et fumée

L'imposante structure de verre et d'acier se détachait telle une aiguille scintillante sur le ciel au-dessus de Front Street. Le Métropole, une construction flambant neuve qui figurait parmi les immeubles résidentiels les plus chers de Manhattan, comptait cinquante-sept étages. Au dernier se trouvait l'appartement le plus luxueux de l'édifice, un chef-d'œuvre de design en noir et blanc. Trop récent pour révéler la moindre trace de poussière, le sol en marbre pur réfléchissait les étoiles visibles à travers les immenses baies vitrées. Leur verre immaculé donnait à l'observateur l'impression qu'aucune paroi ne le séparait de l'extérieur : de quoi donner le vertige même à celui qui y était peu sujet.

En contrebas, séparant Brooklyn de Manhattan, l'East River déroulait son ruban argenté paré de ponts étincelants et moucheté de bateaux pas plus gros que des insectes. Par les nuits claires, on distinguait au sud la Statue de la Liberté illuminée. Cependant, ce soir-là, le ciel était brumeux, et Liberty Island était masquée par une épaisse nappe de brouillard laiteux.

Malgré la vue spectaculaire, l'homme posté devant

la baie vitrée ne semblait pas particulièrement impressionné. Un pli soucieux barrait son front quand il se détourna et traversa la pièce en faisant claquer les talons de ses bottes sur le sol.

— Tu n'as toujours pas fini ? demanda-t-il avec impatience en passant la main dans ses cheveux blancs. Cela fait presque une heure qu'on est ici !

Le garçon agenouillé par terre leva les yeux. Il paraissait nerveux et agacé.

— C'est ce marbre ! Il est plus solide que je le pensais. J'ai du mal à dessiner le pentagramme.

— Tu n'as qu'à sauter cette étape.

En y regardant de plus près, on s'apercevait que, malgré ses cheveux blancs, l'homme n'était pas très vieux. Ses traits, quoique sévères, n'accusaient pas de rides, et ses yeux perçants brillaient d'une lueur résolue.

Le garçon avala sa salive avec difficulté et les ailes noires et membraneuses qui émergeaient de ses frêles omoplates – il avait découpé deux fentes dans le dos de sa veste en jean pour être à l'aise – s'agitèrent.

— Le pentagramme est une étape indispensable dans n'importe quel rituel d'invocation. Vous le savez bien, seigneur. Sans ce procédé…

— … nous serions vulnérables. Je sais, jeune Élias. Mais dépêche-toi. J'ai connu des sorciers capables d'invoquer un démon et de le renvoyer en enfer en moins de temps qu'il ne t'en faut pour gribouiller la moitié d'une étoile.

Le garçon s'attaqua au marbre avec une ardeur renouvelée. La sueur perlait sur son front. Il écarta une mèche de ses doigts reliés par une fine membrane.

— Voilà, dit-il enfin en se rasseyant sur ses talons. J'ai fini.

— Bien, fit l'homme d'un air satisfait. Commençons.

— Mon argent…

— Nous en avons déjà parlé. Tu n'auras rien avant que j'aie pu m'entretenir avec Agramon.

Élias se releva et ôta sa veste. Une fois libre de ses mouvements, il déplia ses ailes, provoquant un léger souffle d'air dans la pièce confinée. Elles étaient noires comme une nappe de pétrole, et légèrement irisées. L'homme détourna les yeux, comme si ce spectacle l'incommodait, ce dont Élias ne parut pas s'apercevoir. Il traça un cercle autour du pentagramme qu'il venait d'exécuter, dans le sens inverse des aiguilles d'une montre, tout en psalmodiant des incantations en langue démoniaque qui évoquaient un crépitement de flammes.

Avec un bruit de pneu crevé, les contours du dessin s'enflammèrent brusquement. Les baies vitrées reflétèrent une douzaine d'étoiles incandescentes à cinq branches.

Aussitôt, une forme sombre et indistincte se profila à l'intérieur du pentagramme. Élias se mit à psalmodier avec plus de ferveur en traçant dans l'air des esquisses délicates du bout des doigts. Chaque ébauche s'accompagnait d'un craquement de flammes bleues. Si l'homme ne maîtrisait pas couramment le chthonien, la langue des sorciers, il reconnut assez de mots pour comprendre la litanie d'Élias : « Je t'appelle, Agramon. Quitte ton néant qui sépare les mondes et viens à moi. »

L'homme glissa la main dans sa poche et sourit en sentant sous ses doigts le contact froid d'un objet métallique.

Élias avait cessé de contourner le pentagramme. Il se tenait maintenant immobile et récitait sa prière ininterrompue, enflant et baissant la voix tandis que les flammes bleues crépitaient autour de lui comme des éclairs. Soudain, un panache de fumée noire s'éleva du dessin magique, tournoya, puis s'élargit. Deux yeux s'allumèrent dans la fumée tels deux bijoux emprisonnés dans une toile d'araignée.

— Qui m'appelle à travers les mondes ? tonna Agramon d'une voix pareille à du verre qui se brise.

Élias s'interrompit. Il se tenait toujours immobile devant le pentagramme ; seules ses ailes battaient faiblement. Une forte odeur de brûlé imprégnait l'air.

— Agramon, je suis Élias le sorcier. C'est moi qui t'ai appelé.

Après un silence, le démon éclata d'un rire sardonique, si tant est que la fumée puisse rire.

— Tu es un sot, siffla-t-il.

— Sot toi-même, si tu crois que tu peux me menacer ! répliqua Élias, mais sa voix tremblait autant que ses ailes. Tu resteras prisonnier de ce pentagramme jusqu'à ce que je décide de te libérer.

— Vraiment ?

Le panache s'étira ; un tentacule de fumée s'en éleva et prit la forme d'une main, laquelle caressa le bord du dessin enflammé qui la contenait. Puis la chose se déversa par-dessus l'étoile comme une vague crevant une digue. Les flammes vacillèrent et moururent. Élias recula avec un cri de frayeur et récita en hâte une formule de bannissement. Peine perdue : la masse de fumée noire, hideuse et gigantesque, s'avançait inexorablement. Ses yeux éclairés d'une lueur terrible s'arrondissaient telles des soucoupes.

L'homme observait la scène, impassible. Élias tenta de s'enfuir mais n'eut pas le temps d'atteindre la porte. Agramon se jeta sur le sorcier et le submergea comme un déluge de goudron brûlant. Le garçon se débattit désespérément pendant quelques instants avant de s'immobiliser.

La forme noire abandonna le corps disloqué du sorcier sur le marbre.

— J'espère que tu ne l'as pas trop abîmé : il doit encore me servir, dit l'homme, qui avait négligemment sorti l'objet en métal de sa poche. J'ai besoin de son sang.

Agramon se retourna ; ses yeux étincelants comme des diamants glissèrent sur l'homme, son complet hors de prix, son visage implacable, les Marques noires qui couvraient sa peau et l'objet dans sa main.

— Tu as payé l'enfant sorcier pour m'invoquer sans préciser de quoi j'étais capable ?

— Tu as bien deviné.

— C'est astucieux, commenta Agramon, l'air admiratif.

L'homme fit un pas en direction du démon.

— Oui, je suis quelqu'un de très astucieux. Désormais, je suis ton maître. Je détiens la Coupe Mortelle. Tu dois m'obéir ou assumer les conséquences de ton refus.

Le démon resta silencieux quelques instants ; puis, dans une parodie de soumission, s'agenouilla.

— Je suis à ton service, seigneur… ?

Il suspendit sa phrase.

L'homme sourit.

— Tu peux m'appeler Valentin.

Première partie :

Une saison en enfer

Je me crois en enfer, donc j'y suis.

Arthur Rimbaud

1

La flèche de Valentin

— Tu es toujours fâché ?

Alec, adossé à la paroi de l'ascenseur, jeta un regard noir à Jace.

— Mais non.

— Oh si !

Jace fit un geste accusateur en direction de son frère adoptif et poussa un gémissement de douleur. Chaque parcelle de son corps le faisait souffrir depuis qu'il avait dégringolé trois volées de marches en bois vermoulu pour atterrir sur un tas de ferraille. Même ses doigts étaient endoloris. Alec, qui commençait à peine à se passer des béquilles que lui avait values son affrontement avec Abbadon, n'en menait pas plus large que Jace. Ses vêtements étaient couverts de boue et les cheveux lui tombaient sur le visage en mèches grasses, poissées de sueur. Une longue estafilade barrait sa joue.

— Je te dis que non, répliqua-t-il entre ses dents. Et toi qui prétendais que les démons-dragons avaient tous disparu…

— Presque tous.

Alec pointa un doigt sur Jace.

— Presque tous ! répéta-t-il, la voix tremblant de rage. Ce n'est pas la même chose !

— D'accord, concéda Jace. Il faudra changer la définition dans le manuel de démonologie. Tu es content ?

— Les garçons, intervint Isabelle, qui inspectait son reflet dans le miroir de l'ascenseur, ne vous disputez pas !

Elle se tourna vers eux avec un sourire radieux :

— Bon, on a eu droit à un peu plus d'action que prévu, et alors ? Moi, j'ai trouvé ça drôle.

Alec la dévisagea quelques instants avant de secouer la tête.

— Comment tu te débrouilles pour ne jamais te salir ?

Isabelle haussa les épaules d'un air philosophe :

— C'est parce que j'ai le cœur pur. La boue ne m'atteint pas.

Jace s'esclaffa, et elle lui jeta un regard courroucé. Il agita ses doigts terreux sous le nez de la jeune fille.

— En ce qui me concerne, mon âme est aussi noire que mes ongles.

Isabelle était sur le point de répliquer quand l'ascenseur s'immobilisa dans un grincement insupportable.

— Il faudrait songer à réparer ce machin, dit-elle en tirant d'un coup sec sur la grille.

Jace la suivit dans le hall, impatient de se débarrasser de son armure et de filer sous la douche. Il avait convaincu son frère et sa sœur adoptifs d'aller chasser avec lui, bien que ni l'un ni l'autre ne se sentent très à l'aise à l'idée de sortir seuls depuis que Hodge n'était plus là pour leur donner des instructions. Cependant, Jace cherchait l'oubli dans la violence : tuer le détournait de ses idées noires. Comprenant qu'il ne changerait pas d'avis, ils l'avaient suivi dans les tunnels sales et déserts du métro, où ils avaient trouvé et tué le Dragonidae. Tous trois avaient uni leurs forces dans une harmonie parfaite, comme par le passé. Comme une vraie famille.

Jace ôta sa veste et la suspendit à l'une des patères fixées au mur. Assis sur le petit banc de bois à côté de lui, Alec envoya promener d'un coup de pied ses bottes maculées de boue tout en chantant un air à voix basse pour signifier à Jace qu'il n'était pas si fâché que ça. Isabelle retira les épingles retenant sa longue chevelure brune, qui retomba en cascade sur ses épaules.

— J'ai faim, annonça-t-elle. Si seulement maman était là pour nous préparer un bon petit plat !

— Ne parle pas de malheur ! s'exclama Jace en débouclant son ceinturon. Si elle était ici, elle serait déjà en train de pester à cause des tapis !

— Tu ne crois pas si bien dire, rétorqua quelqu'un d'une voix glaciale.

Jace fit volte-face, les mains toujours agrippées à sa ceinture : Maryse Lightwood se tenait sur le seuil, les bras croisés. Elle portait ses vêtements de voyage – un tailleur strict en flanelle noire –, et ses cheveux, aussi bruns que ceux d'Isabelle, étaient rassemblés en une épaisse natte qui descendait jusqu'au milieu du dos. Son regard bleu glacier balaya les trois adolescents tel le faisceau inquisiteur d'une torche.

— Maman ! s'écria Isabelle, une fois revenue de sa surprise.

Elle se précipita pour embrasser sa mère. Alec les rejoignit en essayant de ne pas montrer qu'il boitait encore un peu.

Jace ne bougea pas. Une ombre était passée dans le regard de Maryse quand elle avait posé les yeux sur lui. Sa remarque n'avait pourtant rien de si terrible. Ils la taquinaient sans cesse sur son obsession de la propreté…

— Où est papa ? s'enquit Isabelle en s'écartant de sa mère. Et Max ?

Maryse hésita un quart de seconde avant de répondre :

— Max est dans sa chambre. Quant à votre père, malheureusement, il est resté à Alicante. Il a été retenu par une affaire.

Alec, qui était plus sensible aux humeurs d'autrui que sa sœur, demanda d'un ton hésitant :

— Quelque chose ne va pas ?

— Je te retourne la question, répliqua sèchement sa mère. Tu boites ?

— Je…

Alec était un piètre menteur. Ce fut Isabelle qui répondit à sa place d'une voix suave :

— On a eu une petite altercation avec un Dragonidae dans les tunnels du métro. Rien de bien méchant.

— Et le Démon Supérieur que vous avez combattu la semaine dernière, j'imagine que ce n'était rien non plus ?

Cette fois, même Isabelle garda le silence. Elle jeta un coup d'œil à Jace, qui aurait préféré qu'elle s'abstienne.

— Ce n'était pas prévu.

Jace avait des difficultés à se concentrer. Maryse ne l'avait toujours pas salué, et ses yeux lançaient des éclairs. Il sentit son ventre se nouer. Jamais elle ne l'avait regardé ainsi, quelle que soit sa faute.

— C'était une erreur..., reprit-il.

— Jace !

Max, le plus jeune des enfants Lightwood, fit irruption dans le hall. Il se précipita vers Jace en évitant la main de sa mère, qui tentait de le rattraper.

— Vous êtes rentrés ! Vous êtes rentrés !

Il fit un tour sur lui-même et, l'air réjoui, lança à Isabelle et à Alec :

— Je me disais bien que j'avais entendu l'ascenseur ! Je...

— Et moi, je croyais t'avoir demandé de rester dans ta chambre, le coupa Maryse.

— Ah bon ? Je ne m'en souviens pas, lança Max avec un sérieux qui arracha un sourire à Alec.

Max était petit pour son âge – de dos, on lui aurait donné à peine sept ans –, mais avec son expression grave et ses lunettes trop grandes il paraissait plus vieux. Alec se pencha pour ébouriffer les cheveux de son frère, qui ne quittait pas Jace des yeux. Celui-ci se détendit un peu. Max l'avait toujours traité en héros, et même préféré à son frère aîné, sans doute parce que Jace tolérait mieux sa présence.

— Alors, tu t'es battu contre un Démon Supérieur ? s'exclama l'enfant. Comment c'était ? Génial, non ?

— Euh… différent, esquiva Jace. Et Alicante ?

— C'était géant. On a visité des endroits incroyables ! Il y a une énorme armurerie en ville, et on m'a montré l'endroit où sont fabriquées les armes. Et puis aussi une nouvelle façon de faire les poignards séraphiques pour qu'ils durent plus longtemps. Je vais essayer de convaincre Hodge de m'apprendre…

Jace jeta un coup d'œil incrédule à Maryse. Ainsi, Max n'était pas au courant pour Hodge ? Elle ne lui avait rien dit ?

Maryse soutint son regard ; puis, pinçant les lèvres, elle prit son fils cadet par le bras.

— Ça suffit, Max.

Il leva vers elle des yeux surpris.

— Mais je parle avec Jace…

— Je le vois bien.

Elle le poussa doucement vers Isabelle.

— Isabelle, Alec, emmenez votre frère dans sa chambre. Jace, ajouta-t-elle d'un ton sec, va te laver et rejoins-moi dans la bibliothèque dès que tu auras fini.

— Je ne comprends pas, intervint Alec en regardant tour à tour Jace et sa mère. Qu'est-ce qu'il y a ?

Jace sentit une sueur glacée dégouliner le long de son dos.

— C'est à propos de mon père ?

Maryse sursauta deux fois de suite, comme si ces deux dernières syllabes étaient autant de gifles.

— Nous en parlerons plus tard, marmonna-t-elle.

— Ce qui s'est passé en votre absence n'est pas la faute de Jace, protesta Alec. Nous sommes tous impliqués. Et Hodge a dit…

— Nous aborderons ce sujet-là le moment voulu, l'interrompit Maryse, les yeux fixés sur Max.

— Mais, maman ! gémit Isabelle. Si tu as l'intention de punir Jace, tu devrais nous punir aussi. Nous étions ensemble.

— Non, décréta Maryse au bout d'un silence interminable. Pas vous.

— Première règle du manga.

Simon était assis au pied de son lit, le dos calé contre une pile d'oreillers, un paquet de tacos dans une main et une télécommande dans l'autre. Il portait un tee-shirt noir orné d'un slogan idiot et un jean troué au genou.

— Ne jamais se frotter à un moine aveugle.

— Je sais, lança Clary en prenant un taco pour le tremper dans le pot de sauce posé sur le plateau entre eux deux. Pour une raison obscure, ce sont généralement de meilleurs guerriers que les voyants.

Elle scruta l'écran.

— Je rêve, ou ils sont en train de danser ?

— Ils ne dansent pas, ils essaient de se zigouiller. Lui, c'est l'ennemi mortel de l'autre, tu te souviens ? Il a tué son père. Pourquoi tu veux qu'ils dansent ?

Clary mordit dans son taco en fixant d'un air méditatif l'écran où, cernés par des nuages roses et jaunes, deux hommes ailés se tournaient autour, une lance étincelante à la main. De temps à autre, l'un d'eux disait quelque chose, mais comme ils s'exprimaient en japonais et que le tout était sous-titré en chinois, Clary n'était pas plus avancée.

— Le type au chapeau, c'était le méchant ?

— Non, lui, c'était le père, un empereur magicien avec des super pouvoirs dans son chapeau. Le méchant, c'est celui qui a la main mécanique.

La sonnerie du téléphone retentit. Simon posa le paquet de chips et fit mine de se lever pour répondre, mais Clary le retint par le poignet.

— Non. Laisse sonner.

— C'est peut-être Luke. Il est à l'hôpital, non ?

— Ce n'est pas lui, il m'aurait appelée sur mon portable.

Simon la regarda un long moment avant de se rallonger sur le tapis à côté d'elle.

— Si tu le dis...

Clary perçut dans sa voix le doute, et la promesse tacite : « Je ne veux que ton bonheur. » Elle n'était pas certaine qu'il soit à portée de main dans l'immédiat, avec sa mère à l'hôpital, reliée à des tubes et à des machines, et Luke, assis à son chevet avec une mine de déterré, ainsi que l'inquiétude permanente que lui causait Jace. Elle décrochait le téléphone dix fois par jour pour l'appeler à l'Institut avant de reposer le combiné. Si Jace souhaitait lui parler, c'était à lui de faire le premier pas.

Peut-être avait-elle commis une erreur en l'emmenant voir Jocelyne. Elle s'était persuadée que, dès que sa mère entendrait la voix de son fils, elle se réveillerait. Mais il n'en avait rien été. Jace s'était planté près du lit, mal à l'aise, aussi immobile qu'une statue, le regard vide, indifférent. Clary avait fini par perdre patience et s'en était prise à lui. Il avait répliqué sur le même ton avant de sortir de la chambre comme un ouragan. Luke l'avait suivi des yeux. Une espèce d'intérêt clinique se lisait sur ses traits fatigués. « Tiens, c'est la première fois que je vous vois vous comporter en frère et sœur », avait-il dit.

Clary n'avait pas répondu. À quoi bon lui avouer qu'elle aurait tant voulu que Jace ne soit pas son frère ? Elle ne pouvait pas lutter contre l'ADN, même si son *bonheur* en dépendait.

Au moins, dans la chambre de Simon, elle se sentait chez elle, détendue, même si cela ne suffisait pas à la rendre heureuse. Elle le connaissait depuis assez longtemps pour se rappeler son lit d'enfant en forme de camion de pompier et ses Lego empilés dans un coin. À présent, il dormait sur un futon recouvert d'un plaid à rayures de couleurs vives, un cadeau de sa sœur, et ses murs étaient tapissés de posters. Une batterie avait remplacé les Lego ; en face, l'écran d'un ordinateur affichait encore une image de World of Warcraft. Cet endroit lui était presque aussi familier que sa propre chambre, qui n'existait plus.

— Encore des chibis, annonça Simon d'un ton lugubre.

Sur l'écran, tous les personnages avaient laissé place à une version miniature d'eux-mêmes, et se poursuivaient en brandissant des casseroles et des poêles à frire.

— Je change de chaîne, poursuivit-il en prenant la télécommande. J'en ai marre de ce manga. Je ne comprends rien à l'intrigue, et il n'y a pas de sexe.

— Comment veux-tu qu'il y en ait ? lança Clary en prenant un autre taco. C'est un divertissement familial. Donne-moi ça !

Elle tendit la main vers la télécommande, mais Simon avait déjà zappé. Soudain, il fixa l'écran d'un air ébahi. La chaîne diffusait un vieux film de Dracula en noir et blanc qu'elle avait déjà vu avec sa mère. On apercevait Bela Lugosi, le visage blême, emmitouflé dans son éternelle cape, le col relevé, ses lèvres découvrant des canines pointues.

— Je ne bois jamais… de vin, récita-t-il avec un accent hongrois prononcé.

— J'adore les toiles d'araignée en plastique ! commenta Clary pour détendre l'atmosphère.

Mais Simon avait déjà sauté sur ses pieds, le visage livide.

— Je reviens tout de suite, marmonna-t-il en jetant la télécommande sur le lit.

Clary le regarda sortir de la pièce et se mordit la lèvre : pour la première fois depuis que sa mère était à l'hôpital, elle songea que Simon n'était peut-être pas très heureux, lui non plus.

Tout en se séchant les cheveux, Jace inspecta son reflet dans le miroir avec une grimace perplexe. Une rune de guérison était venue à bout de ses plus grosses ecchymoses ; en revanche, elle ne pouvait rien contre ses cernes sous les yeux et le pli sévère de sa bouche. Il avait la migraine, et la tête lui tournait un peu. Il savait qu'il aurait dû avaler quelque chose ce matin, mais il s'était réveillé au beau milieu d'un cauchemar avec la nausée. Il n'avait aucune envie d'un petit-déjeuner. Tout ce qu'il voulait, c'était se dépenser pour trouver un peu de paix, passer à l'action pour oublier ses rêves.

Il songea avec nostalgie à l'infusion noire et douceâtre que préparait Hodge avec les plantes de la serre, celles dont les fleurs s'épanouissaient le soir. Ce breuvage calmait la sensation de faim et possédait des propriétés énergisantes. Après la mort de Hodge, Jace avait tenté de faire bouillir des feuilles pour parvenir au même résultat, mais il n'avait obtenu qu'un liquide amer au goût de cendre qui avait manqué le faire vomir.

Pieds nus, il entra dans sa chambre, enfila un jean et un tee-shirt propres et rejeta en arrière ses cheveux blonds encore humides, les sourcils froncés. Ils étaient trop longs en ce moment, et lui retombaient constamment sur les yeux, un détail que Maryse se ferait un plaisir de critiquer. Elle le réprimandait toujours à ce sujet. S'il n'était pas l'enfant biologique des Lightwood, ils l'avaient toujours traité comme tel depuis qu'ils l'avaient adopté, à l'âge de dix ans, après la mort de son père. « La mort prétendue de mon père », se rappela Jace tandis que sa nausée revenait. Depuis quelques jours, il se faisait l'effet d'une de ces citrouilles évidées qu'on expose devant les maisons pour la fête de Halloween : il avait l'impression qu'on lui avait arraché les entrailles à la fourchette avant de le jucher sur un tas de terre, un sourire grimaçant figé sur les lèvres. Il se demandait s'il existait une once de vérité dans ses certitudes sur lui-même ou sur son passé. Il se croyait orphelin, alors qu'il n'en était rien ;

il avait toujours pensé qu'il était enfant unique, or, il avait une sœur.

Clary. La douleur au creux de son ventre redoubla. Il s'efforça de l'ignorer. Son regard tomba sur le débris de miroir posé sur sa commode, qui reflétait encore quelques branches feuillues et un bout de ciel bleu brillant comme un diamant. Le soir tombait à Idris : l'azur laissait place au cobalt.

Jace chaussa ses bottes et descendit à la bibliothèque. Tandis que ses pas résonnaient sur les marches en pierre, il se demanda de quoi Maryse voulait l'entretenir seule à seul. Tout à l'heure, elle semblait à deux doigts de le gifler. Il ne se souvenait pas de la dernière fois où elle avait levé la main sur lui. Les Lightwood n'étaient guère partisans du châtiment corporel, contrairement à Valentin, qui avait recours à toutes sortes de punitions douloureuses pour encourager l'obéissance. La peau de Chasseur d'Ombres de Jace, qui guérissait toujours, faisait disparaître jusqu'à la moindre preuve de ce traitement. Au cours des semaines qui avaient suivi la mort de son père, Jace se rappelait avoir inspecté son corps à la recherche de cicatrices, d'une quelconque marque qu'il aurait portée comme un emblème, un souvenir susceptible de le rattacher physiquement à lui : en vain.

Arrivé devant la bibliothèque, il frappa avant de pousser la porte. Maryse était assise près de l'âtre dans le vieux fauteuil de Hodge. À la lumière du soleil qui pénétrait par les hautes fenêtres, Jace distingua quelques reflets argentés dans les cheveux de sa mère adoptive. Elle tenait à la main un verre de vin rouge ;

une carafe en cristal taillé était posée sur la table à côté d'elle.

— Maryse ?

Elle eut un léger sursaut et renversa quelques gouttes de vin.

— Oh, Jace ! Je ne t'ai pas entendu entrer.

Il resta immobile sur le seuil.

— Tu te souviens de la chanson que tu chantais à Isabelle et à Alec pour les endormir quand ils avaient peur du noir ?

Maryse sembla prise de court.

— Qu'est-ce que tu racontes ?

— Je t'entendais à travers la cloison. La chambre d'Alec se trouvait juste à côté de la mienne à l'époque.

Maryse ne répondit pas.

— Cette chanson... Elle était en français.

— J'ignore pourquoi tu te rappelles ce détail, lança-t-elle en le regardant comme s'il venait de l'accuser d'un crime.

— Tu n'as jamais chanté pour moi.

Un bref silence, puis elle déclara :

— Oh, toi, tu n'as jamais eu peur du noir.

— Tous les enfants ont peur du noir.

Maryse leva les sourcils.

— Assieds-toi, Jonathan.

Jace traversa nonchalamment la pièce, en prenant tout son temps pour agacer Maryse, et se laissa tomber dans une des bergères qui flanquaient le bureau.

— Je préférerais que tu ne m'appelles pas Jonathan.

— Pourquoi ? C'est ton prénom.

Elle le jaugea du regard avant de demander :

— Depuis combien de temps tu es au courant ?

— Au courant de quoi ?

— Ne joue pas l'idiot. Tu sais exactement de quoi je parle, lâcha-t-elle en faisant tourner son verre entre ses doigts. Depuis combien de temps tu sais que Valentin est ton père ?

Jace envisagea plusieurs réponses, qu'il écarta les unes après les autres. D'ordinaire, il parvenait toujours à ses fins avec Maryse : il lui suffisait de la faire rire. Il comptait parmi les rares personnes au monde capables de la dérider.

— Depuis aussi longtemps que toi.

Maryse secoua lentement la tête.

— Je ne te crois pas.

Jace se redressa sur son siège et serra les poings pour cacher que ses doigts tremblaient. Il essaya de se souvenir si cela lui était déjà arrivé auparavant. Non, il avait toujours su contrôler ses mains autant que son cœur.

— Tu ne me crois pas ?

Il perçut l'incrédulité dans sa propre voix et pesta intérieurement. Bien sûr qu'elle ne le croyait pas, ça crevait les yeux.

— Ça ne tient pas debout, Jace. Comment pouvais-tu ignorer qui est ton père ?

— Il m'a dit qu'il s'appelait Michael Wayland. Nous vivions dans la maison de campagne familiale…

— Un détail, commenta Maryse. Et ton nom ? Quel est ton vrai nom ?

— Tu le connais.

— Jonathan Christopher. Je savais que le fils de Valentin portait ce nom-là. Je savais que Michael avait lui aussi appelé son fils Jonathan. C'est un nom courant chez les Chasseurs d'Ombres : je n'ai jamais trouvé étrange le fait qu'ils aient ça en commun. Quant au second prénom du fils de Michael, je ne m'en suis pas préoccupée. Maintenant, en revanche, je ne peux m'empêcher de m'interroger. Quel était en réalité le second prénom du fils de Michael Wayland ? Depuis combien de temps Valentin avait-il échafaudé son plan ? Quand a-t-il décidé d'assassiner Jonathan Wayland ?

Elle s'interrompit, les yeux fixés sur Jace.

— Tu ne ressembles pas à Michael, reprit-elle. D'accord, parfois, les enfants ne ressemblent pas à leurs parents. Je n'y avais jamais réfléchi auparavant. Mais désormais, je vois Valentin à travers toi. Ce regard. Cette arrogance. Ce que je raconte ne t'intéresse pas, hein ?

Elle se trompait. Seulement, il s'efforçait de ne pas le laisser paraître.

— Ça ferait une différence, si c'était le cas ?

Maryse reposa son verre vide sur la table.

— Et tu réponds à mes questions par d'autres questions, pour me déstabiliser. C'était la spécialité de Valentin. Tout ça aurait dû me mettre la puce à l'oreille.

— N'importe quoi ! Je suis resté le même. Rien n'a changé. Si, avant, je ne te rappelais pas Valentin, je ne vois pas pourquoi ça aurait changé maintenant.

Maryse fixa un point au-dessus de la tête de Jace comme si elle ne pouvait plus se résoudre à le regarder dans les yeux.

— Quand nous parlions de Michael, tu as sans doute compris que nous ne faisions pas allusion à ton père. Ce que nous disions de lui ne pouvait pas s'appliquer à Valentin.

— Vous m'avez dit que c'était un homme bon, répliqua Jace en refoulant sa colère. Un Chasseur d'Ombres courageux. Un père aimant. Ça me semblait correspondre.

— Et les photos ? Tu as dû tomber sur des photos de Michael Wayland, et t'apercevoir que ce n'était pas l'homme que tu tenais pour ton père.

Elle se mordit la lèvre.

— Aide-moi, Jace.

— Toutes les photos ont été détruites lors de l'Insurrection. C'est toi-même qui me l'as raconté. Maintenant, j'en viens à me demander si ce n'est pas Valentin qui les a brûlées pour que personne ne sache qui faisait partie du Cercle. Je n'ai jamais eu la moindre photographie de mon père, conclut Jace avec amertume.

Maryse se massa les tempes.

— Je n'arrive pas à y croire, murmura-t-elle comme pour elle-même. C'est insensé !

— Alors, n'en crois rien. Il faut que tu me fasses confiance.

En disant cela, Jace sentit ses mains trembler de plus belle.

— J'aimerais bien ! s'exclama Maryse.

Pendant un bref moment il retrouva dans cette voix la Maryse qu'il connaissait, celle qui venait s'asseoir à son chevet la nuit tandis qu'il contemplait le plafond, les yeux secs, en pensant à son père. Elle restait jusqu'à ce qu'il s'endorme, un peu avant l'aube.

— Je n'en savais rien, martela Jace. Et quand il m'a demandé de rentrer à Idris avec lui, j'ai refusé. Je suis toujours là. Ça ne compte pas ?

Maryse posa les yeux sur la carafe, comme si elle envisageait de se servir un autre verre, puis parut renoncer à cette idée.

— Si seulement ! Mais il y a tant de raisons pour lesquelles ton père voudrait que tu restes à l'Institut ! En ce qui concerne Valentin, je ne peux pas me fier à quelqu'un qui pourrait subir son influence.

— Toi, il t'a bien influencée ! protesta Jace, et il regretta instantanément ses paroles en voyant l'expression de Maryse.

— Mais, moi, je l'ai renié. En as-tu fait autant ? En es-tu capable ?

Les yeux de Maryse étaient du même bleu que ceux d'Alec ; cependant ce dernier n'avait jamais regardé Jace ainsi.

— Dis-moi que tu le hais, Jace, reprit-elle. Dis-moi que tu hais cet homme et tout ce qu'il représente.

Quelques instants s'écoulèrent. Baissant les yeux, Jace s'aperçut qu'il serrait les poings : les jointures de ses doigts étaient blanches comme un os de seiche.

— Je ne peux pas.

Maryse soupira.

— Pourquoi donc ?

— Et toi, pourquoi tu ne me fais pas confiance ? J'ai passé presque la moitié de ma vie à tes côtés. Tu me connais mieux que ça, non ?

— Tu sembles si sincère, Jonathan ! Tu as toujours semblé honnête, même quand, enfant, tu avais mal agi, et que tu essayais de rejeter la faute sur Alec ou Isabelle. Je n'ai rencontré qu'une seule personne capable d'autant de persuasion.

Jace avait un goût de métal dans la bouche.

— Tu parles de mon père.

— Pour Valentin, il n'existait que deux sortes d'individus en ce monde. Ceux qui soutenaient le Cercle, et ceux qui s'opposaient à lui. Les derniers étaient des ennemis ; les premiers les armes de son arsenal. Je l'ai vu tenter de persuader chacun de ses amis, et même son épouse, de servir la Cause ; alors, n'essaie pas de me faire croire qu'il n'en a pas fait autant avec son propre fils.

Maryse secoua la tête.

— Je le connais bien, va.

Pour la première fois depuis le début de leur entrevue, son regard trahissait plus la tristesse que la colère.

— Tu es une flèche plantée au cœur de l'Enclave, Jace. Tu es la flèche de Valentin, que tu en aies conscience ou pas.

Clary ferma la porte de la chambre pour étouffer les braillements provenant de la télévision et se mit à la recherche de Simon. Elle le trouva dans la cuisine, penché sur l'évier, le robinet ouvert, les mains appuyées sur l'égouttoir.

— Simon ?

Sur les murs de la cuisine, peints en jaune vif, étaient exposés des dessins de Simon et de Rebecca datant de l'école primaire. Rebecca semblait avoir du talent ; quant aux personnages crayonnés par Simon, ils ressemblaient tous à des parcmètres surmontés d'une touffe de cheveux.

Il ne leva pas les yeux, mais elle comprit à la tension soudaine de ses muscles qu'il l'avait entendue entrer. Elle s'avança vers lui, posa la main sur son dos et sentit les bosses de sa colonne vertébrale à travers le fin coton de son tee-shirt. Avait-il perdu du poids ? Elle n'aurait pas pu en jurer. Regarder Simon, c'était comme contempler un miroir : quand on voit quelqu'un tous les jours, on ne remarque pas les petits changements qui s'opèrent dans son apparence.

— Ça ne va pas ?

Il referma le robinet d'un geste brusque :

— Si, si. Ça va très bien.

Clary prit le menton de son ami et tourna son visage vers le sien. Il transpirait à grosses gouttes ; la sueur collait des mèches brunes à son front malgré l'air froid qui entrait par la fenêtre entrouverte.

— Tu n'es pas dans ton assiette. C'est ce film, hein ?

Pas de réponse.

— Désolée, je n'aurais pas dû rire, c'est juste…

— Tu ne te souviens pas ? lâcha-t-il d'une voix rauque.

— Je…

Clary s'interrompit. Rétrospectivement, cette nuit-là se réduisait à une longue succession d'images floues, pleines de fuites éperdues, de sang et de sueur, d'ombres entrevues sur un seuil, de chutes dans le vide. Elle revit les visages blêmes des vampires, se détachant sur l'obscurité telles des figurines découpées dans du papier blanc, et Jace qui la serrait contre lui en criant dans son oreille.

— Non, pas vraiment. Ça reste très vague.

Son regard planté dans le sien, Simon demanda :

— Est-ce que tu me trouves différent ?

Clary l'examina avec attention. Il avait les yeux couleur café : pas noirs, plutôt d'un brun profond, sans la moindre touche de gris ou de miel. Avait-il l'air différent ? Il y avait peut-être un soupçon d'assurance supplémentaire dans son maintien depuis qu'il avait tué Abbadon, le Démon Supérieur. Mais il trahissait aussi une certaine méfiance, comme s'il attendait ou surveillait quelque chose. Clary s'était fait la même réflexion au sujet de Jace. Peut-être n'était-ce que le fait d'avoir pris conscience de leur condition de mortels.

— Pour moi, tu es le même.

Il ferma les yeux à demi, l'air soulagé. Comme il baissait les cils, Clary remarqua que ses pommettes étaient plus saillantes. « Oui, il a perdu du poids », songea-t-elle. Elle était sur le point de formuler sa pensée quand Simon se pencha soudain et l'embrassa.

Elle fut tellement surprise de sentir ses lèvres contre les siennes qu'elle se figea et dut s'agripper au bord de l'évier. Cependant, elle ne le repoussa pas. Prenant son apathie pour un signe d'encouragement, Simon glissa sa main derrière sa nuque et l'embrassa de plus belle. Ses baisers étaient plus doux que ceux de Jace ; sa main sur son cou était chaude et caressante. Sa bouche avait un goût de sel.

Clary ferma les yeux et, pendant quelques instants, se laissa flotter étourdiment dans le noir, grisée par la chaleur rassurante du corps de Simon et le contact de ses doigts dans ses cheveux. Elle fut arrachée à son hébétude par la sonnerie stridente du téléphone. Elle recula d'un bond comme s'il l'avait repoussée brutalement, alors qu'il n'avait pas bougé. Ils se fixèrent quelques secondes, l'air perdu, comme deux individus transportés d'un seul coup dans un paysage étrange, où rien n'est familier.

Simon se détourna le premier et décrocha le téléphone mural.

— Allô ?

Sa voix ne trahissait rien d'anormal, alors que sa poitrine se soulevait et s'abaissait à vive allure. Il tendit le combiné à Clary.

— C'est pour toi.

En prenant le téléphone, Clary sentait encore son cœur battre dans sa gorge, comme les ailes d'un insecte prisonnier sous sa peau. « C'est Luke qui appelle de l'hôpital. Il est arrivé quelque chose à ma mère. » Elle avala sa salive avec difficulté.

— Luke, c'est toi ?

— Non, c'est Isabelle.

— Isabelle ?

Clary leva les yeux : Simon l'observait, adossé à l'évier. La rougeur sur ses joues s'était dissipée.

— Pourquoi tu... Je veux dire, ça va ?

La voix de son interlocutrice était méconnaissable, comme si elle venait de pleurer.

— Jace est là ?

Clary éloigna le combiné pour le contempler, médusée, avant de le rapprocher de son oreille.

— Jace ? Non. Pourquoi veux-tu qu'il soit ici ?

Isabelle répondit dans un souffle :

— C'est qu'il… qu'il a disparu.

2

Le Hunter's Moon

Maia se méfiait des beaux garçons ; c'est pour cette raison qu'elle avait détesté Jace Wayland dès le premier regard.

Son frère jumeau, Daniel, qui avait hérité de la peau dorée et des immenses yeux noirs de sa mère, était devenu ce genre d'individu qui brûle les ailes des papillons pour les regarder mourir quand ils essaient de s'envoler. Il la torturait, elle aussi, d'abord de façon discrète et mesquine, en la pinçant là où on ne verrait pas ses bleus, ou en remplaçant son shampooing par de l'eau de Javel. Leurs parents, auxquels elle allait se plaindre, ne la croyaient jamais. Personne n'ajoutait foi à ses propos en regardant Daniel : tous confondaient la beauté avec l'innocence. Quand, à l'âge de quatorze ans, il lui avait cassé le bras, elle s'était enfuie de chez elle, mais ses parents l'avaient ramenée de force. L'année suivante, Daniel avait été renversé dans la rue par un chauffard et tué sur le coup. À l'enterrement, debout au côté de ses parents, Maia avait eu honte de l'énorme soulagement qu'elle éprouvait. Elle était persuadée que Dieu la punirait de se réjouir de la mort de son frère.

Il s'y employa l'année qui suivit le drame. Elle fit la connaissance de Jordan : de longs cheveux noirs, des hanches étroites moulées dans un jean usé, des tee-shirts de rockeur et des cils de fille. Elle n'aurait jamais cru que ce garçon puisse s'intéresser à elle. Les types comme lui préféraient d'ordinaire les filles minces au teint pâle ; or, il avait l'air d'apprécier ses formes. Entre deux baisers, il lui disait qu'elle était belle. Les premiers mois ressemblèrent à un rêve ; les derniers tournèrent au cauchemar. Il devenait possessif et autoritaire. Au moindre différend, il poussait des rugissements de fureur et la giflait du dos de la main, laissant une marque rouge sur sa joue. Lorsqu'elle tenta de rompre avec lui, il la poussa violemment à terre devant chez elle. Elle courut se réfugier à l'intérieur en claquant la porte.

Peu après, elle s'arrangea pour qu'il la voie embrasser quelqu'un d'autre afin de lui signifier que c'était bel et bien fini. Elle ne se souvenait même plus du nom de son rival. En revanche, elle se rappelait bien le soir de pluie où elle rentrait à pied chez elle en coupant par le parc voisin. Soudain, une silhouette sombre avait jailli de derrière le vieux manège, le corps massif du loup l'avait plaquée dans la boue. Elle n'avait pas oublié la souffrance inhumaine causée par ses mâchoires qui se resserraient sur sa gorge. Elle s'était débattue en hurlant, le goût de son sang dans la bouche tandis que tout en elle criait : « C'est impossible ! Impossible ! » Il n'y avait pas de loups dans le

New Jersey, pas dans cette banlieue tranquille, pas au XXIe siècle.

Ses cris avaient alerté le voisinage, les fenêtres s'étaient allumées les unes après les autres. Le loup l'avait relâchée après avoir creusé dans sa chair des sillons sanglants.

Vingt-quatre points de suture plus tard, elle était de retour dans sa chambre rose, sous la surveillance inquiète de sa mère. Le médecin des urgences avait décrété que sa morsure était l'œuvre d'un gros chien, mais Maia savait qu'il n'en était rien. Avant que le loup ne s'éloigne, elle avait entendu une voix familière lui glisser à l'oreille : « Maintenant, tu es à moi pour toujours. »

Elle n'avait jamais revu Jordan : ses parents avaient déménagé, et ses amis ignoraient où il se trouvait, ou refusaient de l'avouer. Elle s'était à peine étonnée quand, lors de la pleine lune suivante, son calvaire avait commencé : une douleur qui lui sciait les jambes, la contraignait à marcher à quatre pattes et courbait son épine dorsale comme un magicien tordant une cuillère entre ses doigts. Lorsque ses dents s'étaient déchaussées et étaient tombées par terre dans un fracas d'osselets, elle avait tourné de l'œil. Ou du moins c'est ce qu'il lui avait semblé. Elle s'était éveillée à des kilomètres de chez elle, nue et couverte de sang, sa cicatrice battant comme un pouls sur son bras. Cette nuit-là, elle avait pris le train pour Manhattan. Cette décision s'était imposée d'elle-même. C'était déjà assez dur d'être métisse dans une banlieue conservatrice comme la sienne ; elle n'osait imaginer ce qui attendait un loup-garou.

Elle n'avait pas eu grand mal à trouver une meute susceptible de l'accueillir. Il en existait plusieurs rien que dans Manhattan. Elle avait fini par rejoindre celle qui s'était établie au sud de l'île dans un commissariat abandonné de Chinatown.

Les chefs de meute se succédaient : il y avait d'abord eu Kito, puis Véronique, Gabriel, et enfin Luke. Elle aimait bien Gabriel, mais c'est Luke qui avait sa préférence. Son allure inspirait confiance, ses yeux bleus respiraient la bonté, et surtout il n'était pas exagérément séduisant, sans quoi il lui aurait déplu au premier regard. Elle se sentait plutôt bien au sein de la meute : ils dormaient dans le vieux commissariat, jouaient aux cartes, mangeaient chinois. Quand la lune était pleine, ils chassaient dans le parc et le lendemain allaient soigner au Hunter's Moon, l'un des meilleurs bars clandestins de la ville, la gueule de bois consécutive à la Transformation. Là-bas, la bière coulait à flots, et personne ne vous demandait votre carte d'identité afin de s'assurer que vous aviez l'âge légal pour boire de l'alcool. On grandissait vite en devenant lycanthrope et, dès lors qu'il vous poussait des poils et des crocs une fois par mois, vous étiez le bienvenu au Moon, quel que soit votre âge terrestre.

Ces derniers temps, Maia ne pensait presque plus à sa famille. Mais quand le grand garçon blond en long manteau noir entra d'un pas décidé dans le bar, elle se figea. Il ne ressemblait pas à Daniel, pas tout à fait : son frère avait les cheveux noirs et ondulés sur la nuque, et la peau couleur miel. Ce garçon, lui, était blanc et blond. Cependant, ils avaient le même corps mince, la même démarche, celle d'une panthère guettant sa proie, et affichaient la même assurance quant à leur pouvoir de séduction. Sa main se resserra convulsivement autour de son verre, et elle dut se répéter : « Il est mort. Daniel est mort. »

Dans le bar, des murmures excités suivirent l'arrivée de l'inconnu. Faisant mine de ne rien remarquer, le nouveau venu attira un tabouret à lui du bout de sa botte et se percha sur le siège, les coudes posés sur le comptoir. Maia l'entendit commander un whisky dans le silence qui s'était abattu sur la salle. Il vida la moitié de son verre après l'avoir porté à ses lèvres d'un geste vif. L'alcool était du même or sombre que ses cheveux. Quand il reposa son verre sur le comptoir, Maia distingua de grosses Marques noires qui s'enroulaient sur ses poignets et sur le dos de ses mains.

Bat, le garçon assis à côté de lui, avec qui Maia était sortie à une époque – depuis, ils étaient restés bons amis –, marmonna quelque chose. Maia l'entendit prononcer le mot « Nephilim ».

« C'est donc ça. » L'étranger n'était pas un loup-garou, mais un Chasseur d'Ombres, membre de cette obscure police secrète qui régentait le monde, faisant respecter la Loi sous l'égide du Covenant. Il était impossible de devenir l'un des leurs : il fallait être né dans le sérail. Leur nature découlait de leur sang. Beaucoup de rumeurs circulaient à leur sujet, peu flatteuses pour la plupart : ils étaient hautains, fiers, cruels et méprisaient les Créatures Obscures. Il n'y avait rien en ce monde que les lycanthropes détestaient plus que les Chasseurs d'Ombres, hormis peut-être les vampires.

On prétendait aussi que les Chasseurs d'Ombres tuaient les démons. Maia se souvenait du jour où elle avait entendu parler pour la première fois de ces créatures et de leurs agissements. Cela lui avait donné le tournis. Les vampires et les loups-garous n'étaient que des êtres humains affectés d'un mal spécifique, d'après ce qu'elle avait compris ; mais de là à gober ces sottises au sujet du paradis et de l'enfer, des anges et des démons, alors que personne ne pouvait affirmer avec certitude que Dieu existait et qu'il y avait une vie après la mort ? C'était pousser le bouchon un peu loin. Désormais, elle croyait aux démons – elle avait trop vu de quoi ils étaient capables pour pouvoir nier leur existence –, mais elle regrettait le temps où elle vivait dans l'ignorance.

— Je suppose que vous ne servez pas de Silver Bullet[1] ici, lança le garçon. Trop de connotations désagréables ?

Ses yeux étincelèrent comme un croissant de lune.

Le barman, surnommé Pete le Barge, se contenta de toiser l'insolent en secouant la tête avec dégoût. Maia soupçonnait que, si ce garçon n'avait pas été un Chasseur d'Ombres, Pete l'aurait expulsé du bar séance tenante. Là, il s'éloigna à l'autre bout du comptoir et se mit à essuyer des verres.

— En fait, lâcha Bat, qui était incapable de se tenir à l'écart des ennuis, on n'en sert pas parce qu'il n'y a pas plus dégueulasse comme bière.

L'inconnu posa son regard perçant sur Bat et lui

---

1. D'après la légende, le seul moyen d'éliminer un loup-garou est de lui transpercer le cœur avec une balle en argent. *(N.d.T.)*

adressa un sourire radieux. Pourtant, la plupart des gens n'avaient pas envie de sourire quand Bat les regardait d'un drôle d'air : il mesurait plus d'un mètre quatre-vingt-dix, et une grosse cicatrice barrait sa joue à l'endroit où de la poudre d'argent avait brûlé sa peau. Bat ne faisait pas partie des squatteurs, la meute qui occupait le commissariat et dormait dans les anciennes cellules. Il possédait son propre appartement, et il exerçait même une profession. Il avait été un petit ami tout à fait acceptable, jusqu'à ce qu'il décide de plaquer Maia pour une sorcière rousse qui vivait à Yonkers et tenait un commerce de chiromancie dans son garage.

— Toi, tu m'as l'air d'une humeur de chien, lança le garçon en se penchant si près de Bat que son mouvement était à lui seul une insulte.

— Tu te crois malin ?

À ce stade de l'échange, le reste de la meute tendit l'oreille pour ne pas en perdre une miette, prêt à épauler Bat s'il lui prenait l'envie de flanquer une bonne correction à ce gamin arrogant.

— Bat, arrête ! supplia Maia en se demandant si elle était la seule dans le bar à se douter de l'issue de la bagarre.

Elle ne remettait pas en question les compétences de Bat en la matière. Mais il y avait une lueur étrange dans les yeux du garçon.

Bat l'ignora.

— Tu te crois malin, hein ? C'est ça ? répéta-t-il.

— Je ne vais pas nier l'évidence, répliqua l'autre.

Ses yeux glissèrent sur Maia comme si elle était invisible avant de se poser de nouveau sur Bat.

— Je suppose que tu ne vas pas me dire ce qui t'est arrivé au visage ? On dirait...

À ces mots, il se pencha encore plus pour murmurer à l'oreille de Bat quelque chose que Maia n'entendit pas. En un éclair, Bat projeta son poing dans la figure du garçon. Il lui aurait sans doute brisé la mâchoire si ce dernier n'avait pas réussi à éviter le coup : il se tenait déjà à quelques pas de son adversaire quand le poing de celui-ci heurta son verre abandonné, l'envoyant s'écraser contre le mur.

Pete le Barge contourna le bar et empoigna Bat par le col de son tee-shirt avant que Maia ait pu faire un geste.

— Ça suffit ! Bat, va donc faire un tour pour te calmer.

Le loup-garou se débattit pour se libérer.

— Qui, moi ? Tu as entendu...

— Oui, souffla Pete. C'est un Chasseur d'Ombres. Laisse tomber, gamin.

Bat poussa un juron, se dégagea d'un geste brusque et se dirigea vers la sortie au pas de charge. La porte claqua derrière lui.

L'étranger, qui avait cessé de sourire, fixait Pete d'un regard noir, comme si le barman venait de lui confisquer son jouet.

— Ce n'était pas nécessaire, lâcha-t-il. Je sais me tenir.

Pete le considéra pendant quelques instants.

— C'est pour mon bar que je m'inquiète, répondit-il enfin. Tu devrais aller voir ailleurs, Chasseur d'Ombres, si tu ne veux pas t'attirer d'ennuis.

— Et si c'est justement les ennuis que je cherche ?

Le beau blond se rassit sur son tabouret.

— Et puis, je n'ai pas fini mon verre.

Maia jeta un coup d'œil sur le mur derrière son dos, qui était trempé d'alcool.

— Moi, j'ai l'impression que tu l'as terminé, dit-elle.

L'espace d'une seconde, il parut déconcerté. Puis une lueur amusée s'alluma dans ses yeux noisette. Il ressemblait tellement à Daniel en cet instant que Maia réprima un mouvement de recul.

Pete fit glisser sur le comptoir un autre verre plein d'un liquide ambré avant que le garçon ait pu répliquer.

— Et voilà, fit-il en jetant un regard en coin à Maia.

Elle crut déceler un ton de mise en garde dans sa voix.

— Pete...

Elle n'eut pas le temps de finir sa phrase. La porte du bar s'ouvrit à la volée et Bat apparut sur le seuil. Il fallut un moment à Maia pour s'apercevoir que le devant de son tee-shirt était maculé de sang.

Elle se laissa tomber de son tabouret et courut à sa rencontre.

— Bat ? Tu es blessé ?

Son visage était cendreux ; la cicatrice sur sa joue ressortait comme un bout de fil de fer barbelé.

— Quelqu'un s'est fait agresser, annonça-t-il. Il y a un corps dans la ruelle. Un enfant mort. Et du sang partout.

Il secoua la tête en baissant les yeux sur sa poitrine.

— Ce n'est pas le mien. Je vais bien.

— Mais qui... ?

La réponse de Bat fut noyée sous un concert d'exclamations. Tous les clients abandonnèrent leur siège et se précipitèrent vers la sortie. Pete passa de l'autre côté du comptoir et se fraya un chemin parmi la cohue. Seul le Chasseur d'Ombres resta immobile, la tête baissée sur son verre.

Au-delà de la foule amassée devant la porte, Maia entrevit les pavés gris de la ruelle éclaboussés de sang frais, qui s'écoulait dans les interstices comme des tentacules écarlates.

— On lui a tranché la gorge ? demanda Pete à Bat, qui avait retrouvé ses couleurs. Comment…

— Il y avait quelqu'un agenouillé près de lui, répondit ce dernier d'un ton nerveux. Ça n'était pas humain… On aurait plutôt dit une ombre. Elle s'est enfuie en m'apercevant. Le gamin était encore en vie. Je me suis penché sur lui et…

Bat haussa les épaules avec désinvolture, mais les tendons de son cou, saillant comme les nœuds d'un tronc d'arbre, trahissaient son émotion.

— Il est mort sans avoir dit un mot.

— C'est un coup des vampires, décréta une femme lycanthrope aux formes généreuses, une certaine Amabel, si Maia se souvenait bien. Qui d'autre que les Enfants de la Nuit aurait pu s'en prendre à l'un des nôtres ?

Bat lui lança un coup d'œil, puis pivota sur ses talons et revint vers le bar, l'air furieux. Il fit mine de saisir le Chasseur d'Ombres par le dos de sa veste, mais l'inconnu s'était déjà levé d'un bond.

— C'est quoi, ton problème, loup-garou ?

Son geste toujours en suspens, Bat rétorqua :

— Tu es sourd, Nephilim ? Il y a un mort dans la ruelle. C'est l'un des nôtres.

— Tu veux parler d'un lycanthrope ou d'une autre espèce de Créatures Obscures ? demanda le garçon en levant les sourcils. J'ai tendance à vous confondre, vous êtes si nombreux !

Un grognement sourd s'éleva dans le dos de Maia. Elle constata à sa grande surprise qu'il provenait de Pete le Barge. Il était entouré du reste de la meute, et tous avaient les yeux fixés sur le Chasseur d'Ombres.

— Ce n'était qu'un enfant ! lança Pete. Il s'appelait Joseph.

Ce nom ne disait rien à Maia, qui vit Pete serrer les dents. Son ventre se noua. La meute était maintenant sur le sentier de guerre : si le Chasseur d'Ombres avait de la jugeote, il prendrait ses jambes à son cou. Pourtant, il ne bougeait pas d'un pouce et les fixait de ses yeux mordorés avec un sourire étrange sur les lèvres.

— Un enfant lycanthrope ? s'enquit-il.

— Il faisait partie de la meute. Il n'avait que quinze ans.

— Et qu'est-ce que vous voulez que j'y fasse ?

Pete le dévisagea avec incrédulité.

— Tu es un Nephilim. En pareilles circonstances, l'Enclave est tenue de nous protéger.

Le garçon promena lentement son regard autour de lui avec une telle insolence que les joues de Pete s'empourprèrent.

— Je ne vois aucune menace ici, affirma-t-il. Bon, la déco est à vomir et ça sent le moisi, mais ça devrait se régler avec un peu d'eau de Javel.

— Il y a un cadavre dehors, dit Bat en détachant soigneusement chaque syllabe. Tu ne crois pas…

— Je crois qu'il est un peu tard pour lui, l'interrompit le Chasseur d'Ombres.

Pete le fixait toujours avec intensité. Ses oreilles s'étaient allongées et, lorsqu'il parla, sa voix était altérée par ses canines proéminentes.

— Tu devrais te méfier, Nephilim.

Celui-ci lui jeta un regard indéchiffrable.

— Ah bon ?

— Alors, qu'est-ce que tu comptes faire ? intervint Bat.

— Je vais finir mon verre, si vous voulez bien.

— C'est ça, la position de l'Enclave, une semaine après les Accords ? cracha Pete avec dégoût. La mort d'une Créature Obscure ne signifie donc rien pour vous ?

Le garçon sourit, et un frisson parcourut le dos de Maia. Il avait exactement la même expression que Daniel quand il s'apprêtait à arracher les ailes d'une coccinelle.

— Inutile d'attendre que l'Enclave fasse le sale boulot à votre place, déclara-t-il. Nous avons autre chose à faire que de nous occuper d'un sombre idiot qui a décidé de repeindre la ruelle avec son sang…

Là, il employa un terme pour désigner les loups-garous qu'eux-mêmes n'utilisaient jamais, un mot péjoratif et répugnant qui qualifie une union contre nature entre un loup et une humaine.

Avant que quiconque ait pu faire un geste, Bat se jeta sur le Chasseur d'Ombres, mais celui-ci avait encore une fois disparu. Bat trébucha et se retourna, l'air perplexe. La meute en resta bouche bée.

Le Chasseur d'Ombres était désormais campé sur le bar, les pieds écartés. Dans cette position, il ressemblait à un ange vengeur prêt à exercer la justice divine, conformément au devoir des Chasseurs d'Ombres. Il fit signe à la meute d'approcher : aussitôt, les loups-garous se jetèrent sur lui.

En un clin d'œil, Bat et Amabel l'avaient rejoint sur le comptoir. Le garçon fit volte-face et envoya un grand coup de pied à ses assaillants qui, l'instant d'après, gisaient sur le sol constellé de débris de verre. Maia l'entendit rire au moment où un autre membre de la meute se ruait sur lui pour le précipiter à terre. Il se jeta à corps perdu dans la mêlée et disparut bientôt sous un enchevêtrement de bras et de jambes. Entrevoyant l'éclat d'une lame, Maia retint son souffle.

— Ça suffit !

La voix de Luke venait de s'élever au-dessus du vacarme, tranquille et régulière comme des battements de cœur. « C'est drôle comme on reconnaît toujours entre toutes la voix du chef de meute », songea Maia. Elle se retourna : Luke était debout sur le seuil du bar, une main appuyée contre le mur. Il semblait ravagé par la fatigue, comme si quelque chose le dévorait de l'intérieur. Pourtant ce fut avec calme qu'il répéta :

— Ça suffit. Laissez ce gamin tranquille.

La meute s'écarta du Chasseur d'Ombres. Seul Bat ne bougea pas : une lueur de défi dans les yeux, il agrippait encore la chemise du Chasseur d'Ombres tandis que de l'autre il brandissait un couteau. Quant au garçon, en dépit de son visage couvert de sang, il ne semblait pas avoir besoin d'aide et souriait d'un air menaçant.

— Ce n'est pas un gamin, c'est un Chasseur d'Ombres, protesta Bat.

— Ils sont les bienvenus ici, répliqua Luke d'un ton égal. Ce sont nos alliés.

— Il prétend que la mort de Joseph n'a aucune importance.

— Je sais.

Les yeux de Luke se posèrent sur le garçon blond.

— Tu es venu ici juste pour chercher la bagarre, Jace Wayland ?

Le dénommé Jace sourit malgré sa lèvre fendue, et un filet de sang dégoulina sur son menton.

— Luke !

Stupéfait d'entendre le nom de son chef de la bouche du Chasseur d'Ombres, Bat lâcha la chemise de son adversaire.

— Je ne savais pas…

— Il n'y a rien à savoir, lâcha Luke d'un ton las.

— D'après lui, l'Enclave se fiche de la mort d'un seul lycanthrope, même si c'est un enfant, intervint Pete de sa voix grave. Et ce à peine une semaine après les Accords, Luke !

— Jace ne parle pas au nom de l'Enclave, et il n'aurait rien pu faire même s'il l'avait voulu, n'est-ce pas ?

Luke se tourna vers Jace, qui avait pâli.

— Comment…

— Je sais ce qui s'est passé avec Maryse.

Jace se raidit et, l'espace d'une seconde, Maia entrevit, derrière l'expression féroce et moqueuse qui lui rappelait tant Daniel, l'angoisse et les ténèbres que reflétait son propre regard dans le miroir.

— Qui t'a mis au courant ? Clary ?

— Non, ce n'est pas Clary.

Maia n'avait jamais entendu Luke prononcer ce nom auparavant, mais son ton, tout comme celui du Chasseur d'Ombres, signifiait que cette personne leur était chère.

— Je suis chef de meute, Jace. J'ai des oreilles. Suis-moi. Allons discuter dans le bureau de Pete.

Jace hésita un instant avant de répondre avec un haussement d'épaules :

— Soit, mais tu me dois un whisky : je n'ai pas eu le temps de finir mon verre.

— Je suis à court d'idées, annonça Clary avec un soupir dépité en se laissant tomber sur les marches du Metropolitan Museum.

Elle jeta un regard éperdu vers la Cinquième Avenue.

— Celle-là n'était pas mauvaise.

Simon s'assit à côté d'elle et déplia ses longues jambes.

— Il se passionne pour les armes et le combat, alors pourquoi n'irait-il pas voir la plus grande collection d'armes de la ville ? Et puis, ces visites au musée me permettent de glaner des idées pour mes campagnes.

Clary le considéra avec surprise.

— Tu joues toujours à tes jeux vidéo avec Éric, Kirk et Matt ?

— Bien sûr. Pourquoi voudrais-tu que j'arrête ?

— Je croyais que ces jeux avaient perdu de leur intérêt pour toi depuis…

« Depuis que la vraie vie ressemble à l'une de tes campagnes », songea-t-elle. Avec des gentils, des méchants, de la magie malfaisante et des objets enchantés de première importance qu'il faut retrouver pour remporter la partie.

Sauf que, dans un jeu, les gentils gagnaient toujours : ils mettaient les méchants en déroute et rentraient à la maison avec le trésor. Alors que dans la vraie vie, ils perdaient, et parfois Clary ne savait plus distinguer les bons des mauvais.

Elle observa Simon et ressentit une profonde tristesse. S'il finissait par abandonner ses jeux vidéo, ce serait sa faute, comme tout ce qu'il avait traversé ces deux dernières semaines. L'image de son visage blême dans la cuisine, juste avant qu'il l'embrasse, lui revint en mémoire.

— Simon…

— En ce moment, j'incarne un prêtre à moitié troll cherchant à se venger des Orcs qui ont massacré sa famille, annonça-t-il gaiement. C'est génial.

Elle riait de bon cœur quand son téléphone portable sonna. C'était Luke.

— On ne l'a pas retrouvé, lança-t-elle avant même qu'il ait pu dire un mot.

— Moi si.

Clary se redressa brusquement.

— Il est avec toi ? Je peux lui parler ?

Du coin de l'œil, elle vit Simon lui jeter un regard sévère, et elle baissa la voix.

— Il va bien ?

— Dans l'ensemble, oui.

— Comment ça, dans l'ensemble ?

— Il a cherché des noises à une meute de loups-garous. Il s'en tire avec des bleus et des égratignures.

Clary ferma les yeux. Pourquoi diable Jace s'était-il attaqué à des loups-garous ? Mais, une fois encore, c'était du Jace tout craché. Il était capable de s'en prendre à un dix-tonnes sur un coup de tête.

— Je crois que tu devrais venir, reprit Luke. Il faut quelqu'un pour le raisonner, et je ne m'en sors pas très bien.

— Où êtes-vous ?

Luke lui répondit qu'ils l'attendaient dans un bar, le Hunter's Moon, situé dans Hester Street. Après avoir demandé si l'endroit était protégé par un charme, elle éteignit son téléphone et elle se tourna vers Simon qui l'observait, les sourcils levés.

— Le fils prodigue est de retour ? s'enquit-il, l'air détaché.

— Si on veut.

Clary se releva péniblement, étira ses jambes fatiguées et calcula le temps qu'il leur faudrait pour se rendre à Chinatown en métro, tout en se demandant s'il ne vaudrait pas mieux se payer un taxi avec l'argent de poche que Luke lui avait donné. Elle finit par opter pour la première solution : s'ils se retrouvaient coincés dans les embouteillages, ils mettraient plus de temps qu'avec les transports en commun.

Perdue dans ses réflexions, elle avait oublié jusqu'à la présence de Simon.

— ... venir avec toi, conclut-il en se levant à son tour. Qu'est-ce que tu en dis ?

— Euh...

— Tu n'as rien écouté de ce que je viens de te raconter, pas vrai ?

— Non, admit-elle. Désolée. Je pensais à Jace. Il est dans un sale état, j'ai l'impression.

Le regard de Simon s'assombrit.

— Et je suppose que tu vas te précipiter pour panser ses blessures ?

— Luke m'a demandé de les rejoindre. J'espérais que tu m'accompagnerais.

Simon shoota dans une marche.

— Je viens, mais... à quoi bon ? Luke ne peut pas ramener Jace à l'Institut sans ton aide ?

— Si, sans doute. Mais il espère qu'avant Jace voudra me parler de ce qui s'est passé.

— J'avais pensé qu'on pourrait peut-être sortir ce soir, lâcha Simon. Aller au ciné. Dîner en ville.

Clary repensa à l'épisode de la cuisine, aux mains humides de Simon dans ses cheveux... Le souvenir de ce moment lui parut soudain très lointain. C'était comme si elle se rappelait la photographie d'un incident sans vraiment pouvoir se remémorer l'incident lui-même.

— C'est mon frère. Je dois y aller.

— Alors, je viens avec toi, déclara Simon d'un ton las.

Le bureau du Hunter's Moon était situé à l'extrémité d'un corridor étroit au sol couvert de sciure. Ici et là, une empreinte de pas ou une tache de liquide sombre qui ne ressemblait pas à de la bière se détachaient sur le carrelage. L'endroit empestait le tabac et – Clary se garda d'en faire la remarque à Luke – le chien mouillé.

— Il n'est pas très bien luné, dit-il en s'arrêtant devant une porte close. Je l'ai enfermé dans le bureau de Pete le Barge, sans quoi il allait massacrer la moitié de ma meute à mains nues. Comme il refusait de me parler – il haussa les épaules –, j'ai pensé à toi.

Son regard se posa tour à tour sur les visages déconcertés de Clary et de Simon.

— Quoi ?

— Je n'arrive pas à croire qu'il soit venu ici, murmura Clary.

— Et moi, je n'arrive pas à croire que tu connaisses quelqu'un qui s'appelle Pete le Barge, renchérit Simon.

— Je connais beaucoup de gens. Pas sûr que Pete puisse être classé dans la catégorie « gens », mais je suis d'une nature sociable.

Luke poussa la porte d'une pièce sans fenêtre aux murs ornés de fanions sportifs. Derrière un bureau encombré de papiers, sur lequel trônait une petite télé, Clary vit Jace, avachi dans un fauteuil dont le cuir craquelé évoquait du marbre veiné.

Au moment où la porte s'ouvrit, il s'empara d'un stylo jaune posé sur la table et le lança. Le projectile vola à travers la pièce et alla se ficher dans le mur, juste au-dessus de la tête de Luke, qui écarquilla les yeux.

Jace eut un sourire penaud :

— Désolé, je ne savais pas que c'était toi.

Clary sentit son cœur se serrer. Elle n'avait pas vu Jace depuis plusieurs jours, et elle le trouvait changé. Il était couvert de sang et de bleus, témoignage de sa dernière bagarre, mais ce qui la surprit le plus, c'était la peau de son visage, qui paraissait plus tendue, et les os de ses pommettes plus proéminents.

Luke désigna Simon et Clary.

— Je t'ai amené de la compagnie.

Les yeux de Jace se posèrent sur eux ; ils étaient aussi dépourvus d'émotion que le regard peint d'un portrait.

— Dommage que je n'aie qu'un stylo.

— Jace..., commença Luke.

— Je ne veux pas de lui ici, l'interrompit Jace avec un signe de tête vers Simon.

— Ce n'est pas juste ! protesta Clary, indignée.

Avait-il oublié que Simon avait sauvé la vie d'Alec, voire leur vie à tous ?

— Dehors, Terrestre ! grommela Jace en montrant la porte.

— Pas de problème, dit Simon avec un geste dédaigneux. Je vais attendre dans le couloir.

Il sortit sans claquer la porte derrière lui, alors que Clary voyait bien qu'il en mourait d'envie.

Elle se tourna vers Jace, furieuse.

— Tu n'étais pas obligé d'être aussi...

Elle se tut devant l'expression abattue, étrangement vulnérable, de son visage. Il finit sa phrase pour elle :

— Désagréable ? Ma mère adoptive m'a fichu dehors en me donnant l'ordre de ne plus remettre les pieds chez elle, pourtant, en temps normal, je suis quelqu'un d'extrêmement facile à vivre. Excepté les jours pairs et impairs, bien sûr.

Luke fronça les sourcils.

— Maryse et Robert Lightwood ne sont pas mes meilleurs amis, mais j'ai du mal à croire que Maryse ait pu faire une chose pareille.

Jace parut étonné.

— Tu connais les Lightwood ?

— Nous faisions tous partie du Cercle. J'ai appris avec surprise qu'ils dirigeaient l'Institut ici. Apparemment, après l'Insurrection, ils ont conclu un marché avec l'Enclave et ils ont été traités avec clémence, tandis que Hodge... Enfin, on sait ce qui lui est arrivé.

Luke resta silencieux quelques instants.

— Est-ce que Maryse t'a expressément dit qu'elle te bannissait ? reprit-il.

— Elle ne veut pas croire que j'étais persuadé d'être le fils de Michael Wayland. Elle m'accuse d'avoir été dans le coup avec Valentin depuis le début. Elle croit que je l'ai aidé à s'enfuir avec la Coupe Mortelle.

— Alors, pourquoi tu serais encore là ? demanda Clary. Pourquoi tu ne serais pas parti avec lui ?

— Elle me soupçonne sans doute d'être resté pour les espionner. Le loup dans la bergerie, quoi ! Ce n'est pas l'expression qu'elle a utilisée, mais l'idée y était.

— Toi, espionner pour le compte de Valentin ? s'exclama Luke avec consternation.

— Pour elle, Valentin est persuadé qu'elle et Robert goberaient tout ce que je leur raconterais à cause de l'affection qu'ils me portent. Alors, elle a décidé que la seule solution était de m'en priver.

— Ça ne marche pas comme ça, objecta Luke en

secouant la tête. On ne peut pas cesser d'aimer quelqu'un comme on ferme un robinet. Surtout quand on est parent.

— Ce ne sont pas vraiment mes parents.

— Il n'y a pas que les liens du sang, Jace. Ils ont été ta famille pendant sept ans ! Maryse est blessée, voilà tout.

— Blessée ? répéta Jace avec incrédulité. Elle est blessée ?

— Souviens-toi qu'elle aimait Valentin. Comme nous tous, d'ailleurs. Il lui a fait beaucoup de mal. Elle ne veut pas que son fils en fasse autant. Elle a peur que tu leur aies menti. Que celui qu'elle croyait connaître depuis tant d'années ne soit qu'un imposteur. Tu dois la rassurer.

Sur le visage de Jace, l'obstination se mêlait à l'étonnement.

— Maryse est une adulte ! Elle n'a pas besoin que je la rassure.

— Arrête, Jace ! s'écria Clary. Personne n'est parfait. Les adultes se plantent, eux aussi. Rentre à l'Institut et essaie de lui faire entendre raison. Sois un homme !

— Et si je ne veux pas être un homme ? s'emporta Jace. Si je préfère être un ado en colère, incapable d'affronter ses démons intérieurs, et qui préfère se défouler sur les autres ?

— Eh bien, tu y arrives à merveille, observa Luke.

Clary s'empressa d'intervenir avant qu'ils ne se disputent pour de bon.

— Jace, il faut que tu rentres à l'Institut. Pense à Isabelle et à Alec, mets-toi à leur place.

— Maryse trouvera bien un moyen de les calmer. Elle leur dira sûrement que je me suis enfui.

— Isabelle paraissait affolée au téléphone !

— Isabelle s'affole pour un rien, déclara Jace, mais il semblait ravi.

Il s'adossa à son siège. Les bleus de son menton et de ses pommettes ressortaient comme des Marques sur sa peau.

— Je ne retournerai pas là-bas tant qu'on ne me fera pas confiance. Je n'ai plus dix ans ! Je peux me prendre en charge tout seul.

Sur ce point, Luke n'avait pas l'air aussi convaincu que lui.

— Où comptes-tu aller ? Comment vas-tu gagner ta vie ?

Les yeux de Jace étincelèrent.

— J'ai dix-sept ans, je suis presque un adulte. Tous les Chasseurs d'Ombres ont le droit…

— Les adultes, oui. Mais pas toi. Tu ne peux pas percevoir un salaire auprès de l'Enclave, tu es trop jeune, et de fait la Loi oblige les Lightwood à prendre soin de toi. Dans le cas contraire, quelqu'un d'autre serait désigné, ou…

— Ou quoi ? s'exclama Jace en se levant d'un bond. Je serai placé dans un orphelinat à Idris avant d'être parachuté dans une famille que je ne connais pas ? Pas question ! Je pourrais décrocher un petit boulot dans le monde des Terrestres pendant un an, vivre comme eux…

— Tu en es incapable, objecta Clary. Je suis bien placée pour le savoir, Jace : j'ai été l'une des leurs. Tu es trop jeune pour trouver un travail qui te plaise.

Sans parler de tes compétences... En général, les tueurs professionnels sont plus vieux que toi. Et ce sont des criminels.

— Je ne suis pas un assassin.

— Si tu devais vivre dans le monde terrestre, tu ne pourrais pas espérer autre chose, dit Luke.

Jace se raidit, serra les lèvres, preuve que les mots de Luke avaient fait mouche.

— Je ne peux pas rentrer ! s'exclama-t-il d'un ton où perçait le désespoir. Maryse voudrait que je crie sur tous les toits ma haine pour Valentin, et j'en suis incapable.

Il releva la tête, les yeux fixés sur Luke, l'air d'attendre qu'il réponde par la moquerie ou l'indignation : après tout, il avait plus de raisons que n'importe qui de détester Valentin.

— Je sais, dit Luke. Moi aussi, je l'ai aimé.

Jace poussa un soupir de soulagement, et Clary pensa : « C'est donc pour ça qu'il est venu ici ! Il ne cherchait pas juste la bagarre, il voulait parler à Luke, parce que lui comprendrait. » Le comportement de Jace n'était pas toujours motivé par des pulsions suicidaires ; il en donnait parfois l'impression, voilà tout.

— Tu n'es pas obligé de proclamer que tu hais Valentin, poursuivit Luke, même pour rassurer Maryse. Ta position n'a rien d'anormal.

Clary observa Jace avec attention, s'efforçant de déchiffrer l'expression de son visage. Elle avait le sentiment de lire un livre écrit dans une langue étrangère qu'elle n'aurait étudiée que superficiellement.

— Elle t'a demandé de ne plus jamais revenir,

s'enquit-elle, ou c'est toi qui en es arrivé à cette conclusion ?

— Elle m'a dit qu'il vaudrait peut-être mieux que je m'installe ailleurs pendant quelque temps. Elle n'a pas précisé où.

— Tu lui as donné une chance de finir, au moins ? intervint Luke. Écoute, Jace. Tu es le bienvenu chez moi aussi longtemps qu'il te plaira. Je tiens à ce que tu le saches.

Clary sentit son ventre se nouer. À l'idée de vivre sous le même toit que Jace, elle oscillait entre l'horreur et la jubilation.

Jace remercia Luke d'un ton égal, mais dans son regard qui se posa sur Clary, elle lut le trouble qu'elle-même ressentait. « Luke, songea-t-elle, parfois j'aimerais bien que tu sois moins généreux. Ou moins aveugle. »

— Cependant, reprit Luke, je crois que tu devrais retourner à l'Institut, juste le temps d'avoir une explication avec Maryse afin de découvrir ce qu'il en est vraiment. J'ai l'impression qu'elle ne t'a pas tout dit et que tu n'as pas pris la peine de l'écouter.

Jace détacha son regard de Clary.

— D'accord, répondit-il d'une voix bourrue. Mais à une condition : je refuse d'y aller seul.

— Je viendrai avec toi, proposa Clary du tac au tac.

— Je sais. Je n'en attendais pas moins de toi. Seulement, je veux que Luke vienne, lui aussi.

Luke sembla pris de court.

— Jace... Ça fait quinze ans que je vis ici, et je n'ai jamais mis les pieds à l'Institut. Je doute que Maryse m'apprécie beaucoup...

— S'il te plaît, l'interrompit Jace. Malgré son ton calme et détaché, Clary ressentit de façon presque palpable tout l'orgueil qu'il avait dû ravaler pour prononcer ces mots.

Luke hocha la tête : c'était le signe d'un chef de meute qui avait l'habitude d'accomplir son devoir bon gré mal gré.

— C'est bon, je viendrai.

Adossé au mur du couloir face à la porte du bureau de Pete, Simon essayait de ne pas s'apitoyer sur son sort.

La journée avait pourtant bien commencé. Pas trop mal, en tout cas. Puis il avait passé un sale quart d'heure à cause de ce film de vampires à la télévision, qui l'avait rendu malade en réveillant les émotions et les désirs qu'il s'efforçait de refouler. Son malaise avait mis ses nerfs à rude épreuve, et du coup il avait embrassé Clary, ce qu'il rêvait de faire depuis des années. Les gens prétendent que rien ne se passe jamais comme prévu ; ils se trompent, en fin de compte.

Elle lui avait rendu son baiser…

Et pourtant, maintenant elle était là-dedans avec Jace, et Simon en avait la nausée, comme s'il venait d'avaler un bol entier d'asticots. C'était une sensation familière, ces derniers temps. Il n'en avait pas toujours été ainsi avec Clary, même quand il avait pris conscience de ses sentiments pour elle. Il ne l'avait jamais harcelée, car il avait la certitude qu'un beau jour elle renoncerait à ses princes de dessins animés et autres champions de kung-fu, et qu'elle accepterait l'évidence : ils étaient faits l'un pour l'autre. En outre, si elle ne manifestait pas d'intérêt pour lui, elle n'en avait pas montré non plus pour quelqu'un d'autre.

Jusqu'à l'arrivée de Jace. Il se revoyait assis sous le porche de Luke à côté de Clary. Elle lui expliquait qui était Jace tandis que ce dernier examinait ses ongles d'un air supérieur. Simon l'écoutait à peine, bien trop absorbé par les regards qu'elle lançait à l'autre, le blond avec ses drôles de tatouages et son beau visage anguleux. Trop beau pour être honnête, avait-il songé. À l'évidence, Clary n'était pas de cet avis : elle le dévorait des yeux, comme si l'un de ses héros de dessins animés venait de prendre vie devant elle. Simon ne l'avait jamais vue regarder quelqu'un de la sorte, et il avait toujours cru que, le cas échéant, ce serait lui. Mais c'en était un autre, et ce constat l'avait fait souffrir au-delà de l'imaginable.

Quand il avait appris que Jace était le frère de Clary, il avait ressenti le même soulagement qu'un condamné face au peloton d'exécution, à qui on annonce à la dernière minute qu'il vient d'être gracié. Soudain, le monde semblait de nouveau plein de possibilités.

Aujourd'hui, il n'en était plus si sûr.

— Salut, toi.

Une silhouette menue s'avança dans le couloir en évitant maladroitement les taches de sang par terre.

— Tu attends Luke ? Il est là-dedans ?

Simon s'écarta de la porte.

— Non, pas vraiment. Enfin si, il est là, mais c'est mon amie que j'attends.

L'inconnue le rejoignit et s'arrêta pour le dévisager. C'était une fille d'environ seize ans à la peau caramel.

Ses cheveux bruns aux reflets dorés étaient tressés à l'africaine, et son visage avait la forme quasiment parfaite d'un cœur. Elle avait un corps ferme, tout en courbes, avec des hanches larges et une taille marquée.

— Quel ami ? Le type du bar ? Le Chasseur d'Ombres ? Désolée, mais ton copain, c'est une vraie tête à claques.

— Ce n'est pas mon copain, répliqua Simon. Et, par ailleurs, je partage ton avis.

— Tu viens pourtant de dire...

— J'attends sa sœur. C'est ma meilleure amie.

— Elle est avec lui en ce moment ?

La fille montra la porte d'un geste. Elle avait à chaque doigt des bagues de style primitif, en or ou en bronze. Son jean était usé jusqu'à la corde, mais propre, et quand elle tourna la tête, Simon entrevit une grosse cicatrice qui courait le long de son cou, juste au-dessus du col de son tee-shirt.

— Crois-moi, j'en connais un rayon sur les frères tête à claques, poursuivit-elle à contrecœur. Ce n'est pas sa faute, je suppose.

— Non, dit Simon. Et elle est la seule qu'il écoute.

— Ça, j'ai bien vu qu'il n'était pas du genre à écouter, lança la fille.

Avisant le regard appuyé de Simon, elle sourit.

— Tu lorgnes ma cicatrice. C'est à cet endroit que j'ai été mordue.

— Mordue ? Tu insinues que tu es un...

— Un loup-garou, oui. Comme tout le monde ici, à part toi, l'autre tête à claques et sa sœur.

— Mais... tu n'as pas toujours été un loup-garou. Je veux dire, tu n'es pas née comme ça ?

— Comme la plupart d'entre nous. C'est ce qui nous distingue de tes copains les Chasseurs d'Ombres.

— Quoi ?

Un sourire éclaira brièvement le visage de la fille.

— On était des humains, avant.

Simon ne sut que répondre.

— Au fait, je m'appelle Maia.

— Moi, c'est Simon, dit-il en serrant la main qu'elle lui tendait.

Elle était sèche et douce. La fille le fixa de derrière ses longs cils mordorés.

— Qu'est-ce qui te fait dire que Jace est une tête à claques ?

— Il a mis le bar sens dessus dessous. Il a frappé mon ami Bat. Il a envoyé au tapis quelques membres de la meute.

— Ils vont s'en tirer ? demanda Simon avec sollicitude.

Jace n'avait pas l'air très perturbé, mais Simon le savait capable de tuer plusieurs personnes en une seule matinée et d'aller manger des gaufres comme si de rien n'était.

— Ils ont réussi à trouver un docteur ?

— Un sorcier, corrigea la fille. Chez nous, les médecins terrestres ne servent pas à grand-chose.

— « Nous », c'est-à-dire les Créatures Obscures ?

La fille leva les sourcils.

— Quelqu'un t'a mis au parfum, pas vrai ?

Simon perdit patience.

— Comment tu sais que je ne suis pas un des leurs ? Ou des vôtres, d'ailleurs ? Qu'est-ce qui te fait croire que je ne suis ni un Chasseur d'Ombres, ni une Créature Obscure, ni…

Maia secoua ses tresses.

— Ton humanité, répondit-elle avec un soupçon d'amertume. Tu transpires l'humanité.

La jalousie qui perçait dans sa voix fit frémir Simon.

— Je pourrais frapper à la porte, suggéra-t-il, l'air penaud. Si tu veux parler à Luke.

Maia haussa les épaules.

— Dis-lui juste que Magnus est arrivé. Il jette un œil sur le cadavre dans la ruelle.

Simon dut paraître surpris, car elle ajouta :

— Magnus Bane. C'est un sorcier.

« Je sais », voulut répondre Simon avant de se raviser : leur conversation était assez bizarre comme ça. Maia se détourna comme pour s'éloigner, puis s'arrêta, une main posée sur le chambranle de la porte.

— Tu crois qu'elle saura lui faire entendre raison ? Sa sœur, je veux dire.

— S'il écoute quelqu'un, c'est bien elle.

— C'est adorable, d'aimer sa sœur comme ça, commenta Maia.

— Oui, c'est mignon tout plein, renchérit Simon.

3

L'Inquisitrice

La première fois que Clary avait posé les yeux sur l'Institut, il ressemblait à une église délabrée au toit effondré. Désormais, elle n'avait plus besoin de se concentrer pour éloigner le charme. Même de l'autre côté de la rue, elle voyait l'Institut tel qu'il était vraiment : une cathédrale gothique imposante dont les flèches perçaient le ciel d'encre.

Luke gardait le silence. L'expression de son visage trahissait le conflit intérieur qui le tourmentait. Tandis qu'ils montaient les marches, Jace fouilla dans la poche de sa chemise d'un geste machinal, mais celle-ci était vide. Il partit d'un rire amer.

— J'avais oublié ! Maryse m'a confisqué mes clés avant que je parte.

— Tu m'étonnes !

Luke s'était planté devant la porte. Il effleura les symboles gravés dans le bois.

— Cette porte est identique à celle de la Salle du Conseil, à Idris. Je n'aurais jamais pensé la revoir un jour.

Clary se sentait presque coupable d'interrompre Luke au beau milieu de sa rêverie, mais ils avaient des questions plus importantes à régler.

— Sans la clé…

— On ne devrait pas en avoir besoin. Un Institut s'ouvre devant n'importe quel Nephilim bien disposé à l'égard de ses occupants.

— Et si c'est eux qui sont mal disposés ? marmonna Jace.

Luke eut un sourire en coin.

— Je ne crois pas que ça fasse une différence.

— Oui, l'Enclave se donne toujours l'avantage, de toute façon.

Jace parlait maintenant d'une voix étouffée : sa lèvre inférieure avait enflé, et sa paupière gauche virait au violet. « Pourquoi ne s'est-il pas soigné ? » songea Clary.

— Elle a aussi confisqué ta stèle ? demanda-t-elle.

— Je n'ai rien emporté en partant. Je ne voulais pas prendre un seul objet ayant appartenu aux Lightwood.

Luke le dévisagea avec inquiétude.

— Un Chasseur d'Ombres ne sort jamais sans sa stèle.

— J'en trouverai une autre, déclara Jace en posant la main sur le battant. « Au nom de l'Enclave, récita-t-il, je demande à pénétrer dans ce lieu sacré. Ange Raziel, j'implore ta bénédiction dans ma mission contre… »

La porte s'ouvrit brusquement sur l'intérieur sombre de la cathédrale, éclairé çà et là par de grands candélabres en fer.

— Très pratique ! commenta Jace. C'est beaucoup plus simple que je ne l'avais pensé, d'être béni. Et si je demandais une bénédiction pour ma mission…

— L'Ange la connaît, le coupa Luke. Inutile de prononcer ta requête à haute voix, Jonathan.

L'espace d'une seconde, Clary crut déceler une lueur de doute ou de surprise – voire du soulagement ? – dans le regard de Jace. Mais il se contenta de répondre :

— Ne m'appelle pas comme ça. Ce n'est pas mon nom.

Ils traversèrent la nef de la cathédrale, dépassèrent les bancs vides et l'autel éclairé en permanence. Luke, qui promenait un regard curieux autour de lui, parut étonné en apercevant l'ascenseur pareil à une cage dorée.

— Ce doit être une idée de Maryse, lança-t-il tandis qu'ils y montaient. C'est tout à fait dans ses goûts.

— Je l'ai toujours connu ici, dit Jace au moment où la grille se refermait derrière eux.

Pendant l'ascension, personne ne rompit le silence. Clary tripotait nerveusement les franges de son écharpe. Elle se sentait un peu coupable d'avoir ordonné à Simon de rentrer chez lui et d'attendre son appel. Elle avait compris à son haussement d'épaules agacé, tandis qu'il s'éloignait dans Canal Street, qu'il se sentait une fois de plus exclu. Cependant, elle ne s'imaginait pas l'avoir à ses côtés – lui, un Terrestre ! – pendant que Luke intercéderait en faveur de Jace auprès de Maryse Lightwood : sa présence les mettrait dans l'embarras.

L'ascenseur s'arrêta dans un cliquetis. En sortant, ils trouvèrent Church, qui les attendait dans le vestibule, un ruban rouge un peu élimé noué autour du cou. Jace se pencha pour caresser la tête du chat.

— Où est Maryse ?

Church émit un son bizarre, mi-ronronnement, mi-grognement, puis s'avança dans le couloir. Ils lui emboîtèrent le pas en silence. Luke regardait autour de lui avec curiosité.

— Je n'aurais jamais cru voir l'intérieur de cet endroit un jour, dit-il.

— Est-ce qu'il correspond à l'idée que tu t'en faisais ? demanda Clary.

— J'ai eu l'occasion de visiter les Instituts de Londres et de Paris, et celui-ci n'est pas très différent. En revanche, il est plus…

— Il est plus quoi ? s'enquit Jace, qui marchait quelques pas devant eux.

— Plus austère, répondit Luke.

Arrivé devant la bibliothèque, Church s'assit comme pour signifier qu'il n'avait pas l'intention d'aller plus loin. Des voix à peine audibles leur parvenaient à travers l'épaisse porte en bois, que Jace poussa sans prendre la peine de frapper.

Clary entendit une exclamation étonnée. L'espace d'une seconde, sa poitrine se serra au souvenir de Hodge, qui passait le plus clair de son temps dans cette pièce. Hodge, sa voix rocailleuse et son corbeau, Hugin, qui ne quittait presque jamais son épaule. Un compagnon fidèle qui avait failli lui crever les yeux sur les ordres de son maître.

À la place de Hodge, derrière l'énorme plateau d'acajou en équilibre sur le dos voûté de deux anges en pierre qui faisait office de bureau, était assise une femme d'âge mûr. Elle avait la chevelure de jais d'Isabelle et la silhouette noueuse et longiligne d'Alec. Elle était vêtue d'un tailleur noir impeccable, très sobre, qui contrastait avec les innombrables bagues de couleurs vives brillant à ses doigts.

À son côté se tenait une autre silhouette, familière celle-là : un adolescent efflanqué à l'ossature délicate, aux cheveux noirs bouclés et à la peau couleur miel. Au moment où il se tournait vers eux, Clary ne put réprimer un hoquet de surprise.

— Raphaël ?

Le garçon, un instant interloqué, reprit contenance et sourit, découvrant des dents extrêmement blanches et pointues – ce qui n'avait rien d'étonnant, étant donné qu'il s'agissait d'un vampire.

— *Dios*, lança-t-il à l'intention de Jace. Qu'est-ce qui t'est arrivé, mon frère ? On dirait qu'une meute de loups a essayé de te mettre en pièces !

— Soit tu es très fort en devinettes, soit tu as eu vent de ce qui s'est passé, répliqua Jace.

Le sourire de Raphaël s'élargit.

— J'ai des oreilles.

La femme se leva.

— Il est arrivé quelque chose, Jace ? demanda-t-elle avec inquiétude. Je ne t'attendais pas si tôt : je croyais que tu avais prévu de rester avec...

Ses yeux se posèrent sur Luke, puis sur Clary.

— Qui êtes-vous ?

— Je suis la sœur de Jace, répondit Clary.

Le regard de Maryse s'attarda sur elle.

— Oui, je vois ça. Tu ressembles à Valentin.

Elle se tourna de nouveau vers Jace.

— Tu as emmené ta sœur avec toi ? Et un Terrestre, par-dessus le marché ? Vous avez pris des risques en venant ici. Surtout lui…

Luke sourit imperceptiblement :

— Je ne suis pas un Terrestre.

Sur le visage de Maryse, qui prit le temps de l'examiner, l'étonnement laissa bientôt place au choc.

— Lucian ?

— Bonsoir, Maryse. Ça fait longtemps.

Maryse se figea ; elle semblait soudain beaucoup plus âgée. Elle se rassit lentement.

— Lucian, répéta-t-elle en posant les mains à plat sur le bureau. Lucian Graymark.

Raphaël, qui avait observé la scène d'un œil intrigué, se tourna vers Luke.

— C'est toi qui as tué Gabriel !

Clary jeta à Luke un regard perplexe. Qui était donc ce Gabriel ?

— Oui, je l'ai tué, dit-il en haussant les épaules. Il a fait de même avec le chef de meute qui l'a précédé. Ce sont les usages des lycanthropes.

À ces mots, Maryse leva les yeux.

— Le chef de meute ?

— Si c'est toi qui commandes désormais, il est temps pour nous d'avoir une conversation, déclara Raphaël en inclinant gracieusement la tête devant Luke, sans toutefois se départir de sa méfiance. Mais le moment n'est pas très bien choisi, j'en conviens.

— Je t'enverrai quelqu'un pour arranger une rencontre, promit Luke. J'ai été pas mal occupé ces derniers temps ; j'ai peut-être pris du retard dans mes visites de courtoisie.

— Peut-être, en effet, se contenta de dire Raphaël avant de se tourner vers Maryse : Notre affaire est donc réglée ?

Au prix d'un effort considérable, Maryse répondit :

— Si tu affirmes que les Enfants de la Nuit ne sont pas impliqués dans ces meurtres, alors, je te crois sur parole. Il le faudra bien tant que nous n'aurons pas fait toute la lumière sur les récents événements.

Raphaël fronça les sourcils.

— La lumière ? Je n'aime pas cette expression.

Il fit un pas en arrière et Clary sursauta en s'apercevant que sa silhouette devenait floue, un peu comme sur une vieille photo. À travers la main gauche de Raphaël, transparente, elle distinguait le gros globe en métal posé sur le bureau de Hodge. Elle poussa un petit cri de surprise quand l'effet de transparence s'étendit à ses bras, puis à ses épaules et à son torse. Quelques instants plus tard, il avait disparu comme s'il avait été gommé. Maryse laissa échapper un soupir de soulagement.

— Il est mort ? hoqueta Clary.

— Qui, Raphaël ? s'exclama Jace. Tu parles ! C'est juste une projection de lui que tu viens de voir. Il n'a pas le droit de pénétrer dans l'Institut.

— Pourquoi ?

— Parce que c'est un lieu saint, répondit Maryse. Or, Raphaël est damné.

Son regard n'avait rien perdu de sa froideur lorsqu'elle se tourna vers Luke.

— Alors, tu es chef de meute ici ? Je ne devrais pas m'en étonner, ça ressemble à tes méthodes habituelles !

Luke choisit d'ignorer l'amertume qui perçait dans sa voix.

— Pourquoi Raphaël est-il venu ? C'est à cause du jeune loup-garou qui a été assassiné aujourd'hui ?

— À cause de ça, et du sorcier trouvé mort en ville il y a deux jours.

— Mais pourquoi s'est-il déplacé ?

— Le sorcier s'est fait saigner à blanc, expliqua Maryse. Le meurtrier du loup-garou n'a pas eu le temps de le vider de son sang, mais les soupçons se portent naturellement sur les Enfants de la Nuit. Le vampire s'est présenté ici pour m'assurer que son peuple n'avait rien à voir avec cette histoire.

— Tu crois qu'il dit la vérité ? intervint Jace.

— Je n'ai aucune envie de discuter des affaires de l'Enclave avec toi maintenant, Jace, et encore moins devant Lucian Graymark.

— On m'appelle Luke, désormais, l'informa calmement ce dernier. Luke Garroway.

Maryse secoua la tête.

— J'ai eu un mal fou à te reconnaître. Tu ressembles à un Terrestre.

— C'était ça, l'idée.

— Nous croyions tous que tu étais mort.

— Vous l'espériez, rectifia Luke du même ton tranquille.

Maryse le regarda comme si elle venait d'avaler de travers.

— Asseyez-vous, dit-elle en pointant du doigt les chaises installées devant le bureau. Bon, reprit-elle, quand ils se furent tous exécutés, il serait peut-être temps de m'expliquer la raison de votre présence ici.

Sans préambule, Luke déclara :

— Jace veut être jugé par l'Enclave. Je me porte garant de lui. J'étais à Renwick le soir où Valentin nous a révélé ses intentions. Je me suis battu contre lui et nous avons failli nous entre-tuer. Je peux confirmer que ce que dit Jace est la stricte vérité.

— Je ne suis pas certaine que ta parole ait une valeur quelconque, objecta Maryse.

— Je suis peut-être un lycanthrope, mais je n'en suis pas moins un Chasseur d'Ombres. Je suis prêt à passer le test de l'Épée, s'il le faut.

Le test de l'Épée ? Clary n'aimait pas ça. Elle jeta un coup d'œil à Jace. S'il était calme en apparence, les mains croisées sur les genoux, elle percevait une tension fébrile, comme s'il était à deux doigts d'exploser. Son regard croisa le sien.

— L'Épée de Vérité, le second des Instruments Mortels. On l'utilise pendant les procès pour vérifier si un Chasseur d'Ombres ne ment pas.

Ignorant l'explication de Jace, Maryse dit à Luke :

— Tu n'es pas un Chasseur d'Ombres. Il y a des années que tu n'obéis plus à la Loi de l'Enclave.

— Il fut une époque où tu ne lui obéissais pas non plus, rétorqua Luke.

Les joues de Maryse s'empourprèrent.

— J'aurais pensé que depuis tout ce temps tu avais appris à faire confiance, Maryse, reprit-il.

— Il est des choses qui ne s'oublient pas, dit-elle d'une voix suave, mais lourde de menaces. Tu te figures peut-être que le pire mensonge de Valentin, c'est de s'être fait passer pour mort ? Que le charme est synonyme d'honnêteté ? Je le croyais autrefois, et je me suis trompée.

Elle se leva et appuya ses mains fines sur la table.

— Il nous répétait qu'il sacrifierait sa vie pour le Cercle et qu'il en attendait autant de nous. Nous aurions sacrifié la nôtre – tous, sans exception –, j'en ai la certitude. J'ai bien failli le faire.

Son regard passa sur Jace et Clary avant de s'arrêter de nouveau sur Luke.

— Souviens-toi, il nous avait dit que l'Insurrection ne serait qu'une broutille, quelques ambassadeurs désarmés contre la puissance du Cercle au grand complet. J'étais tellement convaincue de notre victoire qu'avant de prendre la route pour Alicante j'ai laissé Alec dans son berceau en demandant à Jocelyne de veiller sur mes enfants pendant mon absence. Elle a refusé. Je comprends pourquoi maintenant. Elle savait, et toi aussi. Et vous ne nous avez pas prévenus !

— J'ai essayé de te mettre en garde contre Valentin. Tu ne m'as pas écouté.

— Ce n'est pas de Valentin que je parle, c'est de l'Insurrection ! En arrivant, nous étions cinquante contre cinq cents Créatures Obscures...

— Ça ne te posait pas problème de les massacrer tant qu'ils étaient cinq et sans armes, observa tranquillement Luke.

Maryse abattit son poing sur le bureau.

— C'est nous qui avons été massacrés ! En plein milieu du carnage, nous avons cherché Valentin pour qu'il nous guide. Mais il avait disparu. Entre-temps, l'Enclave avait encerclé la Salle des Accords. Nous pensions que Valentin avait été tué, et nous étions prêts à donner un ultime assaut désespéré, quitte à y laisser la vie. Et puis j'ai pensé à Alec : si je mourais, qu'adviendrait-il de mon petit garçon ?

La voix de Maryse se brisa.

— Alors, j'ai déposé les armes et je me suis rendue à l'Enclave.

— Tu as fait le bon choix, Maryse, dit Luke.

Elle se tourna vers lui, les yeux étincelants de colère.

— Ne prends pas tes grands airs avec moi, loup-garou ! Si tu...

— Laissez-le tranquille ! l'interrompit Clary en faisant mine de se lever. Ce n'est pas sa faute si vous avez cru en Valentin...

— Tu crois que je ne le sais pas ? s'écria Maryse dans un sanglot. Oh, l'Enclave ne s'est pas gênée pour le rappeler lors de l'interrogatoire. Grâce à l'Épée de Vérité, ils savaient quand nous mentions, mais ils n'ont pas réussi à nous faire parler, rien ne pouvait nous y forcer jusqu'à...

— Jusqu'à quoi ? lança Luke. Je me suis toujours demandé ce qu'ils avaient bien pu vous raconter pour que vous lui tourniez le dos.

— La simple vérité, répondit Maryse, soudain lasse. À savoir que Valentin n'était pas mort dans la

Grande Salle. Il avait fui sans se soucier de notre sort. On nous a raconté qu'il avait péri un peu plus tard dans l'incendie de sa maison. L'Inquisitrice nous a montré ses ossements ainsi que l'amulette calcinée qu'il portait toujours à son cou. Nous ne pouvions pas savoir que c'était un autre mensonge...

Sa voix se réduisit à un murmure ; puis elle reprit d'un ton cassant :

— Tout s'écroulait autour de nous à ce moment-là ! Nous avons enfin pu échanger entre gens du Cercle. Avant la bataille, Valentin m'avait prise à part pour me dire que de tous les membres du Cercle, j'étais celle en qui il avait le plus confiance, son plus proche lieutenant. Lorsque l'Enclave nous a interrogés, j'ai découvert qu'il avait répété la même chose à chacun d'entre nous.

— L'enfer est doux comparé au courroux d'une femme, murmura Jace, si bas que seule Clary l'entendit.

— Non content de trahir l'Enclave, il nous a menti à tous, il s'est servi de notre loyauté et de notre affection.

Elle regarda Jace droit dans les yeux.

— Il a fait de même en t'envoyant chez nous. Et maintenant, il est de retour, et il détient la Coupe Mortelle. Il a tout manigancé depuis le début. Je ne peux pas te faire confiance, Jace, je regrette.

Jace ne dit rien. Son visage était dénué d'expression ; il avait juste pâli pendant que Maryse parlait, et ses bleus ressortaient encore davantage sur son teint livide.

— Et maintenant ? demanda Luke. Qu'est-ce que tu attends de lui ? Où veux-tu qu'il aille ?

Le regard de Maryse s'attarda quelques instants sur Clary.

— Pourquoi pas chez sa sœur ? Sa famille...

— C'est Isabelle, la sœur de Jace, objecta Clary. Alec et Max sont ses frères. Qu'allez-vous leur dire ? Ils ne vous pardonneront jamais de le jeter dehors.

— Qu'est-ce que tu en sais, toi ?

— Je connais Alec et Isabelle, répondit Clary.

L'image de Valentin s'insinua dans son esprit. Elle s'empressa de la chasser.

— La famille, ce n'est pas seulement les liens du sang. Valentin n'est pas mon père. C'est Luke que j'ai choisi. De même que Jace a choisi Alec, Isabelle et Max pour famille. Si vous tentez de les séparer, vous causerez un mal irréparable.

Dans les yeux de Luke, la surprise se mêlait au respect. Une lueur de doute s'alluma dans le regard de Maryse.

— Ça suffit, Clary, dit Jace avec douceur.

Il semblait défait.

— Et l'Épée ? reprit Clary d'un ton péremptoire.

Maryse la dévisagea avec un étonnement sincère.

— L'Épée ?

— L'Épée de Vérité. Cet objet qui vous permet de déterminer si un Chasseur d'Ombres ment. Vous pourriez vous en servir pour Jace.

— C'est une bonne idée, approuva Jace, un peu ragaillardi.

— Clary, tu es pleine de bonnes intentions, mais tu ignores ce que ce procédé implique, intervint Luke.

La seule personne qui puisse recourir à l'Épée, c'est l'Inquisitrice.

— Alors, vous n'avez qu'à la faire venir, suggéra Jace. Je veux qu'on en finisse.

— Non, trancha Luke.

Maryse, elle, observait Jace avec insistance.

— L'Inquisitrice est déjà en route, annonça-t-elle comme à contrecœur.

— Maryse, dit Luke d'une voix tremblante, ne me dis pas que tu l'as mêlée à ça !

— Je n'ai appelé personne ! Tu croyais vraiment que l'Enclave n'aurait pas son mot à dire sur cette histoire insensée de Damnés, de Portails et de morts inventée de toutes pièces ? Après tout ce que Hodge a fait ? Grâce aux agissements de Valentin, nous sommes l'objet d'une enquête, conclut-elle. L'Inquisitrice pourrait faire incarcérer Jace et le priver de ses Marques. J'ai pensé qu'il vaudrait mieux…

— … que Jace s'en aille avant son arrivée, acheva Luke. Pas étonnant que tu l'aies pressé de débarrasser le plancher.

— Qui est cette Inquisitrice ? À quoi sert-elle ? demanda Clary.

Ce mot lui évoquait l'Inquisition espagnole, la torture, le fouet, le supplice du chevalet.

— Elle est chargée d'enquêter auprès des Chasseurs d'Ombres pour le compte de l'Enclave, expliqua Luke. Elle s'assure que la Loi n'a pas été enfreinte par les Nephilim. Après l'Insurrection, elle a interrogé tous les membres du Cercle.

— C'est elle qui a lancé une malédiction sur Hodge et qui vous a envoyés ici ? s'enquit Jace.

— Oui, elle a décidé de notre exil et de son châtiment. Elle n'a aucune estime pour nous, et elle hait ton père.

— Je ne pars pas ! Qu'est-ce que vous deviendrez quand elle apprendra que j'ai disparu ? Elle croira que vous avez conspiré pour me cacher. Elle vous punira, toi, Alec, Isabelle et Max.

Sa mère adoptive ne répondit pas.

— Maryse, sois raisonnable, la pressa Luke. Elle sera furieuse si tu laisses Jace s'enfuir ! Le garder ici pour le soumettre au test de l'Épée serait une preuve de bonne foi.

— Garder Jace ici... Tu n'es pas sérieux, Luke ! s'écria Clary, qui commençait à regretter sa suggestion de recourir à l'Épée. Cette femme a l'air odieux !

— Mais si Jace part, il ne pourra pas revenir, ni continuer à être un Chasseur d'Ombres. Que vous le vouliez ou non, l'Inquisitrice est l'instrument de la Loi. Pour rester au sein de l'Enclave, Jace doit coopérer avec elle. Il a un argument en sa faveur, contrairement aux membres du Cercle après l'Insurrection.

— Ah oui ? Quoi donc ? demanda Maryse.

Luke eut un petit sourire.

— Il dit la vérité, lui.

Elle poussa un gros soupir et se tourna vers le garçon.

— Au final, la décision t'appartient. Si tu tiens à être jugé, tu peux rester ici jusqu'à l'arrivée de l'Inquisitrice.

— Je reste, dit Jace d'un ton ferme et dénué de colère, qui surprit Clary.

Il fixait un point derrière Maryse, et une lueur résolue s'alluma dans ses yeux. À cet instant, Clary ne put s'empêcher de trouver qu'il ressemblait beaucoup à son père.

4

Le coucou dans le nid

— Jus d'orange, lait, œufs – le tout périmé depuis des semaines – et un truc qui ressemble à de la salade.

— De la salade ?

Clary jeta un œil sur le contenu du frigo par-dessus l'épaule de Simon.

— Beurk ! C'est de la mozzarella.

Simon grimaça et referma le réfrigérateur de Luke d'un coup de pied.

— On commande une pizza ?

— Je m'en suis déjà occupé, annonça Luke en entrant dans la cuisine, le téléphone sans fil à la main. Une grande végétarienne, trois Coca. Ah, et j'ai appelé l'hôpital, ajouta-t-il en raccrochant. Rien de neuf du côté de Jocelyne.

— Oh, fit Clary.

Elle s'assit à la table. D'ordinaire, Luke était assez soigneux, mais ces temps-ci la table était jonchée de lettres non ouvertes et de piles d'assiettes sales. Clary aurait dû participer aux corvées de ménage, mais ces derniers jours elle n'en avait pas la force. La cuisine était minuscule et assez mal approvisionnée même les bons jours : Luke n'était pas un habitué des fourneaux.

Simon s'assit à côté de Clary tandis que Luke débarrassait la table et entassait les assiettes sales dans l'évier.

— Ça va ? murmura-t-il.

Clary parvint à esquisser un sourire.

— Oui. Je n'espérais pas que ma mère se réveillerait aujourd'hui, Simon. J'ai l'impression qu'elle… qu'elle attend.

— Quoi ?

— Je l'ignore. Je sais juste qu'il manque quelque chose… ou quelqu'un.

Elle leva les yeux vers Luke, qui frottait vigoureusement les assiettes dans l'évier. Simon lui lança un regard perplexe, puis haussa les épaules.

— Si j'ai bien compris, tu as assisté à une sacrée scène à l'Institut.

Clary frissonna.

— La mère d'Alec et d'Isabelle est flippante.

— Comment elle s'appelle, déjà ?

— Maryse.

— C'est un nom ancien, fréquent chez les Chasseurs d'Ombres, intervint Luke en s'essuyant les mains sur un torchon.

— Alors, Jace a décidé de rester là-bas pour affronter cette Inquisitrice ? reprit Simon.

— Il n'a pas le choix s'il veut continuer à mener la vie d'un Chasseur d'Ombres, répondit Luke. Or, sa condition de Nephilim est primordiale à ses yeux. J'ai connu des Chasseurs d'Ombres comme lui, du temps où je vivais à Idris. Si on lui enlève ça…

Le tintement familier de la sonnette d'entrée le fit taire. Il jeta le torchon sur le plan de travail.

— Je reviens tout de suite.

Dès qu'il eut quitté la pièce, Simon chuchota :

— Ça fait tout drôle d'imaginer Luke en Chasseur d'Ombres. J'ai moins de mal à me le représenter en loup-garou.

— Ah bon ? Pourquoi ?

Simon haussa les épaules.

— J'avais déjà entendu parler des loups-garous avant. C'est un mythe répandu. Ils se transforment juste en loups une fois par mois, alors que cette histoire de Chasseurs d'Ombres... Ils me font penser à une secte.

— N'importe quoi !

— Mais si ! La traque, il n'y a que ça qui compte pour eux. Et puis, ils regardent tout le monde de haut. Ils nous appellent les Terrestres, comme si eux-mêmes n'étaient pas des êtres humains. Ils ne fréquentent pas les gens ordinaires, ils ne vont pas dans les mêmes endroits, ils ne rient pas des mêmes blagues. Ils se croient supérieurs.

Simon se mit à jouer avec le trou frangé qui ornait le genou de son jean.

— J'ai rencontré un autre loup-garou aujourd'hui, lâcha-t-il.

— Ne me dis pas que tu es resté avec Pete le Barge au Hunter's Moon !

Sans parvenir à s'en expliquer la cause, Clary éprouva un élancement désagréable au creux de l'estomac. C'était peut-être l'effet du stress.

— Non, c'est une fille de notre âge. Elle s'appelle Maia.

— Maia ?

Luke entra dans la cuisine, une boîte en carton entre les mains. Il la déposa sur la table et Clary se pencha pour l'ouvrir. L'odeur de la pâte chaude, de la sauce tomate et du fromage lui rappela qu'elle mourait de faim. Elle déchira une part de pizza avec les doigts sans attendre l'assiette que Luke allait glisser devant elle. Il s'assit et secoua la tête en souriant.

— Maia fait partie de la meute, c'est ça ? demanda Simon en se servant à son tour.

— Oui. C'est une brave gosse. Elle vient parfois garder le magasin quand je vais à l'hôpital. Elle accepte que je la paie en livres.

— Tu as des problèmes de sous ?

Luke haussa les épaules.

— L'argent ne m'a jamais intéressé, et la meute pourvoit aux besoins de nous tous.

— Maman disait toujours qu'en cas de problème elle pouvait vendre des actions de mon père, se souvint Clary. Mais maintenant que je sais qui il est… Ça m'étonnerait que Valentin soit du genre à boursicoter…

— Ta mère vendait ses objets précieux un par un. Valentin lui avait offert une collection de bijoux qui appartenait aux Morgenstern depuis des générations. La moindre pièce lui rapportait une belle somme aux enchères.

Luke soupira :

— Il n'en reste plus rien désormais… À moins que Valentin n'ait réussi à sauver quelque chose après la mise à sac de votre appartement.

— J'espère au moins qu'elle se sera fait plaisir en vendant son héritage familial, dit Simon.

Il se servit une troisième part de pizza. Clary était toujours sidérée par la quantité de nourriture que pouvaient avaler les garçons de son âge sans prendre le moindre gramme ni se rendre malades.

Elle se tourna vers Luke.

— Ça a dû te faire drôle de revoir Maryse Lightwood après tout ce temps.

— Pas tant que ça. Maryse n'a pas beaucoup changé. À vrai dire, elle est plus elle-même que jamais, si tu vois ce que j'entends par là.

Clary voyait parfaitement. En observant la mère adoptive de Jace, elle avait repensé à la fille longiligne aux cheveux noirs de la photo que Hodge lui avait donnée, celle qui relevait le menton d'un air hautain.

— À ton avis, qu'est-ce qu'elle pense de toi ? Tu crois vraiment qu'ils auraient préféré te savoir mort ?

Luke sourit.

— Peut-être que ce n'est pas la haine qui les motive, mais ma mort leur aurait certainement épargné des problèmes. Et ils ne doivent pas se réjouir non plus que je commande la meute du coin. Après tout, il est de leur devoir de maintenir la paix entre les Créatures Obscures, et voilà que je débarque avec mes griefs à leur égard et plein de raisons de vouloir me venger. Ils ont peur que je leur mette des bâtons dans les roues.

— Tu en as l'intention ? demanda Simon.

— Non, j'ai passé l'âge de jouer les rebelles. J'aime la tranquillité.

— Oui, sauf qu'une fois par mois tu te transformes en loup et que tu tailles en pièces tout ce qui se trouve à ta portée.

— Ça pourrait être pire. En général, les hommes de mon âge ne rêvent que de s'acheter une voiture de sport hors de prix et de draguer des mannequins.

— Tu n'as que trente-huit ans, Luke, fit remarquer Simon. La crise de la quarantaine, ce n'est pas encore d'actualité pour toi.

— Merci, Simon. J'apprécie ta sollicitude.

Luke ouvrit la boîte en carton et, voyant qu'elle était vide, la referma avec un soupir.

— Même si tu as mangé toute la pizza.

— Je n'en ai pris que cinq parts, protesta Simon en se balançant dangereusement sur sa chaise.

— Il y a combien de parts dans une pizza, à ton avis, andouille ? ironisa Clary.

— En dessous de cinq parts, ce n'est pas un repas. Un casse-croûte, à la rigueur.

Simon lança un regard craintif à Luke.

— Ôte-moi un doute, tu ne vas pas te jeter sur moi pour me dévorer ?

— Sûrement pas, répondit Luke en se levant pour jeter le carton dans la poubelle. Maigre comme tu es, tu risques d'être indigeste.

— Oui, mais je suis cent pour cent casher, observa Simon en riant.

— Le premier lycanthrope juif que je croise, je lui donne ton adresse. Pour répondre à ta question de tout à l'heure, Clary, ce qui était bizarre, surtout, c'était de voir l'Institut. Il me rappelle tellement la Salle des Accords à Idris ! Je pouvais presque sentir autour de moi la puissance des runes du Grimoire, que je m'efforce d'oublier depuis quinze ans.

— Tu n'as pas réussi ?

— Il est des choses qui ne s'oublient pas. Les runes du Grimoire sont plus que de simples illustrations. Elles finissent par faire partie de nous. Elles imprègnent notre peau. On ne cesse pas d'être Chasseur d'Ombres du jour au lendemain. C'est un don transmis par le sang, on ne peut rien y changer. Autant vouloir modifier son groupe sanguin !

— J'ai pensé que je pourrais peut-être avoir mes propres Marques, moi aussi.

Simon écarquilla les yeux.

— Tu plaisantes !

— Pas du tout. On ne plaisante pas avec ces choses-là. Et pourquoi je n'y aurais pas droit, hein ? Je suis une Chasseuse d'Ombres. J'ai intérêt à me protéger.

— Contre quoi ? rétorqua Simon. Je croyais que tout ça, c'était terminé. Je croyais que tu voulais retrouver une vie normale.

— Je ne suis pas sûr que ça existe, une vie normale, intervint Luke avec douceur.

Clary examina son bras à l'endroit où Jace avait appliqué la seule Marque qu'elle ait jamais reçue. On distinguait encore la cicatrice blanche, délicate comme un motif de dentelle. C'était en réalité plus un souvenir qu'une cicatrice.

— Oui, j'en ai assez de tous ces trucs bizarres. Mais s'ils me rattrapent ? Si je n'ai pas le choix ?

— Peut-être que tu n'as pas tellement envie d'y

renoncer, marmonna Simon. Pas tant que Jace a quelque chose à voir avec, en tout cas.

Luke s'éclaircit la voix.

— La plupart des Nephilim doivent valider des niveaux d'entraînement avant de recevoir leurs Marques. Je ne te conseille pas de te faire marquer avant d'avoir bénéficié d'un enseignement. La décision finale t'appartient, évidemment ; cependant il te manque quelque chose d'indispensable à tout Chasseur d'Ombres qui se respecte.

— Une bonne dose d'arrogance et des mauvaises manières ? suggéra Simon.

— Une stèle. Tous les Chasseurs d'Ombres ont une stèle.

— Et toi, tu en as une ? demanda Clary.

Sans répondre, Luke sortit de la cuisine et revint quelques instants plus tard avec un objet enveloppé dans du tissu noir. Il posa le paquet sur la table et le défit, révélant une espèce de baguette étincelante en cristal opaque.

— C'est joli, commenta Clary.

— Je suis content qu'elle te plaise, dit Luke, parce que je veux que tu la prennes.

— Comment ça ? Elle est à toi, non ?

Luke secoua la tête.

— Elle appartenait à ta mère. Jocelyne ne voulait pas la conserver dans l'appartement de peur que tu tombes dessus, alors elle m'a demandé de la mettre en sûreté chez moi.

Clary prit la stèle, très froide au toucher. Elle se souvint qu'elle se réchauffait quand on l'utilisait. C'était un objet étrange, trop court pour être qualifié d'arme, et trop long pour être manipulé facilement lorsqu'on dessinait avec. Elle en conclut que la main devait s'y faire avec le temps.

— C'est vraiment pour moi ?

— Oui. Bien sûr, c'est un modèle dépassé depuis près de vingt ans. Ils ont dû améliorer sa conception depuis. Mais elle est encore fiable, à mon avis.

Simon regarda Clary brandir la stèle comme un bâton de majorette, puis tracer des signes invisibles dans l'air.

— Ça me rappelle un peu le jour où mon grand-père m'a refilé ses vieux clubs de golf, dit-il.

Clary éclata de rire et baissa le bras.

— Oui, sauf que tu ne t'en es jamais servi.

— Et j'espère que tu n'auras jamais à te servir de ce machin-là non plus, lâcha Simon.

Il détourna vivement les yeux sans lui laisser le temps de répliquer.

De la fumée s'élevait en spirales noires de ses Marques. L'odeur suffocante de sa peau calcinée lui monta aux narines. Son père se tenait devant lui, brandissant sa stèle, dont l'extrémité rougeoyait comme un tisonnier abandonné trop longtemps dans l'âtre. « Ferme les yeux, Jonathan, dit-il. La douleur n'est rien si tu ne la laisses pas t'atteindre. » Mais, malgré lui, Jace recroquevilla sa main endolorie et se débattit pour échapper à la stèle. Il entendit un os craquer, puis un autre…

Jace ouvrit les yeux et battit des paupières dans l'obscurité tandis que la voix de son père s'évanouissait tel un écran de fumée dissipé par le vent. Il sentit le goût métallique de la souffrance sur sa langue, comprit qu'il s'était mordu l'intérieur de la lèvre et se redressa dans son lit en grimaçant.

Il entendit un autre craquement semblable à celui de son rêve et, machinalement, baissa les yeux sur sa main. Elle était indemne. Il s'aperçut que le bruit provenait du couloir : quelqu'un frappait à la porte.

Il s'extirpa du lit et frissonna quand ses pieds nus rencontrèrent le sol glacé, puis jeta un regard mécontent sur sa chemise froissée : il s'était endormi tout habillé. Il devait encore sentir le fauve, et son corps était tout courbaturé.

Les coups redoublèrent. Jace écarquilla les yeux en ouvrant la porte.

— Alec ?

Alec, les mains dans les poches, haussa les épaules, gêné.

— Désolé de te réveiller si tôt. C'est maman qui m'envoie te chercher. Elle veut te voir dans la bibliothèque.

— Quelle heure est-il ?

— Cinq heures.

— Qu'est-ce que tu fais debout de si bon matin ?

— Je ne me suis pas couché.

À en juger par ses yeux cernés, il disait la vérité. Jace passa la main dans ses cheveux en bataille.

— Bon, attends une seconde, je change de chemise.

Il alla vers l'armoire, fouilla parmi les piles de vêtements soigneusement pliés et en sortit une chemise bleu foncé à manches longues. Il ôta son vêtement sale avec mille précautions : à certains endroits, le sang séché avait collé le tissu à la peau.

Alec détourna les yeux.

— Qu'est-ce qui t'est arrivé ? demanda-t-il d'une voix tendue.

— Je me suis battu avec une meute de loups-garous, répondit Jace en enfilant sa chemise par la tête.

Une fois vêtu, il suivit Alec dans le couloir.

— Tu as une marque sur le cou.

Alec porta précipitamment la main à sa gorge.

— Hein ?

— On dirait un suçon, commenta Jace. Qu'est-ce que tu as fabriqué cette nuit, au fait ?

— Rien de spécial.

Alec accéléra le pas, les joues cramoisies, la main toujours plaquée sur son cou.

— Je suis sorti marcher dans le parc pour m'aérer la tête.

— Et… ? Tu es tombé sur un vampire ?

— Hein ? Non ! Je me suis vautré.

— Sur le cou ?

Alec poussa un grognement, et Jace conclut qu'il valait mieux ne pas insister.

— Pourquoi ce besoin de t'aérer la tête ?

— Après ton départ, mes parents m'ont expliqué pourquoi ils étaient aussi furieux. Et puis ils m'ont raconté pour Hodge. Merci de m'avoir prévenu, au fait.

Ce fut au tour de Jace de rougir.

— Pardon. Je ne trouvais pas la force de te le dire.

— Eh bien, tu aurais dû.

Alec renonça à dissimuler son cou et se tourna vers Jace d'un air accusateur.

— On pourrait penser que tu as des choses à cacher sur Valentin.

Jace s'arrêta net.

— Tu crois que j'ai menti ? À ton avis, je savais que Valentin est mon père ?

— Non ! répondit Alec, déconcerté par la violence qui perçait dans la voix de Jace. Et ça m'est bien égal, l'identité de ton père. Pour moi, tu es toujours le même.

— C'est-à-dire ? dit Jace avec froideur.

— J'essaie seulement d'expliquer que tu es un peu... dur, parfois, reprit Alec d'un ton apaisant. Réfléchis avant de parler, c'est tout ce que je te demande. Tu n'as pas d'ennemis ici, Jace.

— Merci pour le conseil. Bon, je peux continuer seul, je connais le chemin.

— Jace...

Mais ce dernier s'éloignait déjà en laissant Alec complètement désemparé. Jace n'aimait pas qu'on s'inquiète à son sujet. Cela lui donnait l'impression qu'il y avait peut-être des raisons de s'en faire.

La porte de la bibliothèque était entrouverte. Jace entra sans prendre la peine de frapper. Cette pièce avait toujours été l'une de ses préférées à l'Institut : il y avait quelque chose de rassurant dans ses boiseries vieillottes et les reliures en cuir de ses livres alignés sur les murs comme de vieux amis attendant son retour.

Un souffle d'air glacial l'assaillit au moment où il poussait la porte. Le feu qui brûlait d'ordinaire dans l'imposante cheminée tout au long de l'automne et de l'hiver avait laissé place à un tas de cendres. Les lampes étaient éteintes. La seule lumière provenait des fenêtres à claire-voie et de la verrière qui coiffait la tour, loin au-dessus de sa tête.

Jace ne put s'empêcher de penser à Hodge. S'il avait été là, un feu danserait dans l'âtre et les lampes à gaz projetteraient des flaques de lumière dorée sur le parquet. Hodge serait assis dans un fauteuil près du feu, Hugo perché sur une épaule, un livre posé devant lui.

Pourtant, il y avait bien quelqu'un dans le vieux fauteuil de Hodge : une silhouette grise et menue, qui se leva à son approche en déroulant son corps tel le cobra d'un charmeur de serpents, et se tourna vers lui, un sourire figé sur les lèvres.

La femme portait une longue cape hors d'âge d'un gris sombre qui s'arrêtait au niveau de ses bottes, laissant entrevoir un tailleur ajusté couleur ardoise, dont le col Mao lui enserrait le cou. Ses cheveux d'un blond très clair étaient retenus par des peignes en un chignon strict ; ses pupilles gris acier étincelaient dans la pénombre. Jace sentit son regard glacial peser sur lui, s'attarder sur son jean maculé de boue et les bleus de son visage.

L'espace d'une seconde, une lueur féroce s'alluma dans les yeux de la femme, telle une flamme piégée sous de la glace, puis s'éteignit.

— C'est donc toi, lâcha-t-elle.

Avant que Jace ait pu répondre, quelqu'un d'autre prit la parole : c'était Maryse, qui était entrée dans la bibliothèque juste après lui. Il s'étonna de ne pas l'avoir entendue s'approcher et s'aperçut qu'elle avait troqué ses chaussures à talons contre une paire de pantoufles. Elle portait un long peignoir en soie à motifs et le regardait, la bouche pincée.

— Oui, Éminence, c'est Jonathan Morgenstern.

L'Inquisitrice s'avança vers Jace et s'arrêta devant lui en levant une main aux doigts longs et pâles qui lui fit penser à une araignée albinos.

— Regarde-moi, mon garçon, dit-elle.

Soudain les longs doigts le saisirent par le menton et le forcèrent à lever la tête ; ils attestaient d'une force exceptionnelle.

— Tu m'appelleras « Éminence », entendu ?

La peau autour de ses yeux était creusée de rides minuscules, pareilles aux craquelures d'un tableau. Deux longs sillons accusaient les commissures de ses lèvres.

— Tu m'as comprise ?

Depuis son plus jeune âge, Jace considérait l'Inquisitrice comme un personnage quasi mythique. Son identité, ainsi que la plus grande partie de ses obligations étaient tenus secrets par l'Enclave. Il se l'était toujours représentée auréolée de mystère et dotée de pouvoirs singuliers, à l'instar des Frères Silencieux. Il ne s'attendait pas à des manières aussi directes... aussi hostiles. Il lui semblait que le regard de cette femme transperçait sa cuirasse de belle assurance et d'ironie, le dénudant jusqu'à l'os.

— Je m'appelle Jace, pas « mon garçon ». Jace Wayland.

— Tu n'as aucun droit de prétendre à ce nom. Tu es Jonathan Morgenstern. Revendiquer le nom des Wayland fait de toi un menteur, comme ton père.

— Si je dois passer pour un menteur, je préfère en assumer tout seul le titre, répliqua Jace.

Un léger sourire étira les lèvres pâles de l'Inquisitrice. Ce sourire-là n'augurait rien de bon.

— Je vois. Tu ne supportes pas l'autorité, à l'exemple de ton père, et de l'ange dont vous portez tous deux le nom.

Ses doigts agrippèrent le menton de Jace avec violence.

— Pour le punir de s'être rebellé, Dieu jeta Lucifer dans les abîmes de l'enfer, cracha-t-elle en lui soufflant son haleine aigre au visage. Si tu me défies, je te promets que tu lui envieras son sort.

Elle lâcha Jace et recula d'un pas. Il sentit un mince filet de sang dégouliner de son menton, à l'endroit où ses ongles lui avaient transpercé la peau. Ses mains tremblaient de rage, mais il réprima l'envie de s'essuyer le visage.

— Imogène... commença Maryse avant de se reprendre : Mme Herondale. Éminence, il a donné son accord pour passer l'épreuve de l'Épée. Ainsi, vous saurez s'il dit ou non la vérité.

— La vérité sur son père ? Oui, je la découvrirai.

Le col rigide de l'Inquisitrice Herondale s'enfonça dans la chair de sa gorge quand elle se tourna vers Maryse.

— Vous savez, Maryse, l'Enclave ne vous félicite pas. Robert et vous-même êtes les gardiens de l'Institut. Vous avez de la chance que votre dossier soit exempt d'irrégularités depuis plusieurs années ! Peu de perturbations démoniaques enregistrées jusqu'à ces derniers temps, et le calme absolu depuis quelques jours ; aucune rumeur, même en provenance d'Idris. C'est la raison pour laquelle l'Enclave se montre d'humeur clémente. Nous nous sommes parfois demandé si vous aviez réellement renié votre allégeance à Valentin. Au vu des derniers événements, il vous a tendu un piège, et vous avez sauté dedans à pieds joints. Nous vous pensions plus avisés que cela.

— Ce n'était pas un piège, intervint Jace. Mon père savait que les Lightwood accepteraient de s'occuper de moi s'ils me prenaient pour le fils de Michael Wayland, c'est tout.

L'Inquisitrice le dévisagea comme si elle avait affaire à un insecte doué de parole.

— Tu as entendu parler du coucou, Jonathan Morgenstern ?

Jace se demanda si sa fonction, qui ne devait guère être agréable, n'avait pas un peu dérangé l'esprit d'Imogène Herondale.

— Quoi ?

— Vois-tu, les coucous sont des parasites. Ils pondent leurs œufs dans les nids d'autres oiseaux. Quand l'œuf éclot, l'intrus pousse les autres oisillons hors du nid. Les pauvres parents s'épuisent ensuite à nourrir cet énorme rejeton qui a éliminé leurs petits pour prendre leur place.

— Énorme ? Vous venez de me traiter de gros, là ?

— C'était une analogie.

— Je ne suis pas gros.

— Et moi, s'emporta Maryse, je ne veux pas de votre pitié, Imogène. Je refuse de croire que l'Enclave nous punira, moi et mon époux, pour avoir choisi d'élever le fils d'un ami défunt. De plus, nous l'avons informée de cette décision, ajouta-t-elle en redressant les épaules.

— Et je n'ai jamais causé de tort aux Lightwood d'une quelconque manière, ajouta Jace. J'ai travaillé dur, je me suis entraîné sans relâche. Vous pouvez critiquer mon père autant que ça vous chante, mais il a fait de moi un Chasseur d'Ombres. J'ai gagné ma place ici.

— Ne défends pas ton père en ma présence ! siffla l'Inquisitrice. Je l'ai bien connu. C'était... c'est le plus vil des hommes.

— « Vil » ? D'où ça sort, ça ? Et d'abord, qu'est-ce que ça signifie ?

L'Inquisitrice fixa Jace, les yeux plissés.

— Tu es d'une arrogance ! dit-elle enfin. Et intolérant, de surcroît. C'est ton père qui t'a appris à te comporter de la sorte ?

— Non.

— Alors, il faut croire que tu le singes. Valentin est un des hommes les plus arrogants et les plus irrespectueux qu'il m'ait été donné de rencontrer. Je constate qu'il t'a façonné à son image.

— Oui ! s'écria Jace, incapable de se contenir. Dès mon plus jeune âge, on m'a poussé à développer une intelligence démoniaque. Tout petit déjà, j'arrachais les ailes des papillons et j'empoisonnais l'eau du puits. Une chance que mon père ait simulé sa mort avant d'aborder le chapitre du viol et du pillage dans mon éducation. Là, plus personne ne serait en sécurité.

Maryse laissa échapper un grognement horrifié.

— Jace...

Avant qu'elle ait pu poursuivre, l'Inquisitrice déclara :

— Tout comme ton père, tu perds ton sang-froid

à la moindre contrariété. Les Lightwood t'ont trop choyé ; ils ont laissé tes défauts s'épanouir comme du chiendent. Tu as peut-être le physique d'un ange, Jonathan Morgenstern, mais moi je connais ton vrai visage.

— Ce n'est qu'un enfant, gémit Maryse.

Jace lui jeta un bref coup d'œil : quoi, elle le défendait ? Elle détourna le regard.

— Valentin n'était qu'un enfant, lui aussi. Bon ! Avant que nous ne fouillions ta chère tête blonde pour découvrir la vérité, je te suggère de modérer tes humeurs. Et il y a un endroit idéal pour cela.

— Vous allez m'enfermer dans ma chambre ?

— Je vais t'envoyer te calmer dans les cachots de la Cité Silencieuse. Après une bonne nuit d'isolement, je suis sûre que tu te montreras beaucoup plus coopératif.

— Imogène ! Vous n'avez pas le droit ! hoqueta Maryse.

— J'ai tous les droits ! rétorqua l'Inquisitrice, les yeux étincelants comme des lames de rasoir. Tu as quelque chose à ajouter, Jonathan ?

Jace, le regard perdu dans le vague, ne répondit pas. La Cité Silencieuse comportait plusieurs niveaux ; il n'avait vu que les deux premiers, qui renfermaient les archives et la salle du conseil. Les cachots de la prison se trouvaient dans les entrailles de la Cité, sous le cimetière où des milliers de Chasseurs d'Ombres reposaient dans le silence éternel. Ces cellules étaient réservées aux criminels les plus dangereux : vampires incontrôlables, sorciers coupables d'avoir enfreint la Loi du Covenant, Chasseurs d'Ombres ayant versé le sang de leurs semblables. Jace n'entrait dans aucune de ces catégories. Comment cette femme avait-elle pu suggérer qu'il soit envoyé là-bas ?

Le sourire dont le gratifia l'Inquisitrice ressemblait au rictus d'un squelette.

— Sage réaction, Jonathan. Je vois que tu as déjà intégré la meilleure leçon de la Cité Silencieuse : savoir se taire.

Clary était en train d'aider Luke à débarrasser la table lorsque la sonnette retentit de nouveau. Elle se raidit et jeta un coup d'œil à Luke.

— Tu attends quelqu'un ?

Il fronça les sourcils en se séchant les mains avec le torchon à vaisselle.

— Non. Attends-moi ici.

Clary le vit s'emparer d'un objet sur une étagère avant de quitter la cuisine. Elle crut distinguer l'éclat d'une lame.

Simon laissa échapper un sifflement.

— Tu as vu ce couteau ? Il prévoit des complications, on dirait.

— Il est toujours sur le qui-vive, ces derniers temps.

Clary jeta un œil dans le couloir : Luke, planté devant la porte d'entrée, parlait à quelqu'un. Elle ne parvenait pas à saisir la conversation ; cependant, il ne semblait pas inquiet.

Simon la tira par l'épaule.

— Éloigne-toi de cette porte. Tu es folle ou quoi ? Et s'il y avait un démon là-bas ?

— Dans ce cas, Luke aurait besoin d'aide.

Elle regarda la main de Simon posée sur son épaule et sourit.

— Tu joues les protecteurs, maintenant ? Comme c'est mignon !

— Clary ! cria Luke de l'entrée. Viens ici. Je veux te présenter quelqu'un.

Clary tapota le bras de Simon avant de le repousser.

— Je reviens tout de suite.

Luke était adossé au chambranle de la porte, les bras croisés. Le couteau avait disparu comme par magie. Sur les marches devant la maison se tenait une fille aux cheveux bruns tressés, vêtue d'une veste en velours marron.

— Voici Maia, dit Luke, la jeune fille dont je t'ai parlé.

La nouvelle venue dévisagea Clary. Sous la lumière crue du porche, ses yeux étaient d'un vert étrange, tirant sur l'ambre.

— Tu dois être Clary, dit-elle.

Clary hocha la tête.

— Alors, ce garçon – le blond qui a dévasté le Hunter's Moon –, c'est ton frère ?

— Jace, précisa Clary d'un ton sec.

La curiosité intrusive de cette fille lui déplaisait.

— Maia ?

Simon s'avança derrière Clary, les mains dans les poches de sa veste en jean.

— Oui. Toi, c'est Simon, non ? Je suis nulle en prénoms mais je me souviens de toi, lança la fille en souriant.

— Super ! ironisa Clary. Maintenant, on est tous copains.

Luke se redressa avec une petite toux nerveuse.

— Je tenais à ce que vous vous rencontriez parce que Maia va travailler à la librairie dans les semaines qui viennent. Ne vous inquiétez pas si vous la voyez entrer et sortir. Elle a une clé.

— Et j'en profiterai pour garder un œil sur les trucs suspects : vampires, démons et ainsi de suite.

— Merci, lâcha Clary, je me sens beaucoup mieux.

— C'est du sarcasme ?

— On est tous un peu sur les nerfs, intervint Simon. Pour ma part, je suis content qu'il y ait quelqu'un dans les parages pour veiller sur ma copine quand il n'y a personne à la maison.

Luke leva les sourcils, mais ne fit aucune remarque.

— Simon a raison, marmonna Clary. Désolée de m'être emportée !

— Pas de problème, dit Maia. J'ai appris pour ta mère, ajouta-t-elle d'un air compatissant. Je suis désolée.

— Moi aussi.

Clary alla se réfugier dans la cuisine et s'assit à la table, le visage enfoui dans ses mains. Luke la rejoignit quelques instants plus tard.

— Pardon. J'aurais dû me douter que tu ne serais pas d'humeur à faire connaissance.

— Où est Simon ?

— Il bavarde avec Maia.

En effet, des voix réduites à un murmure leur parvenaient du couloir.

— J'ai pensé qu'une amie ne serait pas de trop en ce moment.

— J'ai déjà Simon.

Luke remonta ses lunettes.

— Je l'ai bien entendu dire « ma copine » ?

Clary faillit glousser en voyant son expression perplexe.

— Je crois que oui.

— C'est récent, ou je suis censé être au courant ?

— Moi-même je ne l'avais jamais entendu de sa bouche.

Clary examina machinalement ses mains. Elle pensa à la rune – un œil ouvert – qui ornait le dos de la main droite de tous les Chasseurs d'Ombres.

— La copine de quelqu'un ; la sœur, la fille de quelqu'un… Avant, j'ignorais que j'étais tout ça, et même aujourd'hui je ne sais pas qui je suis vraiment.

— C'est l'éternelle question, non ?

Clary entendit la porte d'entrée se fermer. Simon entra dans la cuisine, apportant l'odeur du soir dans son sillage.

— Ça ne vous dérange pas si je passe la nuit ici ? s'enquit-il. Il est un peu tard pour rentrer chez moi.

— Tu sais que tu es toujours le bienvenu.

Luke jeta un coup d'œil sur sa montre.

— Je vais me coucher. Je dois me lever à cinq heures pour être à l'hôpital à six.

— Pourquoi six heures ? demanda Simon quand il eut quitté la cuisine.

— C'est l'ouverture des visites, répondit Clary. Tu n'es pas obligé de dormir sur le canapé.

— Mais où… ?

Simon s'interrompit et ouvrit de grands yeux derrière ses lunettes.

— Oh.

— Il y a un lit double dans la chambre d'amis.

Les joues cramoisies, Simon sortit les mains de ses poches. Là où Jace se serait efforcé de garder une contenance, lui n'essayait même pas.

— Tu en es sûre ?

— Certaine.

Il traversa la pièce et se pencha pour l'embrasser maladroitement sur les lèvres. Elle se leva et dit en souriant :

— Ça suffit, les cuisines !

Puis elle le prit par le poignet et l'entraîna vers la chambre où elle dormait.

5

Les péchés des pères

Les ténèbres des cachots de la Cité Silencieuse étaient plus épaisses que toutes celles que Jace avait connues jusque-là. Il ne voyait pas le sol ni le plafond de sa cellule ; il ne distinguait même pas la forme de sa main. Ce qu'il savait de cet endroit, il l'avait découvert à la lueur de la torche lorsqu'il était entré, escorté par un groupe de Frères Silencieux qui avaient ouvert la porte munie de barreaux avant de le pousser à l'intérieur comme un vulgaire criminel. D'ailleurs, c'était sans doute ce qu'il était à leurs yeux.

Il savait que le sol de sa cellule était recouvert de dalles, que les murs étaient en pierre nue, et que des barreaux en électrum, solidement fichés dans le sol, le séparaient du couloir. Il savait aussi qu'une longue barre en métal était fixée sur l'un des murs, étant donné que les Frères Silencieux y avaient attaché l'autre bracelet de sa menotte. Il pouvait à peine faire quelques pas dans la cellule, en cliquetant tel un fantôme qui traîne son boulet. La chair de son poignet était déjà à vif. Au moins, il était gaucher, seule lueur d'espoir dans ces ténèbres impénétrables. Non que cela eût une réelle importance, mais c'était rassurant d'avoir encore sa bonne main libre pour se battre, au cas où.

Il suivit le mur en l'effleurant du bout des doigts. Ce qui le troublait le plus, c'était d'avoir perdu la notion du temps. À Idris, son père lui avait appris à déterminer l'heure d'après la lumière du soleil, les ombres qui s'étiraient dans l'après-midi, la position des étoiles dans le ciel nocturne. Seulement, ici il n'y avait pas d'étoiles... À vrai dire, il en venait à se demander s'il reverrait le ciel un jour.

Il s'arrêta : pourquoi ce doute ? Bien sûr qu'il reverrait le ciel ! L'Enclave n'avait pas l'intention de l'exécuter. La peine de mort était réservée aux assassins. Cependant, son cœur affolé palpitait de plus belle, et cette sensation inconnue était aussi étrange qu'un élancement soudain. Jace n'était pas du genre à céder à la panique : Alec répétait souvent qu'il aurait gagné à être un peu plus peureux de nature. En effet, la peur était un sentiment qui ne l'avait jamais vraiment affecté.

Il songea aux mots de Maryse : « Tu n'as jamais eu peur du noir. » Elle avait raison. L'angoisse qui l'étreignait en ce moment même était très inhabituelle ; elle ne lui ressemblait pas. L'obscurité n'en était pas la seule cause. Il inspira profondément. « Une nuit, ce n'est pas la fin du monde », se dit-il. Une seule nuit. Il fit un autre pas, et ses menottes émirent un cliquetis sinistre.

Soudain, il se figea : un cri venait de déchirer le silence. Un hurlement suraigu, exprimant la terreur folle, absolue, qui s'étira telle une note de plus en plus haute arrachée à un violon, puis cessa brusquement.

Jace lâcha un juron. Ses oreilles bourdonnaient ; il sentait le goût métallique et amer de la peur sur sa langue. Qui aurait cru qu'elle avait un goût ? Il s'adossa au mur de sa cellule en s'efforçant de se calmer.

Un deuxième cri s'éleva, encore plus fort, suivi d'autres. Quelque chose s'effondra au-dessus de Jace. Il baissa instinctivement la tête avant de se rappeler qu'il se trouvait à plusieurs mètres sous la terre. Il entendit un autre fracas assourdissant, et une image se forma dans son esprit : des portes volant en éclats, et les squelettes des Chasseurs d'Ombres morts depuis des siècles – rien de plus que des os retenus par des tendons desséchés – émergeant péniblement de leurs mausolées pour se traîner sur le sol immaculé de la Cité Silencieuse, leurs mains décharnées tendues devant eux.

« Ça suffit ! » Au prix d'un grand effort, Jace parvint à chasser cette vision d'horreur. Les morts ne revenaient pas. Ceux-là étaient des Nephilim, ses frères et sœurs tombés sur le champ de bataille. Il n'avait rien à craindre d'eux. Alors, pourquoi avait-il si peur ? Il serra les poings et enfonça les ongles dans la chair de ses paumes. Cet accès de panique était indigne de lui. Il devait se contrôler ! Il inspira profondément au moment où un autre hurlement retentissait, plus déchirant que les précédents. Son cœur s'affola quand quelque chose s'écrasa lourdement sur le sol, tout près de lui.

Soudain, une explosion de lumière, pareille à une fleur incandescente, l'aveugla.

Quand il put voir de nouveau, il aperçut Frère Jeremiah, qui s'avançait en titubant, une torche à la main. Le capuchon rabattu de sa robe couleur parchemin révéla un visage grotesque, défiguré par la terreur. Sa bouche, d'ordinaire scellée, était grande ouverte, déformée par un cri silencieux, et des fils sanguinolents pendaient de ses lèvres en lambeaux. Du sang, noir à la lueur de la torche, éclaboussait sa robe. Il fit quelques pas chancelants, les bras tendus, puis sous le regard horrifié de Jace, s'écroula de tout son long. Le garçon entendit craquer les os de l'archiviste au moment où il s'écrasait sur le sol. Dans un crachotement d'étincelles, la torche roula en direction de la gouttière peu profonde taillée dans la pierre, juste devant les barreaux de la cellule.

Jace tomba à genoux et tenta de l'atteindre en tirant aussi fort que possible sur sa chaîne, mais il ne parvint pas à la toucher. Dans son halo déclinant, il distinguait encore le visage inanimé de Jeremiah tourné vers lui. Un filet de sang s'échappait de sa bouche béante découvrant des chicots noircis.

Jace sentit un poids énorme lui comprimer la poitrine. Les Frères Silencieux n'ouvraient jamais la bouche pour parler, rire ou crier. Et pourtant c'était bien ce que Jace avait entendu, il en était sûr : les hurlements de ces hommes qui n'avaient pas proféré un son depuis un demi-siècle, l'expression d'une terreur plus puissante et plus enracinée que la très ancienne rune du silence. Qu'est-ce qui avait bien pu les effrayer à ce point ? Et où étaient passés les autres Frères ?

Jace avait l'impression d'étouffer. Il tendit de nouveau la main vers la torche, et l'un des petits os de son poignet se brisa. Il éprouva une douleur fulgurante dans tout le bras, mais réussit à gagner le centimètre qu'il lui manquait pour atteindre l'objet. La torche à la main, il se releva péniblement. Tandis que la flamme reprenait vie, il entendit un bruit répugnant, le frottement de quelque chose qu'on traînait sur le sol, et sentit un frisson passer sur sa nuque. Il brandit la torche devant lui d'une main tremblante en projetant un halo dansant de lumière sur les murs.

Rien.

Alors qu'il aurait dû être soulagé, sa peur s'intensifia. Il se mit à suffoquer comme s'il se trouvait sous l'eau. Sa terreur lui était d'autant plus insupportable que cette émotion n'avait rien de familier pour lui. Que lui arrivait-il ? Était-il subitement devenu un lâche ?

Il tira comme un forcené sur sa chaîne dans l'espoir que la douleur lui éclaircirait les idées ; en vain. Il entendit de nouveau le frottement sur le sol, qui cette fois se rapprochait, et en fond sonore des chuchotements ininterrompus, à peine perceptibles. Il n'avait jamais entendu quelque chose d'aussi atroce. Frappé d'horreur, le regard fou, il recula contre le mur d'un pas chancelant et leva la torche dans sa main agitée de spasmes.

Il parcourut du regard la cellule : les murs, les barreaux, les dalles au-delà, et le corps inanimé de Jeremiah recroquevillé sur le sol, juste derrière la porte.

Soudain, Jace la vit s'ouvrir lentement, et une masse sombre, informe, d'une taille démesurée se traîna dans la cellule. Ses yeux brillaient d'un feu glacial : enfoncés dans leurs orbites noires, ils le fixaient avec une joie féroce. La créature bondit ; un gros nuage de fumée jaillit devant Jace comme une vague balayant la surface de l'océan. La dernière chose qu'il vit fut la flamme crachotante de sa torche avant que tout ne soit englouti par les ténèbres.

Embrasser Simon, c'était agréable comme lézarder dans un hamac par un après-midi d'été, avec un livre et un verre de limonade. C'était le genre d'activité qui n'impliquait ni ennui ni appréhension, ni embarras ni gêne, excepté celle provoquée par la barre en métal du convertible qui vous rentrait dans le dos.

— Aïe ! fit Clary en essayant de se dégager.

— Je t'ai fait mal ?

Simon se redressa sur un coude, l'air inquiet. Sans ses lunettes, ses yeux paraissaient deux fois plus grands et plus sombres.

— Non, ce n'est pas toi. Ce canapé-lit est un véritable instrument de torture.

— Je n'avais pas remarqué, dit-il d'un air maussade tandis qu'elle ramassait un oreiller par terre pour le caler sous son dos.

— Je ne vois pas comment tu aurais pu, répliqua-t-elle en riant. On en était où ?

— Eh bien, mon visage était à peu près là où il se trouve en ce moment, mais le tien était beaucoup plus près. Enfin, c'est le souvenir que j'en ai.

— Que c'est romantique ! ironisa Clary en l'attirant vers elle.

Leurs corps étaient collés l'un à l'autre. À travers son tee-shirt, elle sentait battre le cœur de Simon. Ses longs cils, d'ordinaire dissimulés derrière ses lunettes, lui effleurèrent la joue quand il se pencha pour l'embrasser. Elle laissa échapper un petit rire nerveux.

— Pour toi aussi, c'est bizarre ? chuchota-t-elle.

— Non. Quand tu te représentes souvent la même scène, la réalité…

— Déçoit ?

— Non, pas du tout !

Simon recula et la fixa intensément de ses yeux de myope.

— Qu'est-ce qui te fait croire ça ? C'est l'inverse, justement. C'est…

Clary réprima un gloussement.

— On n'est peut-être pas obligés d'en parler.

Simon ferma les yeux à demi, esquissa un sourire.

— Voilà, je cherche une réplique cinglante, et tout ce que je trouve à dire…

Clary lui rendit son sourire :

— C'est que tu as envie d'aller plus loin ?

— Arrête !

Simon lui saisit les bras, la maintint fermement pour l'empêcher de gigoter et la dévisagea avec le plus grand sérieux.

— C'est que je t'aime.

— Alors, tu n'as pas envie… ?

— Je n'ai pas dit ça, marmonna-t-il en la relâchant.

Clary éclata de rire et le repoussa gentiment.

— Laisse-moi me lever.

— Je n'ai pas dit non plus que c'était la seule chose qui m'intéressait ! s'écria Simon, affolé.

— Rien à voir. Je veux me mettre en pyjama. Je ne peux pas flirter sérieusement si je garde mes chaussettes.

Simon la contempla d'un air mélancolique tandis qu'elle prenait son pyjama dans l'armoire et se dirigeait vers la salle de bains. Avant de fermer la porte, elle lui fit une grimace.

— Je reviens tout de suite.

Elle n'entendit pas sa réponse. Elle se brossa les dents et laissa couler l'eau du robinet pendant un long moment en s'étudiant dans le miroir de l'armoire à pharmacie. Elle avait les cheveux en bataille et les joues roses. « C'est donc ça, le visage de l'amour ? se demanda-t-elle. Les gens amoureux sont censés rayonner, non ? » À moins que ce ne soit les femmes enceintes, elle ne savait plus trop. Dans tous les cas, un léger changement aurait dû s'opérer dans son apparence. Après tout, c'était sa première vraie séance de baisers, et elle se sentait bien, à l'aise, en sécurité.

Quand elle avait embrassé Jace, le soir de son anniversaire, elle ne s'était sentie ni à l'aise ni en sécurité. Elle avait eu l'impression qu'une veine s'était ouverte en elle, répandant un liquide plus chaud, plus amer, plus sucré que son sang. Elle se rappela sévèrement à l'ordre : « Ne pense pas à Jace », mais, en voyant son regard s'assombrir dans le miroir, elle comprit que son corps refusait d'obéir à sa tête.

Elle s'aspergea le visage d'eau froide, prit son pyjama… et s'aperçut qu'elle avait oublié le haut. En rentrant dans la chambre, elle trouva Simon endormi en travers du lit ; il serrait le traversin dans ses bras comme s'il s'agissait d'un être humain.

— Simon..., chuchota-t-elle en réprimant une envie de rire.

À cet instant, un bip strident lui signala qu'elle venait de recevoir un texto sur son téléphone portable, posé sur la table de nuit.

Le message provenait d'Isabelle. Clary l'ouvrit précipitamment, et dut le lire deux fois pour s'assurer qu'elle ne rêvait pas. Puis elle courut prendre son manteau dans l'armoire.

— Jonathan.

La voix grave et mesurée qui venait de s'élever dans le cachot était douloureusement familière. Jace ouvrit les yeux et ne vit rien dans l'obscurité. Il frissonna. Il gisait, recroquevillé, sur les dalles glacées. Il avait dû s'évanouir. Il pesta intérieurement contre sa faiblesse, puis roula sur le côté et serra les dents quand son poignet cassé se tordit dans la menotte.

— Il y a quelqu'un ?

— On ne reconnaît plus son propre père, Jonathan ?

Cette fois, Jace n'eut plus le moindre doute : cette voix atone, métallique... Il essaya de se relever, glissa sur une flaque visqueuse et tomba à la renverse en heurtant violemment le mur de pierre. La chaîne de ses menottes cliqueta comme un carillon agité par le vent.

— Tu es blessé ?

Une lumière blafarde le fit cligner des yeux. Il aperçut Valentin, debout de l'autre côté des barreaux, tout près du cadavre de Frère Jeremiah. Une pierre de rune brillait dans sa main, répandant une clarté laiteuse dans la cellule. Jace distingua des taches de sang séché sur les murs, et d'autres, plus fraîches, qui provenaient du cadavre de l'archiviste. Il sentit son estomac se soulever et songea à la masse noire et informe qui, quelques instants plus tôt, l'observait de ses yeux étincelants.

— Cette… chose, parvint-il à articuler. Où est-elle ? Qu'est-ce que c'était ?

— Oui, tu es blessé, lança Valentin en se rapprochant des barreaux. Qui a ordonné ton incarcération ? L'Enclave ? Les Lightwood ?

— C'est l'Inquisitrice.

Jace baissa les yeux. Sa chemise et les jambes de son pantalon étaient couverts de sang. Il ignorait si c'était le sien.

Valentin l'examinait d'un air pensif. C'était la première fois depuis des années que Jace voyait son père en tenue de combat. Les vêtements des Chasseurs d'Ombres, taillés dans du cuir épais, leur permettaient une grande liberté de mouvements tout en les protégeant de la plupart des venins démoniaques. Il portait aux bras et aux jambes des attaches en électrum gravées de glyphes et de runes. Une large sangle ceignait son torse ; le pommeau rutilant d'une épée dépassait de son épaule.

Il s'accroupit et fixa Jace de ses yeux noirs insensibles. Le garçon fut étonné de ne pas y lire de la colère.

— L'Inquisitrice et l'Enclave ne font qu'un. Quant aux Lightwood, ils n'auraient pas dû permettre cela. Moi, je ne l'aurais jamais permis.

Jace s'adossa au mur en s'efforçant de s'éloigner de son père autant que sa chaîne le lui autorisait.

— Vous êtes venu ici pour me tuer ?

— Te tuer ? Pourquoi ferais-je une chose pareille ?

— Eh bien, pourquoi avez-vous assassiné Jeremiah ? Ne me dites pas que vous passiez justement par là quand il a décidé de se donner la mort. Je sais que c'est vous.

Pour la première fois, Valentin regarda le cadavre de Frère Jeremiah.

— Oui, c'est moi. J'ai aussi tué les autres Frères Silencieux. Je n'avais pas le choix, ils possédaient un objet qu'il me fallait à tout prix.

D'un geste vif, il tira l'épée de son baudrier.

— Ceci est Maellartach.

Jace eut un hoquet de surprise. Il reconnut l'Épée Mortelle au premier coup d'œil : massive, avec sa lourde lame en argent et son manche sculpté représentant une paire d'ailes ouvertes. C'était celle qui était suspendue dans la salle du conseil des Frères Silencieux, au-dessus des Étoiles Diseuses.

— Vous avez volé l'épée des Frères Silencieux ?

— Ce n'est pas la leur. Elle appartient à tous les Nephilim. C'est l'épée avec laquelle l'Ange a chassé Adam et Ève du paradis. « Et il posta devant le jardin d'Éden les chérubins et la flamme du glaive fulgurant », récita Valentin, les yeux fixés sur la lame.

Jace humecta ses lèvres desséchées.

— Qu'allez-vous en faire ?

— Je te le dirai quand je serai certain de pouvoir me fier à toi, et réciproquement.

— Moi, vous faire confiance ? Après que vous vous êtes enfui par le portail de Renwick, et que vous l'avez détruit pour éviter que je vous suive ? Sans oublier que vous avez tenté d'assassiner Clary !

— Je n'aurais jamais fait de mal à ta sœur ! protesta Valentin avec colère. Cela vaut aussi pour toi.

— Du mal, vous ne m'avez fait que ça ! Les Lightwood, eux, m'ont protégé !

— Ah bon ? Et qui t'a enfermé ici ? Est-ce moi qui te menace et qui te traite avec méfiance ? Non, ce sont les Lightwood et leurs amis de l'Enclave.

Après un bref silence, Valentin poursuivit :

— Malgré la façon dont ils t'ont traité, tu restes de marbre, et en cela je suis fier de toi.

Jace leva un regard surpris vers son père.

— Hein ?

Un violent vertige le fit chanceler ; la douleur irradiait dans sa main sans le moindre répit. Il s'efforça de l'ignorer.

— Je m'aperçois maintenant que j'ai commis une erreur à Renwick, reprit Valentin. Je te voyais encore comme le petit garçon obéissant que j'avais laissé à Idris. Or, j'ai découvert un jeune homme indépendant, entêté et courageux. Pourtant je me suis obstiné à te traiter comme un enfant. Pas étonnant que tu te sois rebellé contre moi.

— Rebellé ?

La gorge de Jace se serra, l'empêchant de continuer. Son cœur s'était mis à battre au rythme des pulsations douloureuses dans sa main.

— Je n'ai jamais eu l'occasion d'évoquer mon passé

avec toi ni de t'expliquer pourquoi j'ai agi de la sorte, dit Valentin.

— Il n'y a rien à expliquer ! Vous avez assassiné mes grands-parents et retenu ma mère prisonnière. Vous avez éliminé d'autres Chasseurs d'Ombres pour parvenir à vos fins.

Dans la bouche de Jace, chaque mot avait un goût de fiel.

— Tu ne connais pas tous les faits, Jonathan. Je t'ai menti autrefois parce que tu étais trop jeune pour comprendre. Maintenant, tu es assez grand pour connaître la vérité.

— Alors, dites-la-moi.

Valentin passa la main à travers les barreaux de la cellule pour la poser sur celle de son fils. En sentant la peau rêche et calleuse de ses doigts, Jace eut l'impression de revenir des années en arrière.

— J'ai envie de te faire confiance, Jonathan. Est-ce que je peux ?

Jace ouvrit la bouche pour répondre, mais les mots ne vinrent pas. C'était comme si un étau se resserrait lentement autour de sa poitrine, lui coupant peu à peu le souffle.

— J'aimerais bien..., finit-il par chuchoter.

À cet instant, un bruit retentit au-dessus de leur tête. On aurait dit que quelqu'un venait de claquer une porte en fer. Puis Jace entendit des pas et des murmures qui se répercutaient sur les murs de la Cité. Valentin sursauta et referma sa main sur la pierre de rune ; dans la demi-pénombre, on distinguait à peine sa silhouette.

— Plus rapides que prévu, murmura-t-il en baissant les yeux vers Jace.

Ce dernier essaya vainement de percer l'obscurité au-delà du halo ténu de la pierre de rune. Il songea à la forme sombre qui s'était dressée devant lui en annihilant toute lumière.

— Qui ça ? Qu'est-ce qui se passe ? souffla-t-il.

— Je dois partir, répondit Valentin. Mais, toi et moi, nous n'en avons pas terminé.

Jace s'agrippa aux barreaux.

— Libérez-moi ! Cette chose, quelle qu'elle soit, je veux pouvoir l'affronter !

— Je ne te rendrais pas service en te détachant.

Valentin referma complètement sa main sur la pierre de rune, qui s'éteignit, plongeant le couloir et la cellule dans les ténèbres. Jace se jeta de toutes ses forces contre les barreaux, au mépris de sa main cassée.

— Non ! cria-t-il. Père, je vous en prie !

— Quand tu seras prêt, tu sauras où me trouver, dit Valentin.

Jace entendit le bruit de ses pas qui s'éloignaient rapidement en se mêlant à sa propre respiration saccadée. Désespéré, il s'affaissa contre les barreaux.

Alors que le métro l'emmenait vers les beaux quartiers, Clary, incapable de rester assise, faisait les cent pas dans la rame presque déserte, les écouteurs de son iPod suspendus à son cou. Une peur irrationnelle lui nouait le ventre : Isabelle n'avait pas décroché lorsqu'elle l'avait appelée.

Elle revit Jace, couvert de sang, au Hunter's Moon, la bouche déformée par une grimace de colère. À cet instant-là, il ressemblait plus à un loup-garou qu'à un Chasseur d'Ombres chargé de protéger les humains et de faire respecter l'ordre parmi les Créatures Obscures.

Elle gravit à toute vitesse les marches de la station de la Quatre-vingt-seizième rue et ne ralentit le pas qu'en arrivant devant l'Institut, qui se détachait sur le ciel comme une immense ombre grise. Elle frissonna en sentant le froid sur sa nuque humide de sueur.

Elle avança la main vers l'énorme sonnette, puis hésita : elle était une Chasseuse d'Ombres, non ? Elle avait le droit de pénétrer dans l'Institut au même titre que les Lightwood. D'un geste résolu, elle saisit la poignée de la porte et s'efforça de se rappeler les mots prononcés par Jace :

— « Au nom de l'Ange, je... »

La porte s'ouvrit sur des ténèbres trouées par la lumière de dizaines de petits cierges. Alors qu'elle se hâtait entre les rangées de bancs, les flammes vacillèrent comme pour la narguer. Une fois dans l'ascenseur, elle referma la grille derrière elle et martela les boutons de ses doigts tremblants. Elle s'efforça de contenir sa nervosité, sans savoir si elle se faisait du souci pour Jace, ou s'inquiétait à la perspective de le voir. Elle se tourna vers le miroir. Son visage émergeant du col relevé de son manteau lui parut blême et minuscule. Ses yeux vert sombre semblaient immenses ; ses lèvres, pâles et gercées. « Pas très joli à voir », pensa-t-elle avec consternation avant de chasser cette idée. À quoi bon se lamenter sur son apparence ? Jace s'en moquait. Il n'avait pas le choix.

L'ascenseur s'arrêta dans un grincement et Clary poussa la grille. Church, qui l'attendait dans le vestibule, l'accueillit d'un miaulement maussade.

— Qu'est-ce qui ne va pas, Church ? lança-t-elle.

Sa voix résonna avec une intensité inhabituelle dans le silence des lieux. C'était à se demander s'il y avait quelqu'un ici. La pensée d'être seule lui donna la chair de poule.

— Ohé ?

Le chat persan à la fourrure bleutée lui tourna le dos et la précéda dans le couloir. Ils passèrent près de la salle de musique et de la bibliothèque, toutes deux désertes. À un détour du corridor, Church fit halte devant une porte close. « Et voilà, on est arrivés », semblait-il dire.

Avant que Clary ait pu frapper, la porte s'ouvrit sur Isabelle, pieds nus, en jean et pull violet. Elle sursauta en l'apercevant.

— Je pensais bien avoir entendu des pas dans le couloir, mais je ne me doutais pas que c'était toi, dit-elle. Qu'est-ce que tu fabriques ici ?

Clary lui lança un regard interloqué.

— Tu m'as envoyé un texto disant que l'Inquisitrice avait jeté Jace en prison !

Isabelle jeta un coup d'œil de part et d'autre du couloir et se mordit la lèvre.

— Je ne t'ai pas demandé de te précipiter à l'Institut.

— Isabelle ! Il est en prison ! s'écria Clary, horrifiée.

— D'accord, mais…

Avec un soupir résigné, la jeune fille s'écarta.

— Allez, entre. Et toi, ouste ! ajouta-t-elle en agitant la main vers Church. Retourne surveiller l'ascenseur.

Church lui jeta un regard scandalisé, puis s'allongea sur le parquet et ferma les yeux.

— Ah ! les chats ! maugréa Isabelle avant de claquer la porte.

— Salut, Clary.

Assis sur le lit d'Isabelle, Alec balançait ses bottes au-dessus du sol.

— Qu'est-ce que tu fais là ?

Clary s'installa sur le tabouret de la coiffeuse, sur laquelle régnait un savant désordre.

— Isabelle m'a envoyé un texto. Je suis au courant pour Jace.

Alec et Isabelle échangèrent un regard éloquent.

— Ça va, Alec ! s'emporta Isabelle. J'ai pensé qu'elle avait le droit de savoir. J'étais loin de m'imaginer qu'elle arriverait ici ventre à terre !

Le sang de Clary ne fit qu'un tour.

— Et tu t'attendais à quoi ? Comment va-t-il ? Qu'est-ce qui lui a pris, à l'Inquisitrice, de le jeter en prison ?

— Ce n'est pas à proprement parler une prison. Il est enfermé dans la Cité Silencieuse, expliqua Alec en se redressant.

Il s'empara d'un des coussins d'Isabelle, le posa sur ses genoux et se mit à jouer avec les franges perlées cousues sur ses bords.

— La Cité Silencieuse ? Pourquoi là-bas ?

Alec hésita.

— Sous la Cité, il y a des cachots. On y détient parfois les criminels avant de les transférer à Idris pour qu'ils soient jugés devant le Conseil. En général, ces cellules sont réservées aux cas les plus sérieux : assassins, vampires renégats, Chasseurs d'Ombres ayant violé les Accords. C'est là qu'est emprisonné Jace.

Clary se leva d'un bond.

— Avec une bande de meurtriers ? s'exclama-t-elle, indignée. Qu'est-ce qui ne va pas chez vous ? Vous devriez être morts d'inquiétude !

Isabelle et Alec échangèrent un autre regard lourd de sens.

— C'est juste pour une nuit, déclara Isabelle. Et il n'y a personne avec lui dans la cellule. On a posé la question.

— Mais pourquoi ? Qu'est-ce qu'il a fait pour mériter ça ?

— Il a mal parlé à l'Inquisitrice. C'est tout, d'après ce que je sais.

Isabelle se percha sur le bord de sa coiffeuse.

— C'est difficile à croire, hein ?

— Cette bonne femme doit être dérangée ! s'emporta Clary.

— Pas du tout, objecta Alec. Si Jace faisait partie de votre armée à vous, les Terrestres, tu crois qu'il aurait le droit de manquer de respect à ses supérieurs ? Sûrement pas !

— En temps de guerre, non. Mais Jace n'est pas un soldat.

— Nous sommes tous des soldats, Clary. Il y a une

hiérarchie parmi ceux qui nous commandent, et l'Inquisitrice n'est pas loin du sommet. Quant à Jace, il est tout en bas. Il n'aurait pas dû se montrer insolent.

— Si vous pensez qu'il mérite d'être en prison, pourquoi m'avoir prévenue ? Juste pour que je me range à votre avis ? Je ne vois pas l'intérêt. Qu'est-ce que je suis censée faire, moi ?

— On n'a jamais dit qu'il méritait sa punition ! se récria Isabelle. On trouve juste qu'il a eu tort de s'en prendre à l'une des plus hautes autorités de l'Enclave. Et puis, ajouta-t-elle d'un ton radouci, j'ai pensé que tu pourrais peut-être nous être utile.

— Qui, moi ? Comment ?

— On en a déjà parlé, intervint Alec. La plupart du temps, j'ai l'impression que Jace cherche à se mettre dans le pétrin. Il faudra bien qu'il apprenne la prudence un jour, et ça implique de coopérer avec l'Inquisitrice.

— Et vous croyez que je peux vous aider à le convaincre d'obéir ? demanda Clary, incrédule.

— Je ne pense pas qu'on puisse forcer Jace à quoi que ce soit, déclara Isabelle. En revanche, tu peux lui rappeler qu'il a une raison de vivre.

Alec baissa les yeux vers le coussin qu'il tenait à la main et tira sur une des franges d'un geste brusque. Une pluie de perles tomba sur la couverture d'Isabelle. Elle fronça les sourcils.

— Alec !

Clary aurait voulu protester, dire qu'ils étaient la véritable famille de Jace et que leur opinion avait plus de poids que la sienne. Mais dans sa tête, elle entendait la voix de Jace répéter en boucle : « Pendant longtemps, je n'ai pas eu d'attaches. Tu m'as donné envie de me poser. »

— Est-ce qu'on peut aller le voir là-bas ?

— Tu es d'accord pour lui demander de coopérer avec l'Inquisitrice ? s'enquit Alec d'un ton impérieux.

Clary réfléchit quelques instants.

— Je veux d'abord entendre ce qu'il a à dire.

Alec abandonna le coussin abîmé sur le lit et se leva, la mine renfrognée. Avant qu'il ait eu le temps d'ouvrir la bouche, des coups retentirent à la porte. Isabelle sauta de son perchoir et alla ouvrir.

Sur le seuil se tenait un garçon de petite taille aux cheveux noirs, les yeux à moitié dissimulés derrière de grosses lunettes. Il portait un jean et un sweat-shirt trop grand pour lui, et tenait un livre à la main.

— Max ! s'exclama Isabelle. Tu devrais dormir !

— J'étais dans la salle d'armes, dit le garçon, qui était le plus jeune des enfants Lightwood. J'ai entendu des bruits dans la bibliothèque. Je crois que quelqu'un essaie d'entrer en contact avec l'Institut.

Apercevant Clary derrière Isabelle, il demanda :

— Qui c'est, celle-là ?

— Clary, répondit Alec. C'est la sœur de Jace.

Max ouvrit de grands yeux.

— Je pensais que Jace était fils unique.

— C'est ce qu'on pensait tous, marmonna Alec en ramassant le pull qu'il avait laissé sur le dossier d'une chaise.

Il l'enfila, et ses cheveux chargés d'électricité statique formèrent un halo sombre et duveteux autour de sa tête. Il les plaqua d'un geste impatient.

— Je vais jeter un coup d'œil dans la bibliothèque.

— Je viens avec toi, lança Isabelle en prenant dans un tiroir son fouet scintillant, dont elle glissa la poignée à sa ceinture. Il est peut-être arrivé quelque chose.

— Où sont vos parents ? demanda Clary.

— Ils ont été appelés il y a quelques heures. Un elfe a été assassiné à Central Park. L'Inquisitrice est partie avec eux, expliqua Alec.

— Vous n'avez pas voulu les accompagner ?

— Ils ne nous l'ont pas proposé.

Isabelle enroula ses deux nattes sombres sur le sommet de son crâne et les fixa à l'aide d'une épingle en forme de dague miniature.

— Surveille Max, d'accord ? On revient tout de suite.

— Mais..., protesta Clary.

— On revient tout de suite, répéta Isabelle en se précipitant dans le couloir, Alec sur les talons.

Une fois la porte refermée, Clary s'assit sur le lit et observa Max avec appréhension. Elle n'avait pas l'habitude des enfants – sa mère ne l'avait jamais laissée faire du baby-sitting –, et elle n'était pas certaine de savoir leur parler ou les distraire. Néanmoins, ce petit garçon peu ordinaire lui rappelait Simon au même âge avec ses bras fluets et ses lunettes trop grandes pour lui, et cela la rassurait un peu.

Max l'examinait lui aussi d'un air pensif sans montrer la moindre timidité.

— Tu as quel âge ? demanda-t-il.

— À ton avis ? répondit-elle, prise de court.

— Quatorze ans.

— En fait, j'en ai seize, mais on me donne toujours moins, sous prétexte que je suis toute petite.

Max hocha la tête.

— Pareil pour moi. Les gens croient que j'ai sept ans, alors que j'en ai neuf.

— Moi, je trouve que tu fais ton âge. Qu'est-ce que tu caches ? Un livre ?

Max montra l'objet qu'il dissimulait derrière son dos : c'était un magazine avec une couverture bariolée qui comportait des caractères japonais sous les mots en anglais.

— *Naruto* ! s'exclama Clary en riant. Je ne savais pas que tu aimais les mangas. Où l'as-tu trouvé, celui-là ?

— À l'aéroport. J'aime bien les images, mais je n'y comprends rien.

— Donne.

Clary ouvrit le magazine et lui montra les pages.

— Il faut le lire à l'envers, de droite à gauche, et chaque page dans le sens des aiguilles d'une montre. Tu sais ce que ça veut dire ?

— Évidemment, répondit Max.

L'espace d'une seconde, Clary craignit de l'avoir vexé. Mais il paraissait ravi quand il reprit le magazine et l'ouvrit à la dernière page.

— C'est le numéro neuf, lança-t-il. Je devrais peut-être me procurer les huit autres avant de commencer à le lire.

— Bonne idée. Tu n'as qu'à demander à quelqu'un de t'accompagner chez Midtown Comics ou Forbidden Planet.

— Forbidden Planet ? répéta Max d'un air ébahi.

Avant que Clary ait pu lui donner une explication, Isabelle déboula dans la pièce, hors d'haleine.

— C'était bien quelqu'un qui essayait de contacter l'Institut, annonça-t-elle. Un des Frères Silencieux. Il s'est passé quelque chose à la Cité des Os.

— Quoi ?

— Aucune idée. C'est bien la première fois que les Frères Silencieux nous demandent de l'aide.

Manifestement, Isabelle était bouleversée. Elle se tourna vers son frère.

— Max, va dans ta chambre et restes-y, OK ?

— Vous sortez, Alec et toi ?

— Oui.

— Vous allez où ? À la Cité Silencieuse ?

— Max…

— Je veux venir.

Isabelle secoua la tête en faisant étinceler la dague qui retenait ses cheveux.

— C'est hors de question. Tu es trop jeune.

— Et toi ? Tu n'as même pas dix-huit ans !

Isabelle se tourna vers Clary avec une grimace mi-angoissée, mi-désemparée.

— Clary, viens ici une seconde, s'il te plaît.

Surprise, Clary eut à peine le temps de se lever qu'Isabelle la saisit par le bras et la poussa hors de la pièce, puis claqua la porte derrière elle. Max se jeta contre le panneau en bois.

— Tu peux attraper ma stèle pour moi, s'il te plaît ? lança Isabelle en retenant la poignée de la porte. Elle est dans ma poche.

Clary lui tendit précipitamment la stèle que Luke lui avait confiée plus tôt dans la soirée.

— Tu n'as qu'à te servir de la mienne.

En un tournemain, Isabelle appliqua une rune de scellement sur la porte. De l'autre côté, Max s'époumonait. Isabelle s'écarta du battant avec une moue indéchiffrable et rendit sa stèle à Clary.

— Je ne savais pas que tu en possédais une.

— Elle appartenait à ma mère, dit Clary.

« Appartient, se reprit-elle.

— Ah.

Isabelle donna un coup de poing dans la porte.

— Max, il y a des barres de céréales dans le tiroir de la table de nuit si jamais tu as faim. On revient dès que possible.

Un autre cri outragé lui répondit. Avec un haussement d'épaules, elle se détourna et s'éloigna dans le couloir au pas de charge.

— Que disait le message ? s'enquit Clary en la suivant.

— Qu'ils ont été attaqués. C'est tout ce que je sais.

Alec les attendait devant la bibliothèque. Il avait mis sa tenue de Chasseur d'Ombres en cuir noir pardessus ses vêtements. Des brassards protégeaient ses bras ; sa gorge et ses poignets étaient couverts de Marques. Plusieurs poignards séraphiques, chacun répondant au nom d'un ange, brillaient à sa ceinture.

— Tu es prête ? demanda-t-il à sa sœur. Et Max ? Il est en sécurité ?

— Il va bien, répondit Isabelle en tendant les bras. Vas-y, marque-moi.

Tout en traçant des runes sur les mains d'Isabelle et sur l'intérieur de ses poignets, Alec jeta un coup d'œil à Clary par-dessus son épaule.

— Tu devrais rentrer chez toi. Il ne faut pas que l'Inquisitrice te trouve seule ici quand elle reviendra.

— Je viens avec vous, dit Clary sans réfléchir.

Les mots étaient sortis de sa bouche presque malgré elle. Isabelle dégagea sa main et souffla sur sa peau marquée comme elle l'aurait fait avec une tasse de café brûlant.

— On croirait entendre Max.

— Max a neuf ans. Moi, j'ai le même âge que vous.

— Mais tu n'as aucune expérience, objecta Alec. Tu risques de nous gêner.

— Au contraire. Est-ce que l'un de vous a déjà pénétré dans la Cité Silencieuse ? Moi, oui. Je sais comment y entrer et je connais le chemin.

Alec se leva pour ranger sa stèle.

— Je ne crois pas...

Isabelle l'interrompit.

— Un point pour Clary ! Je pense qu'elle peut nous accompagner si elle veut.

Alec la regarda, interloqué.

— La dernière fois qu'elle s'est retrouvée face à face avec un démon, elle s'est enfuie en hurlant.

Devant le regard assassin de Clary, il ajouta d'un air penaud :

— Je regrette, mais c'est la vérité.

— Et si on lui donnait une chance d'apprendre ? suggéra Isabelle. Tu sais, Jace dit toujours qu'on n'a pas besoin de chercher les ennuis, ce sont eux qui nous trouvent.

— Et vous ne pouvez pas m'enfermer comme Max, renchérit Clary en voyant faiblir la résolution d'Alec.

Je ne suis plus une enfant. Et je sais où est la Cité des Os, je peux retrouver mon chemin sans votre aide.

Alec leur tourna le dos en secouant la tête et marmonna quelque chose au sujet des filles. Isabelle tendit la main vers Clary.

— Donne-moi ta stèle. Le moment est venu de te marquer.

6
La Cité des Cendres

Isabelle se contenta d'appliquer deux Marques sur Clary, une sur le dos de chaque main. La première était l'œil ouvert qui caractérisait tous les Chasseurs d'Ombres. La seconde ressemblait à deux faucilles croisées ; Isabelle expliqua qu'il s'agissait d'une rune de protection. Clary éprouva une sensation de brûlure quand la stèle entra en contact avec sa peau, mais la douleur se dissipa tandis qu'ils roulaient vers le centre-ville à bord d'un taxi clandestin. Quand ils arrivèrent dans la Deuxième Avenue, les bras de Clary lui semblaient aussi légers que si elle nageait dans une piscine avec des flotteurs.

Les trois adolescents passèrent sous l'arche en fer forgé et s'avancèrent dans le Cimetière de Marbre sans échanger un mot. La dernière fois que Clary avait traversé cette petite cour, elle avait dû courir derrière Frère Jeremiah. Maintenant, elle avait le temps de remarquer les noms gravés dans les murs : *Youngblood, Fairchild, Thrushcross, Nightwine, Ravenscar*. À chaque nom correspondait une rune. Conformément à la tradition des Chasseurs d'Ombres, toutes les familles possédaient leur propre symbole : un marteau de forgeron pour les Wayland, une torche pour les Lightwood, une étoile pour Valentin.

Des herbes folles poussaient au pied de la statue trônant au centre de la cour. Les yeux de l'Ange étaient clos, ses mains fines étreignaient un récipient en pierre censé représenter la Coupe Mortelle. Son visage impassible était moucheté de salissures.

— Le jour où je suis venue ici, Frère Jeremiah s'est servi d'une rune pour ouvrir la porte de la Cité, dit Clary.

— Il vaudrait mieux ne pas utiliser les runes des Frères Silencieux, objecta Alec, l'air sombre. Ils auraient déjà dû sentir notre présence. Là, je commence vraiment à m'inquiéter.

Il tira une dague de sa ceinture et s'entailla la paume de la main. Du sang perla de la plaie. Serrant le poing au-dessus de la coupe en pierre, il laissa quelques gouttes écarlates s'écouler à l'intérieur.

— Le sang des Nephilim devrait nous servir de clé.

Brusquement, les paupières de l'Ange s'ouvrirent. L'espace d'un instant, Clary s'attendit presque à ce que ses yeux se posent sur elle, mais les prunelles en granit demeurèrent immobiles. Une seconde plus tard, une brèche apparut dans le sol au pied de la statue. Clary recula d'un bond pour éviter de tomber dans les ténèbres du trou.

Elle jeta un coup d'œil sur l'escalier qui s'enfonçait dans l'obscurité. La dernière fois qu'elle l'avait descendu, des torches disposées à intervalles réguliers éclairaient le passage. À présent, il y faisait noir comme dans un four.

— Il y a quelque chose qui cloche, observa-t-elle.

Ni Isabelle ni Alec ne la contredirent. Elle sortit de sa poche la pierre de rune que Jace lui avait donnée et la leva au-dessus de sa tête. Un rayon de lumière filtra à travers ses doigts.

— Allons-y.

Alec s'engagea dans l'escalier.

— Je passe le premier, tu suis, et Isabelle ferme la marche.

Ils progressèrent lentement ; les bottes humides de Clary glissaient sur les marches polies par les ans. En bas de l'escalier, un tunnel peu profond menait à une immense salle qui ressemblait à un verger de pierre avec ses arches blanches incrustées de pierres semi-précieuses. Des mausolées s'alignaient dans l'obscurité telles des maisons de poupée. Les plus lointains se perdaient dans les ténèbres ; la pierre de rune ne parvenait pas à éclairer toute la salle.

Alec examina les mausolées, l'air lugubre.

— Jamais je n'aurais pensé pénétrer dans la Cité Silencieuse, même mort.

— Tu n'as rien à regretter, dit Clary. Frère Jeremiah m'a raconté qu'ils brûlent les morts, et que leurs cendres entrent dans la composition du marbre de la Cité.

« Le sang et les ossements des tueurs de démons sont une protection puissante contre le mal. Même dans la mort, l'Enclave sert la cause », avait-il expliqué.

— C'est censé être un honneur, expliqua Isabelle. D'ailleurs, vous autres Terrestres, vous brûlez aussi vos défunts.

« Ça ne me rassure pas pour autant », songea Clary. Une odeur familière de cendres et de fumée flottait dans l'air, à laquelle s'ajoutait un relent persistant de fruits pourris.

Les sourcils froncés comme s'il avait lui aussi flairé quelque chose de suspect, Alec tira de sa ceinture l'un de ses poignards séraphiques.

— Arathiel, murmura-t-il, et le poignard s'illumina.

Sa lumière s'ajouta à celle de la pierre de rune, éclairant une seconde volée de marches, qui débouchaient sur des ténèbres encore plus épaisses.

La pierre de rune battait comme le pouls d'une étoile mourante dans la main de Clary. Elle se demanda si ces objets magiques tombaient en panne comme des lampes électriques à court de piles, et croisa les doigts. L'idée d'être subitement plongée dans l'obscurité insondable de cet endroit terrifiant lui donnait la chair de poule.

L'odeur de fruits pourris s'intensifiait à mesure qu'ils descendaient. Parvenus au bas des marches, ils découvrirent un autre tunnel, au bout duquel se trouvait un pavillon soutenu par des piquets en os sculpté. Clary s'en souvenait parfaitement. Des étoiles en argent incrustées dans le sol se détachaient sur les dalles comme des confettis lumineux. Le pavillon abritait en son centre une grande table noire. Un liquide sombre s'était répandu sur sa surface miroitante avant de s'écouler par terre.

Lorsque Clary s'était présentée devant le Conseil des Frères, une lourde épée d'argent ornait le mur derrière la table. Or, cette épée avait disparu ; à sa place, une longue traînée écarlate maculait la paroi.

— C'est du sang ? chuchota Isabelle.

Le ton de sa voix trahissait plus l'ébahissement que la peur.

— Ça m'en a tout l'air.

Alec parcourut la salle du regard en serrant dans la main son poignard séraphique. Les ténèbres impénétrables semblaient receler d'innombrables menaces.

— Qu'est-ce qui a bien pu se passer ici ? lâcha Isabelle. Je croyais que les Frères Silencieux étaient invincibles...

Elle se tut au moment où Clary se détournait en capturant dans la lueur de sa pierre des ombres inquiétantes au-delà des piquets. L'une d'elles attira son attention. Elle pria la pierre de rune de l'éclairer plus intensément, et un rayon lumineux transperça l'obscurité.

Elle faillit pousser un cri : un Frère Silencieux était empalé sur l'un des piquets, tel un ver accroché à un hameçon. Ses mains dégoulinant de sang pendaient à quelques centimètres du sol en marbre. Apparemment, il avait la nuque brisée. La flaque rouge qui s'était formée sous lui prenait une teinte sombre à la clarté de la pierre de rune.

— Alec ! Tu as vu..., hoqueta Isabelle.

— Oui, répondit ce dernier avec une voix d'outre-tombe. Mais c'est surtout Jace qui m'inquiète.

— Le sang est encore frais, dit Isabelle en effleurant la table en basalte. Ce qui s'est passé ici est tout récent.

Alec se pencha au-dessus du cadavre empalé et pointa du doigt les marques rouges sur le sol.

— Des empreintes de pas. Quelqu'un s'est enfui en courant.

Il fit signe aux filles de le suivre. Elles s'exécutèrent après qu'Isabelle eut essuyé ses mains tachées de sang sur ses guêtres en cuir.

Les empreintes les menèrent dans un tunnel étroit qui se perdait dans l'obscurité. Quand Alec s'arrêta pour jeter un œil autour de lui, Clary, à bout de patience, prit la tête du petit groupe en s'éclairant avec sa pierre de rune, qui nimbait le tunnel d'une lueur argentée. Au bout du passage, elle distingua une porte à deux battants. Elle était entrouverte.

Jace. De manière inexplicable, elle sentait qu'il était tout près. Elle accéléra en faisant claquer ses bottes sur le sol dur. Isabelle l'appela, puis s'élança à sa suite avec Alec. Elle poussa la porte et se retrouva dans une grande pièce aux murs de pierre, scindée en deux par une rangée de barreaux en métal solidement fixés dans le pavement. Au-delà, elle discerna une forme avachie et, juste à l'entrée de la cellule, le corps inerte d'un Frère Silencieux.

À la façon dont il gisait sur le sol telle une poupée désarticulée, Clary comprit qu'il était mort. Sa robe couleur parchemin était déchirée ; son visage écorché, déformé par une grimace de terreur absolue, était encore reconnaissable. C'était Frère Jeremiah.

Elle dut enjamber son cadavre pour atteindre la porte de la cellule qui ne comportait ni serrure ni poignée. Elle entendit Alec l'appeler dans son dos, mais ne réagit pas : son attention était focalisée sur la porte. Visiblement, il n'y avait aucun moyen de l'ouvrir. Néanmoins, se rappela-t-elle, les Frères n'étaient pas versés dans les choses visibles, bien au contraire. La pierre de rune dans une main, elle chercha la stèle de sa mère de l'autre.

Un murmure étouffé lui parvint de derrière les barreaux : Clary reconnut la voix de Jace. De la pointe de sa stèle, elle frappa la porte en s'efforçant de se concentrer sur la rune, noire et dentelée, qui venait d'apparaître sur le métal. Au contact de la stèle, l'électrum grésilla. « Ouvre-toi, ordonna Clary intérieurement. Ouvre-toi, ouvre-toi, OUVRE-TOI ! »

Un bruit semblable à celui du tissu qui se déchire résonna dans la cellule. Clary entendit Isabelle pousser un cri au moment où la porte se détachait de ses gonds et s'abattait sur le sol comme un pont-levis. Elle se précipita dans la cellule en piétinant la grille arrachée.

Grâce à la lumière de sort, il fit soudain clair comme en plein jour dans la petite pièce. Clary remarqua à peine que les rangées de paires de menottes fixées sur les murs – toutes de métaux différents : or, argent, acier et fer – se décrochaient une à une et tombaient par terre dans un bruit de ferraille. Ses yeux étaient fixés sur la silhouette recroquevillée dans un coin. Elle distingua une masse de cheveux brillants, une main tendue, une paire de menottes ouvertes gisant à côté… La chair du poignet était à vif, et la peau couverte de vilains bleus.

Clary s'agenouilla, posa sa stèle et retourna le corps avec des gestes doux. Oui, c'était bel et bien Jace. Il avait un autre bleu sur la joue et il était très pâle, mais elle vit ses paupières tressaillir. Une veine battait sur son cou. Il était en vie !

Un soulagement sans nom la submergea, et la tension des dernières heures se relâcha d'un seul coup. La pierre de rune roula sur le sol sans cesser de briller. Elle repoussa les cheveux de Jace de son front avec une tendresse qu'elle n'avait jamais éprouvée jusque-là, elle qui n'avait eu ni frères, ni sœurs, ni même un cousin. Elle n'avait pas eu l'occasion de panser des plaies ou de déposer un baiser sur un genou égratigné ; de prendre soin de quelqu'un, en somme.

« C'est normal d'éprouver cette tendresse-là pour Jace », songea-t-elle, incapable de retirer sa main alors qu'il grimaçait en gémissant. Il était son frère, elle avait le droit de se faire du souci pour lui.

Il ouvrit les yeux. Ses pupilles étaient immenses, dilatées. Il posa sur elle un regard hébété.

— Clary… Qu'est-ce que tu fais ici ?

— Je suis venue te chercher, répondit-elle, car c'était la simple vérité.

Un spasme déforma le visage de Jace.

— Tu es vraiment là ? Je ne… je ne suis pas mort, dis ?

— Non, tu t'es juste évanoui, murmura-t-elle en effleurant sa joue. Tu t'es sans doute cogné la tête au passage.

La main de Jace vint se poser sur la sienne, qui s'attardait encore sur son visage.

— Alors ? lança Alec en entrant à son tour dans la cellule, Isabelle sur les talons.

Clary retira vivement sa main et se maudit aussitôt : elle ne faisait rien de condamnable. Jace se redressa tant bien que mal. Il avait le visage cendreux et sa chemise était tachée de sang. Alec l'observa avec inquiétude.

— Tu vas bien ? demanda-t-il en s'agenouillant. Qu'est-ce qui s'est passé ? Tu te souviens ?

Jace leva sa main valide.

— Une question à la fois, Alec. J'ai déjà l'impression que ma tête va exploser.

— Qui t'a fait ça ?

La voix d'Isabelle oscillait entre l'étonnement et la colère.

— Personne. Je me suis blessé en essayant de me débarrasser de mes menottes.

Jace examina son poignet écorché et grimaça à nouveau de douleur.

— Montre ! s'exclamèrent de concert Clary et Alec.

Leurs regards se croisèrent et Clary se ravisa la première. Alec prit le poignet de Jace et sortit sa stèle : en quelques gestes habiles, il esquissa une *iratze*, une rune de guérison, juste en dessous du cercle de peau meurtrie.

— Merci, dit Jace en retirant son bras.

La blessure commençait déjà à se refermer.

— Frère Jeremiah..., reprit-il.

— Il est mort, annonça Clary.

— Je sais. On l'a assassiné.

Jace se releva en s'appuyant contre le mur.

— Les Frères Silencieux se sont entre-tués ? s'étonna Isabelle. Je ne comprends pas...

— Non, déclara Jace. Quelque chose les a tués. J'ignore quoi.

Un spasme de souffrance tordit son visage.

— Ma tête…

— Il ne faut pas traîner ici, souffla Clary, soudain nerveuse. Si jamais la chose qui les a massacrés…

— … revient nous chercher ?

Jace jeta un coup d'œil sur sa chemise ensanglantée et sa main couverte d'ecchymoses.

— Je crois qu'elle est partie. Mais je suppose qu'il pourrait la rappeler.

— Qui ça, il ? s'enquit Alec.

Jace ne répondit pas. De gris, son visage était devenu blanc comme un linge. Alec le rattrapa au moment où il s'affaissait contre le mur.

— Jace…

— Je vais bien, prétendit ce dernier, mais il agrippa la manche d'Alec. Je peux me tenir debout.

— J'ai plutôt l'impression que tu as besoin d'un mur pour te soutenir. Tu appelles ça « se tenir debout », toi ?

— Je m'appuie juste un peu.

— Arrêtez de vous chamailler, intervint Isabelle en poussant du pied une torche éteinte. Il faut sortir d'ici. Si quelque chose d'assez malfaisant pour massacrer les Frères Silencieux se promène dans les parages, je ne donne pas cher de notre peau.

— Isa a raison, dépêchons-nous.

Clary ramassa sa pierre de rune et se leva :

— Jace, tu peux marcher ?

— Je vais le soutenir, dit Alec en passant le bras de Jace autour de ses épaules.

Le blessé s'affaissa lourdement contre lui.

— Allez, fit Alec avec douceur. On soignera tout ça une fois en sécurité.

À la porte de la cellule, Jace s'arrêta pour contempler le corps de Frère Jeremiah recroquevillé sur les dalles. Isabelle s'agenouilla et rabattit le capuchon en laine du Frère Silencieux sur ses traits convulsés. Lorsqu'elle se releva, tous avaient une expression solennelle sur le visage.

— Jusque-là, je n'avais jamais vu un Frère Silencieux effrayé, murmura Alec. Je ne les pensais même pas capables d'éprouver ce genre d'émotion.

— Tout le monde expérimente la peur un jour ou l'autre, dit Jace.

Toujours très pâle, il serrait sa main meurtrie contre son cœur. Clary doutait que ce geste soit dicté par la souffrance physique. Il paraissait distant, comme s'il s'était replié sur lui-même pour se soustraire à quelque chose.

Ils revinrent sur leurs pas jusqu'au pavillon des Étoiles Diseuses. Arrivé dans la grande salle, Clary perçut l'odeur de sang et de brûlé qu'elle n'avait pas identifiée lors de son premier passage. Sans lâcher Alec, Jace jeta un regard autour de lui, l'air à la fois confus et horrifié. Clary s'aperçut qu'il fixait le mur maculé de sang.

— Ne regarde pas, Jace.

Aussitôt, elle se sentit un peu bête : Jace était un chasseur de démons, il avait vu bien pire.

Il secoua la tête.

— Ce n'est pas normal.

— Rien n'est normal, ici.

D'un signe du menton, Alec désigna la forêt d'arches devant eux.

— C'est le chemin le plus court vers la sortie. En route !

Ils ne parlèrent pas beaucoup tandis qu'ils longeaient les couloirs et montaient les escaliers de la Cité des Os. Chaque ombre paraissait receler une menace, comme si les ténèbres dissimulaient une armée de créatures prêtes à se jeter sur eux. Isabelle récitait quelque chose à voix basse. Clary n'entendait pas distinctement les mots qu'elle prononçait, il lui sembla pourtant qu'ils appartenaient à une langue ancienne, du latin peut-être.

Dès qu'ils arrivèrent au pied de l'escalier qui menait à la surface, Clary poussa un soupir de soulagement. Si la Cité des Os lui avait paru belle la première fois, maintenant elle la trouvait terrifiante. Au moment où ils gravissaient les dernières marches, un faisceau de lumière l'aveugla, lui arrachant un cri de surprise. Elle distingua vaguement la statue de l'Ange en haut des marches, brillamment éclairée par un flot de lumière dorée. Dehors, il faisait clair comme en plein jour. Elle se tourna vers les autres : leurs visages reflétaient sa propre confusion.

— Le soleil n'est pas déjà levé, si ? murmura Isabelle. Combien de temps on est restés là-dedans ?

Alec jeta un œil sur sa montre.

— Pas si longtemps que ça.

Jace marmonna quelques mots inintelligibles.

— Qu'est-ce que tu dis ? demanda Alec, penché vers lui.

— De la lumière de sort, répéta Jace plus fort.

Isabelle gravit les marches quatre à quatre, Clary sur les talons ; Alec suivait, portant à moitié Jace.

Parvenue en haut de l'escalier, Isabelle s'arrêta net. Clary l'appela, mais n'obtint pas de réponse. Quelques instants plus tard, elle la rejoignit et ce fut à son tour de se figer d'étonnement.

Le jardin du cimetière était rempli de Chasseurs d'Ombres : ils devaient être une trentaine, tous en tenue de combat noire, couverts de Marques, chacun brandissant une pierre de rune.

En tête du groupe se tenait Maryse, en armure et cape noires, son capuchon rejeté en arrière. Derrière elle s'alignaient une douzaine d'étrangers, des hommes et des femmes que Clary voyait pour la première fois, et qui portaient sur le visage et les bras les Marques des Nephilim. L'un d'eux, un bel homme à la peau sombre, examina Clary et Isabelle, puis Jace et Alec qui, après avoir émergé à la surface, s'étaient figés, éblouis par cette lumière inattendue.

— Par l'Ange ! s'exclama l'homme. Maryse... Il y avait déjà du monde là-dessous.

À la vue d'Isabelle et d'Alec, Maryse resta bouche bée. Puis un pli sévère barra ses lèvres pâles comme une balafre dessinée à la craie.

— Je sais, Malik, dit-elle. Ce sont mes enfants.

7
L'Épée Mortelle

Un murmure désapprobateur parcourut la foule des Chasseurs d'Ombres. Ceux qui dissimulaient leur visage sous leur capuchon se découvrirent, et Clary comprit à l'expression de Jace, d'Alec et d'Isabelle que la plupart des personnes rassemblées dans le cimetière ne leur étaient pas étrangères.

— Par l'Ange !

Le regard de Maryse passait d'un adolescent à l'autre, incrédule. Jace s'était détaché d'Alec à l'instant où Maryse avait ouvert la bouche, et il se tenait un peu à l'écart des autres, les mains dans les poches. Isabelle, visiblement nerveuse, jouait avec la lanière dorée de son fouet. De son côté, Alec pianotait sur le clavier de son téléphone portable. Clary se demanda qui il pouvait bien appeler à une heure pareille.

— Qu'est-ce que vous faites ici ? Alec ? Isabelle ? Nous avons reçu un appel désespéré en provenance de la Cité Silencieuse...

— On l'a intercepté, répondit Alec en promenant un regard anxieux sur la foule rassemblée dans le cimetière.

Clary ne le blâmait pas d'être inquiet. Elle-même n'avait jamais vu autant de Chasseurs d'Ombres à la fois. Elle étudia les visages un par un en relevant leurs particularités. Il y avait là des gens d'âge et de race différents, et pourtant ils dégageaient tous la même impression d'une puissance maîtrisée incroyable. Elle sentait peser sur elle leur regard pénétrant qui la jaugeait. Une femme aux longs cheveux argentés l'observait avec une certaine intensité. Clary détourna les yeux tandis qu'Alec reprenait :

— Vous n'étiez pas à l'Institut... On ne pouvait prévenir personne... Alors, on y est allés.

— Alec...

— Ça n'a plus d'importance, de toute façon. Les Frères Silencieux sont morts. Ils ont été assassinés.

L'assemblée se figea d'épouvante.

— Comment ça, morts ? lâcha Maryse. Qu'est-ce que tu veux dire ?

— Je crois que c'est parfaitement clair, lança une femme en long manteau gris qui venait d'apparaître au côté de Maryse.

Elle avait des traits anguleux, les cheveux tirés en arrière, des yeux perçants. Entre ses doigts squelettiques elle tenait une longue chaîne en argent, à laquelle était suspendu un fragment scintillant de pierre de rune.

— Tous, sans exception ? reprit-elle en s'adressant directement à Alec. Il n'y avait personne en vie dans la Cité ?

Alec secoua la tête.

— Pas à ma connaissance, Éminence.

« C'est donc elle, l'Inquisitrice », pensa Clary. Cette femme avait en effet l'air capable de jeter en prison des adolescents sans autre motif qu'une attitude jugée irrespectueuse.

— Pas à ta connaissance, répéta l'Inquisitrice avant de se tourner vers Maryse. Il reste peut-être des survivants. Je vous suggère d'envoyer vos effectifs inspecter la Cité de fond en comble.

Maryse pinça les lèvres. D'après ce que Clary avait appris à son sujet, la mère adoptive de Jace n'était pas femme à recevoir des ordres.

— Très bien.

Maryse parla à voix basse à Malik, qui lui répondit par un hochement de tête. Puis il prit par le bras la femme aux cheveux gris et mena les Chasseurs d'Ombres vers l'entrée de la Cité des Os. À mesure qu'ils s'engouffraient en file indienne dans l'escalier en brandissant leur pierre de rune, l'obscurité se fit dans le cimetière. La femme à la crinière argentée fermait la marche. Juste avant de disparaître sous terre, elle se retourna pour lancer un regard désespéré à Clary, comme si elle cherchait à lui dire quelque chose. Puis elle rabattit le capuchon sur son visage et s'enfonça dans les ténèbres de la Cité.

Maryse rompit le silence.

— Quel intérêt y a-t-il à massacrer les Frères Silencieux ? Ce ne sont pas des guerriers, ils ne portent pas les Marques de nos combattants...

— Ne soyez pas naïve, Maryse, rétorqua l'Inquisitrice. Cette attaque n'était pas le fruit du hasard. Les Frères Silencieux ne sont peut-être pas des guerriers, mais ils restent des gardiens, et ils excellent dans leur tâche. Sans oublier qu'ils sont coriaces. Leur assassin cherchait à mettre la main sur quelque chose, et il était prêt à tuer pour l'obtenir. Tout cela était prémédité.

— Comment pouvez-vous en être si sûre ?

— Pourquoi nous a-t-on fait perdre notre temps à Central Park avec la mort de ce jeune elfe, à votre avis ?

— Je n'appellerais pas cela une perte de temps. Il a été vidé de son sang, comme les autres. Ces meurtres pourraient susciter de sérieuses dissensions entre les Enfants de la Nuit et les autres Créatures Obscures…

— Une vulgaire diversion ! résuma l'Inquisitrice d'un ton dédaigneux. L'assassin voulait nous éloigner de l'Institut afin que personne ne puisse répondre à l'appel au secours des Frères Silencieux. Ingénieux, sans aucun doute. Il a toujours été habile.

— Il ? répéta Isabelle, qui avait blêmi derrière le rideau de ses cheveux noirs. Vous voulez dire…

— Valentin, intervint Jace. Il a tué les Frères Silencieux pour s'emparer de l'Épée Mortelle.

À ces mots, Clary sursauta comme sous l'effet d'une décharge électrique. Un mince sourire de jubilation étira les lèvres de l'Inquisitrice. Alec se tourna vers Jace, l'air ébahi.

— Valentin ? Mais… tu ne nous as pas dit qu'il était ici !

— Vous ne me l'avez pas demandé.

— Il ne peut pas avoir tué les Frères Silencieux ! On les a littéralement mis en pièces. Une seule personne n'est pas capable de faire ça.

— Il a probablement fait appel aux puissances démoniaques, répliqua l'Inquisitrice. Il a déjà eu recours aux démons par le passé. Sous la protection de la Coupe, il peut invoquer des créatures bien plus dangereuses que de vulgaires Voraces. Ou des Damnés, ajouta-t-elle avec une moue méprisante.

Même si elle ne prit pas la peine de regarder Clary, ces mots lui firent l'effet d'une gifle.

Son maigre espoir d'avoir échappé à la vigilance de l'Inquisitrice s'évanouit.

— Ça, je l'ignore, dit Jace, qui était de plus en plus pâle. Je sais seulement que c'était Valentin. Je l'ai vu. En fait, il avait déjà l'Épée en sa possession quand il est descendu dans les cachots. J'ai eu droit à ses sarcasmes habituels. J'avais l'impression d'être face au méchant dans un mauvais film.

Clary le dévisagea avec inquiétude. Il parlait trop vite, lui semblait-il, et il ne tenait pas sur ses jambes. L'Inquisitrice ne parut pas s'en apercevoir.

— Donc Valentin t'a affirmé qu'il avait tué les Frères Silencieux pour dérober l'Épée de l'Ange, c'est bien cela ?

— Qu'est-ce qu'il t'a raconté d'autre ? le pressa Maryse. Il t'a dit où il allait, ou encore ce qu'il avait l'intention de faire avec les deux Instruments Mortels qu'il a dérobés ?

Jace fit non de la tête. Le visage fermé, l'Inquisitrice s'avança vers lui en faisant voler autour d'elle les pans de son manteau.

— Je ne te crois pas.

Le regard de Jace ne trahissait aucune émotion.

— Ça ne me surprend pas.

— Et je doute que l'Enclave accorde davantage de crédit à ta déclaration.

Alec s'emporta.

— Jace n'est pas un menteur…

— Sers-toi de ta tête, Alexander, lâcha l'Inquisitrice sans quitter Jace des yeux. Oublie ta loyauté envers ton ami pendant quelques instants. Est-il vraisemblable que Valentin ait rendu visite à son fils dans sa cellule pour avoir une petite discussion avec lui au sujet de l'Épée de Vérité, et qu'il n'ait pas mentionné ses projets, ni même l'endroit où il comptait se rendre ?

— *S'io credesse che mia risposta fosse*, dit Jace dans une langue que Clary ne connaissait pas, *a persona che mai tornasse al mondo…*

— *L'Enfer* de Dante, déclara l'Inquisitrice, l'air vaguement amusé. Tu n'es pas encore en enfer, Jonathan Morgenstern, mais si tu persistes à mentir à l'Enclave, cela ne saurait tarder.

Elle se tourna vers les autres.

— Ainsi, personne ne trouve étrange que l'Épée de Vérité disparaisse la veille de la comparution de Jonathan Morgenstern, volée par son propre père ?

Jace en resta bouche bée : apparemment, cette idée ne lui avait pas effleuré l'esprit.

— Mon père ne convoitait pas l'Épée à cause de moi. C'est pour lui qu'il l'a prise. D'ailleurs, je doute qu'il ait eu vent de ce procès.

— Comme c'est pratique pour toi, tout de même ! Et pour lui par la même occasion. Il n'aura pas à craindre que tu divulgues ses secrets.

— C'est ça ! ironisa Jace. Il est terrifié à l'idée que je puisse révéler qu'il a toujours rêvé d'être danseur étoile.

L'Inquisitrice lui jeta un regard furieux.

— Je ne connais aucun des secrets de mon père, reprit-il d'un ton radouci. Il ne s'est jamais confié à moi.

— Si ton père n'a pas dérobé l'Épée pour te protéger, alors pourquoi ? demanda l'Inquisitrice avec une certaine lassitude.

— C'est un Instrument Mortel, intervint Clary. Un objet puissant, comme la Coupe. Ce que recherche Valentin, c'est le pouvoir.

— La Coupe a une utilité immédiate. Il peut s'en servir pour créer une armée. L'Épée, elle, est utilisée lors des procès. Je ne vois pas en quoi elle pourrait l'intéresser.

— Il a peut-être voulu déstabiliser l'Enclave, suggéra Maryse. Nous saper le moral et nous prouver que rien n'est hors de sa portée, pour peu qu'il le souhaite vraiment.

Si Clary trouva cet argument très pertinent, Maryse elle-même ne semblait pas convaincue.

— Le fait est...

Mais elle n'eut pas l'occasion de développer son argumentation, car à cet instant précis Jace leva la main comme pour poser une question, l'air hébété, puis s'assit brusquement dans l'herbe. Manifestement, ses jambes ne le portaient plus. Alec s'agenouilla à côté de lui, mais Jace refusa sa sollicitude.

— Ça va, laisse-moi tranquille.

— Non, ça ne va pas du tout.

Clary s'agenouilla à son tour. Les yeux de Jace étaient fixés sur elle et, malgré la clarté dispensée par la pierre de rune, ses pupilles étaient noires et dilatées.

Elle jeta un coup d'œil sur son poignet, là où Alec avait tracé l'*iratze*. La Marque avait disparu sans laisser la moindre cicatrice, attestant qu'elle avait rempli son office. Clary croisa le regard d'Alec : il reflétait sa propre inquiétude.

— Il y a quelque chose qui cloche chez lui, dit-elle. Cette fois, c'est sérieux.

Fâchée que Jace se trouve mal à un moment crucial, l'Inquisitrice lança d'un ton acide :

— Il a sans doute besoin d'une rune de guérison. Une *iratze* ou...

— On a déjà essayé, l'interrompit Alec. Ça ne marche pas. Je crois qu'il y a du démon là-dessous.

— Tu penses à du poison démoniaque ?

Maryse fit mine de se précipiter vers Jace, mais l'Inquisitrice l'arrêta d'un geste.

— Il joue la comédie. Il devrait être enfermé dans sa cellule à l'heure qu'il est.

Alec se leva d'un bond.

— Comment pouvez-vous dire ça ? Regardez-le, enfin !

Il montra du doigt Jace, qui s'était affaissé dans l'herbe, les paupières closes.

— Il n'arrive même pas à se lever ! Il lui faut un médecin, il lui faut...

— Les Frères Silencieux sont morts, lui rappela l'Inquisitrice. Tu suggères un hôpital terrestre ?

— Non, répondit fermement Alec. Je pense qu'on devrait l'emmener chez Magnus.

Isabelle poussa une exclamation de surprise et se détourna tandis que l'Inquisitrice dévisageait Alec, interdite.

— Magnus ?

— C'est un sorcier, expliqua-t-il. Le Grand Sorcier de Brooklyn, pour être précis.

— C'est de Magnus Bane que tu parles ? intervint Maryse. Il a la réputation de...

— Il m'a sauvé après que j'ai affronté un Démon Supérieur. Les Frères Silencieux ne pouvaient rien faire, mais Magnus, lui...

— C'est ridicule ! s'emporta l'Inquisitrice. Tu veux juste aider Jonathan à s'évader.

— Il n'est pas en état de fuir, vous le voyez bien, protesta Isabelle.

— Magnus ne laisserait jamais une chose pareille se produire, reprit Alec en jetant un regard noir à sa sœur. Il n'a aucune intention de contrarier l'Enclave.

— Et comment s'y prendrait-il pour éviter son évasion ? demanda l'Inquisitrice d'un ton lourd de sarcasme. Jonathan est un Chasseur d'Ombres : il n'est pas si facile de nous garder en cage.

— Vous devriez peut-être lui poser la question, suggéra Alec.

L'Inquisitrice eut un sourire carnassier.

— Je n'y manquerai pas. Où est-il ?

— Il est ici, répondit-il.

Puis, élevant la voix :

— Magnus ! Magnus, tu peux te montrer.

Même l'Inquisitrice ouvrit de grands yeux en voyant Magnus franchir la grille du cimetière. Le Grand Sorcier portait un pantalon en cuir noir, une ceinture dont la boucle formait un M et une veste de l'armée allemande ouverte sur une chemise blanche en dentelle. Il avait appliqué une multitude de paillettes sur sa peau. Ses yeux se posèrent un instant sur le visage d'Alec, et une lueur amusée s'alluma dans son regard, ainsi qu'autre chose, indéfinissable. Il s'avança vers le corps inanimé de Jace.

— Il est mort ? demanda-t-il. Il a l'air mort, en tout cas.

— Non, lança Maryse avec colère, il n'est pas mort.

— Vous avez vérifié ? Je peux shooter dedans, si vous voulez.

— Ça suffit ! aboya l'Inquisitrice sur le même ton que la maîtresse de Clary en maternelle, quand elle barbouillait de feutre son pupitre. Il est seulement blessé, ajouta-t-elle comme à contrecœur. Nous avons besoin de tes compétences médicales. Jonathan doit être rétabli pour subir un interrogatoire.

— D'accord, mais ça va vous coûter cher.

— Je paierai, intervint Maryse.

L'Inquisitrice ne cilla même pas.

— Très bien, fit-elle. En revanche, il ne peut pas rester à l'Institut. Ce n'est pas parce que l'Épée a disparu qu'il n'aura pas droit à un interrogatoire en règle. Entre-temps, nous le tiendrons à l'œil pour éviter qu'il prenne la fuite.

— Quoi ? s'écria Isabelle. Vous agissez comme s'il avait tenté de s'évader de la Cité Silencieuse…

— Eh bien, il n'est plus dans sa cellule, non ?

— Ce n'est pas juste ! On ne pouvait pas le laisser là-bas avec tous ces cadavres !

— Tu penses sérieusement que je vais croire que ton frère et toi, vous avez décidé de venir jusqu'ici suite à un appel au secours, et non pour épargner à Jonathan ce que vous considérez à l'évidence comme un emprisonnement abusif ? Tu penses que je ne sais pas que vous essaierez encore de le libérer si je lui permets de rester à l'Institut ? Tu penses pouvoir me berner aussi facilement que tes parents, Isabelle Lightwood ?

Isabelle devint écarlate. Magnus s'interposa avant qu'elle puisse répliquer.

— Écoutez, ce n'est pas un problème. Je peux garder Jace chez moi.

L'Inquisitrice se tourna vers Alec.

— Ton sorcier se rend-il bien compte que Jonathan est un témoin capital pour l'Enclave ?

Les pommettes saillantes d'Alec s'empourprèrent.

— Ce n'est pas mon sorcier.

— J'ai détenu des prisonniers pour le compte de l'Enclave par le passé, reprit Magnus d'un ton qui n'avait plus rien de badin. J'ai bénéficié d'un excellent rapport dans ce domaine, vous pouvez vérifier. Mon offre compte parmi les meilleures.

Était-ce l'imagination de Clary qui lui jouait des tours, ou Magnus avait-il jeté un coup d'œil à Maryse en disant ces mots ? Elle n'eut pas le temps de se perdre en conjectures : l'Inquisitrice émit un son bref, qui traduisait, au choix, son amusement ou son dégoût.

— L'affaire est donc réglée. Préviens-moi quand il sera en mesure de subir un interrogatoire, sorcier. J'ai encore beaucoup de questions à lui poser.

— Ça va de soi, dit Magnus, que Clary soupçonna de ne l'écouter que d'une oreille.

Il traversa la pelouse d'un pas gracieux et se pencha

au-dessus de Jace. Il était aussi grand que mince, et il scintillait au point d'éclipser bon nombre d'étoiles.

— Il peut parler ? demanda-t-il en montrant Jace.

Avant que Clary ait pu répondre, Jace ouvrit les yeux et dévisagea le sorcier d'un œil hagard.

— Qu'est-ce que tu fabriques ici ?

Magnus lui fit un grand sourire, et ses dents étincelèrent comme des diamants.

— Salut, coloc', lança-t-il.

Deuxième partie :

Les portes de l'enfer

Avant moi ne furent créées nulles choses,
sauf les éternelles, et éternellement je dure :
vous qui entrez, laissez toute espérance !

Dante, *L'Enfer*

8

À la Cour des Lumières

D*ans son rêve, Clary était redevenue petite fille. Elle marchait sur une étroite bande de sable près de la promenade de Coney Island. Une forte odeur de hot-dogs et de cacahuètes grillées imprégnait l'air et la plage résonnait de cris d'enfants. Les rayons du soleil dansaient sur l'immensité gris-bleu de la mer.*

Clary se voyait comme de l'extérieur. Elle était vêtue d'un pyjama d'enfant trop grand pour elle. Le bas de son pantalon traînait par terre, elle avait du sable mouillé entre les orteils et ses cheveux pesaient au creux de sa nuque. Il n'y avait pas le moindre nuage dans le ciel d'un bleu limpide, pourtant elle frissonnait tout en longeant le rivage vers une silhouette qu'elle distinguait à peine.

Soudain, la silhouette se détacha nettement sur le décor comme si Clary venait de régler l'objectif d'un appareil photo. C'était sa mère, agenouillée au milieu des ruines d'un château de sable. Elle portait la robe blanche dont Valentin l'avait vêtue à Renwick. Dans sa main elle tenait un bout de bois poli par le sel et le vent.

— Tu es venue m'aider ? demanda-t-elle en levant la tête.

Ses cheveux agités par la brise lui donnaient l'air plus jeune.

— Il y a tant à faire, et si peu de temps ! soupira-t-elle.

Clary sentit sa gorge se nouer.

— Maman… Tu m'as manqué, maman.

Jocelyne sourit.

— Toi aussi, tu m'as manqué, ma chérie. Mais je ne suis pas morte, tu sais. Je dors, c'est tout.

— Alors, comment je fais pour te réveiller ? s'écria Clary.

Sa mère ne répondit pas : elle observait le large, l'air inquiet.

Le ciel avait viré au gris et des nuages noirs s'y amoncelaient, pareils à de grosses pierres menaçantes.

— Viens là, dit Jocelyne.

Quand Clary l'eut rejointe, elle ajouta :

— Donne-moi ton bras.

Clary s'exécuta. Jocelyne appliqua le bout de bois sur sa peau. Clary éprouva des picotements semblables à la brûlure d'une stèle tandis que d'épaisses lignes noires apparaissaient sur son bras. La rune que Jocelyne traçait lui était inconnue, mais elle ressentit un réconfort immédiat en la contemplant.

— À quoi sert-elle ?

— À te protéger, répondit Jocelyne en libérant son bras.

— Contre quoi ?

En guise de réponse, Jocelyne tourna de nouveau les yeux vers l'océan. Clary suivit son regard et s'aperçut que la mer s'était retirée en laissant derrière elle des monceaux d'ordures détrempées, d'algues et de poissons affolés. Une énorme vague s'était formée au loin ; elle s'enflait démesurément, telle une avalanche prête à balayer tout sur son passage. Sur la plage, les cris joyeux des enfants furent remplacés par des hurlements de terreur. Frappée d'horreur, Clary constata que la vague était aussi transparente qu'une membrane ; à travers, elle distingua des formes sombres et floues qui se mouvaient sous la surface. Elle leva les bras…

... Et s'éveilla en sursaut, le cœur battant, dans le lit de la chambre d'amis chez Luke. La sueur avait plaqué ses cheveux sur sa nuque, et une sensation de brûlure lui engourdissait le bras. En se redressant pour allumer la lampe de chevet, elle reconnut sans la moindre surprise la Marque noire qui courait sur sa peau.

Dans la cuisine, elle trouva un pain aux raisins dans une boîte en carton mouchetée de graisse, ainsi qu'un mot épinglé sur le frigo. « Je pars à l'hôpital. »

Clary mangea son pain aux raisins en allant retrouver Simon : ils s'étaient donné rendez-vous à cinq heures, au coin de Bedford Street, devant la station de métro. Mais Simon ne se montra pas. Clary éprouva une pointe d'anxiété avant de se souvenir du vieux magasin de disques à l'angle de la Sixième Avenue. Effectivement, elle l'y trouva en train de fouiller dans les CD de la section nouveautés. Il portait une veste en velours rouille avec une manche déchirée et un tee-shirt bleu, orné d'un logo représentant un garçon coiffé d'un casque audio qui dansait avec un poulet. Il sourit en la voyant.

— Éric pense qu'on devrait changer le nom du groupe, annonça-t-il en guise de salut. Mojo Pie, ça te parle ?

— Comment vous vous appelez en ce moment ? J'ai oublié.

— Champagne Enema.

— Prenez un autre nom. Au fait, je sais ce que veut dire le dessin de ton tee-shirt.

— Ah non, dit-il en se dirigeant vers le comptoir pour payer le CD qu'il avait choisi. Toi, tu es une fille comme il faut.

Dehors, un vent glacé s'était levé. Clary remonta son écharpe à rayures sur son menton.

— Je me suis inquiétée de ne pas te trouver devant la station de métro.

Simon vissa sa casquette sur son crâne en clignant des yeux comme si le soleil le blessait.

— Désolé, je me suis rappelé que je voulais ce CD, et j'ai pensé…

Clary l'interrompit d'un geste.

— Ça va, c'est juste que j'ai tendance à paniquer facilement, ces derniers temps.

— Eh bien, vu ce que tu traverses, on ne peut pas s'étonner. Je n'en reviens toujours pas de ce qui s'est passé dans la Cité Silencieuse. Dire que tu es allée là-bas !

— Luke n'en revient pas non plus. Il a complètement flippé quand je lui ai tout raconté.

— J'imagine.

Ils traversaient McCarren Park. L'herbe sous leurs pieds prenait sa teinte brune hivernale et l'atmosphère baignait dans une lumière dorée. Des chiens couraient parmi les arbres en tirant sur leur laisse. « Tout a changé dans ma vie, et pourtant le monde est resté le même », songea Clary.

— Tu as parlé à Jace depuis ? s'enquit Simon d'un ton qui se voulait désinvolte.

— Non, mais j'ai appelé plusieurs fois Isabelle et Alec. Apparemment, il va bien.

— Il a demandé à te voir ? C'est pour ça qu'on y va ?

— Il n'a pas besoin de demander, répondit Clary en essayant de dissimuler sa colère.

Ils tournèrent dans la rue de Magnus, où s'alignaient des immeubles bas, d'anciens entrepôts reconvertis en lofts et en ateliers d'artiste pour des acquéreurs fortunés. La plupart des voitures garées le long du trottoir étaient hors de prix.

En arrivant devant l'immeuble du sorcier, Clary aperçut une silhouette dégingandée assise sur les marches du perron, qui se leva à leur approche. Alec. Il portait un long manteau noir coupé dans le tissu solide et un peu lustré que privilégiaient les Chasseurs d'Ombres pour leurs vêtements de combat. Ses mains et sa gorge étaient couvertes de runes. À en juger par le léger chatoiement qui émanait de lui, il avait eu recours à un charme d'invisibilité. Ses yeux bleus se posèrent brièvement sur Simon.

— Je ne savais pas que tu emmènerais le Terrestre.

— Ce que j'aime chez vous, c'est que je me sens toujours le bienvenu, ironisa Simon.

— Ça va, Alec ! maugréa Clary. C'est quoi, le problème ? Ce n'est pas la première fois que Simon m'accompagne.

Alec poussa un soupir théâtral, haussa les épaules et les précéda dans l'escalier. Il déverrouilla la porte de l'appartement de Magnus avec une petite clé en argent, qu'il glissa discrètement dans la poche de son manteau comme s'il espérait que ses compagnons ne l'aient pas vue.

À la lumière du jour, l'appartement ressemblait à un night-club en dehors des horaires d'ouverture : il était sombre, sale et paraissait plus petit. Les murs nus étaient mouchetés çà et là de peinture pailletée ; le plancher sur lequel dansaient des fées une semaine plus tôt était inégal et lustré par les ans.

— Tiens, tiens.

Magnus s'avança à leur rencontre. Il portait une longue robe de chambre en soie verte, ouverte sur une chemise en maille argentée et un jean noir. Un rubis étincelant ornait son lobe gauche.

— Alec, mon chéri. Clary. Et notre ami rongeur.

Il s'inclina devant un Simon visiblement agacé.

— Que me vaut l'honneur… ?

— On voudrait voir Jace, dit Clary. Il va bien ?

— Je n'en sais rien, répondit Magnus. Est-ce que, en temps normal, il reste allongé par terre sans bouger ?

— Quoi… ? souffla Alec.

Il s'interrompit en voyant Magnus éclater de rire.

— Ce n'est pas drôle ! protesta-t-il.

— C'est tellement facile de te faire marcher. Oui, votre ami va bien, si ce n'est qu'il passe ses journées à ranger mes affaires et à nettoyer. Résultat, je ne retrouve plus rien. Ce garçon est un maniaque !

— Jace aime l'ordre, expliqua Clary en repensant à sa chambre monacale à l'Institut.

— Eh bien, pas moi.

Magnus regarda Alec du coin de l'œil tandis que ce dernier fixait le vide d'un air renfrogné.

— Si vous voulez le voir, il est là-dedans, ajouta le sorcier en pointant du doigt une porte au bout du salon.

La pièce en question était une chambre de dimensions moyennes aux murs sales, étonnamment accueillante avec ses rideaux en velours aux fenêtres et ses fauteuils recouverts de draps, abandonnés comme de gros icebergs colorés sur un océan de moquette beige. Un canapé rose vif avait été transformé en un lit de fortune ; à côté traînait un sac de sport rempli de vêtements. Aucune clarté ne filtrait à travers les rideaux tirés. La seule source de lumière était un écran de télévision allumé bien que la prise ne soit pas branchée.

— C'est quoi, le programme ? demanda Magnus.

— *What Not to Wear*[1], répondit une voix nonchalante et familière en provenance d'un des fauteuils.

Jace se redressa dans son siège et, l'espace d'une seconde, Clary crut qu'il allait se lever pour les accueillir. Mais il se contenta de secouer la tête sans quitter l'écran des yeux.

— Un pantalon kaki taille haute ? Qui porte ces machins-là ?

Il se tourna pour jeter un regard noir à Magnus.

— Monsieur a des pouvoirs magiques quasi illimités, et tout ce que je peux regarder, ce sont des rediffusions, maugréa-t-il. Quel gâchis !

---

1. Émission américaine consacrée à la mode. *(N.d.T.)*

— D'autant qu'avec le câble, on obtient le même résultat, fit remarquer Simon.

— Ma méthode à moi coûte moins cher, déclara Magnus.

Il frappa dans ses mains et, soudain, la pièce fut inondée de lumière. Jace, avachi dans son fauteuil, se couvrit le visage de son bras.

— Tu es obligé d'avoir recours à la magie pour ce genre de chose ?

Il cligna des yeux d'un air maussade. Sentant que l'humeur générale se détériorait, Clary intervint :

— Il faut qu'on discute tous ensemble de ce qu'on va faire.

— Personnellement, j'avais l'intention de regarder *Project Runway*[1], dit Jace. C'est juste après.

— Pas question, décréta Magnus. Il faut que tu te reprennes.

Il claqua des doigts, et la télévision s'éteignit en libérant un petit nuage de fumée.

— Tu t'intéresses à mes problèmes, maintenant ?

— Ce qui m'intéresse, c'est de récupérer mon appartement. J'en ai assez de te voir faire le ménage.

Magnus claqua encore des doigts, l'air menaçant.

— Allez, debout !

— Ou c'est toi qui disparaîtras dans un nuage de fumée, ajouta Simon d'un ton réjoui.

— Merci pour les sous-titres, mais mon geste parlait de lui-même, répliqua Magnus.

— D'accord.

---

1. Programme de téléréalité très populaire aux États-Unis, consacré lui aussi à la mode. *(N.d.T.)*

Jace s'extirpa de son fauteuil. Il était pieds nus ; une ligne violette cerclait son poignet à l'endroit où la menotte avait meurtri sa chair. S'il semblait fatigué, apparemment, il ne souffrait plus.

— Vous voulez organiser une table ronde ? Eh bien, allons-y !

Le visage de Magnus s'éclaira.

— J'adore les tables rondes ! Je leur trouve beaucoup plus d'allure qu'aux rectangulaires.

À ces mots, une énorme table circulaire, entourée de cinq chaises à haut dossier, se matérialisa dans le salon.

— C'est incroyable ! s'exclama Clary en s'asseyant sur l'un des sièges, qui s'avéra très confortable. Comment on peut faire sortir des objets de nulle part ?

— On ne peut pas, expliqua le sorcier. Toute chose a sa provenance. Par exemple, cette table et ces chaises viennent d'un magasin de la Cinquième Avenue, spécialisé dans la reproduction de meubles anciens. Et ceci…

Soudain, cinq gobelets fumants apparurent sur la table.

— … vient du Starbucks du coin de la rue.

— Ça ressemble à du vol, non ? dit Simon en prenant un gobelet. Oh, un cappuccino !

Il jeta un coup d'œil à Magnus.

— Tu les as payés ?

— Bien sûr, répliqua ce dernier, ce qui provoqua les ricanements de Jace et d'Alec. J'ai fait apparaître des billets dans la caisse.

— Sérieux ?

— Non. Mais si ça t'aide à te sentir mieux, tu peux

faire comme si. Bon, quel est le premier point de l'ordre du jour ?

Clary se réchauffa les mains autour de son gobelet. Vol ou pas, elle avait bien besoin d'un café chaud. Elle se promit de faire un saut au Starbucks un de ces jours pour glisser un dollar dans le pot à pourboires.

— Pour commencer, essayons de comprendre ce qui se passe, dit-elle en soufflant sur la mousse de son cappuccino. Jace, tu affirmes que Valentin est responsable du massacre de la Cité Silencieuse ?

Jace garda les yeux rivés sur son café.

— Oui.

Alec posa la main sur son bras.

— Tu l'as vu ?

— J'étais enfermé dans ma cellule, répondit Jace d'un ton morne. J'ai entendu les hurlements des Frères Silencieux. Puis Valentin est descendu avec... J'ignore ce que c'était. Comme de la fumée, avec des yeux brillants. Un démon, sans aucun doute, mais qui n'avait rien de commun avec ceux que j'ai rencontrés jusque-là. Il s'est approché des barreaux et il m'a dit...

— Il t'a dit quoi ?

Alec lâcha le bras de Jace pour le prendre par l'épaule. Comme Magnus se raclait la gorge, il retira sa main, le visage cramoisi, tandis que Simon riait sous cape, la tête baissée sur son café, auquel il n'avait pas touché.

— Maellartach, murmura Jace. Il convoitait l'Épée de Vérité, et il a tué les Frères Silencieux pour l'obtenir.

Magnus fronça les sourcils.

— Alec ? La nuit dernière, quand les Frères Silencieux ont appelé à l'aide, où était la Force ? Pourquoi n'y avait-il personne à l'Institut ?

— Une Créature Obscure a été assassinée à Central Park hier soir, expliqua Alec. Un enfant-elfe. On l'a vidé de son sang.

— Je parie que l'Inquisitrice m'a aussi mis cette histoire sur le dos, marmonna Jace. Mon règne de la terreur se poursuit !

Magnus se leva et alla à la fenêtre. Il écarta le rideau pour laisser entrer un peu de clarté, et son profil d'aigle se découpa à contre-jour.

— J'ai rêvé de sang avant-hier, dit-il comme pour lui-même. Une cité écarlate avec des tours en os et des rivières de sang dans les rues.

Simon se tourna vers Jace.

— Ça lui arrive souvent, de divaguer devant la fenêtre ?

— Non, parfois il s'assied sur le canapé.

Alec les foudroya du regard.

— Magnus, quelque chose ne va pas ?

— Cette histoire de sang, ça ne peut pas être une coïncidence, reprit le sorcier, les yeux fixés sur la rue en contrebas.

Le soleil se couchait derrière les gratte-ciel de la ville. Au-dessus des toits, le ciel traversé de nuages gris acier avait pris des teintes rose et or.

— On a recensé plusieurs meurtres de Créatures Obscures cette semaine. D'abord un tout jeune sorcier, tué dans un immeuble résidentiel près du port de South Street. Il avait la gorge et les poignets tranchés. Ensuite, un loup-garou, assassiné devant le

Hunter's Moon il y a quelques jours. Lui aussi a eu la gorge tranchée.

— Il y a du vampire là-dessous, déclara Simon, soudain très pâle.

— Je ne crois pas, lança Jace. Du moins, Raphaël prétend que ce n'est pas l'œuvre des Enfants de la Nuit. Il semble sincère.

— C'est sûr que, lui, on peut lui faire confiance, marmonna Simon.

— Dans ce cas précis, je suis convaincu qu'il dit la vérité, dit Magnus en refermant le rideau.

Quand il revint vers la table, Clary s'aperçut qu'il tenait à la main un gros livre vert. Il lui sembla pourtant qu'il ne l'avait pas quelques instants plus tôt.

— On a relevé une forte présence démoniaque dans ces deux endroits. Je ne crois pas que Raphaël et son clan soient responsables de ces trois morts. À mon avis, le coupable, c'est Valentin.

Clary tourna les yeux vers Jace. Il serra les dents, mais se contenta de demander :

— Qu'est-ce qui te fait dire ça ?

— L'Inquisitrice pense que le meurtre de l'elfe n'était qu'une diversion, intervint Clary. Il voulait piller la Cité Silencieuse sans être inquiété.

— Il existe des moyens plus simples de faire diversion, objecta Jace. Et ce n'est pas très sage de se mettre à dos le peuple des fées. Valentin n'aurait pas tué l'un des leurs sans véritable motif.

— Il avait une très bonne raison de s'en prendre à cet elfe, déclara Magnus, ainsi qu'au sorcier et au loup-garou.

— Laquelle ? s'enquit Alec.

— Leur sang.

Magnus ouvrit le livre vert. Sur ses pages en parchemin très fin, les mots rougeoyaient comme des flammes.

— Ah, voilà, fit-il en tapotant un passage de son ongle pointu.

Alec se pencha pour lire.

— Tu ne peux pas déchiffrer ce texte, lui dit Magnus. Il est rédigé en langue démoniaque.

— Peut-être, mais je sais encore reconnaître un dessin. C'est Maellartach. Je l'ai déjà vue dans des manuels.

Alec montra une illustration représentant une épée d'argent que Clary reconnut sur-le-champ : c'était celle qui manquait sur le mur de la salle du Conseil, dans la Cité Silencieuse.

— Le Rituel de Conversion Infernale, annonça Magnus. C'est le but que poursuit Valentin.

Clary fronça les sourcils.

— Le quoi ?

— Tous les objets magiques obéissent à une alliance, expliqua Magnus. En ce qui concerne l'Épée de Vérité, on parle d'alliance séraphique, à l'instar des poignards dont vous vous servez, vous autres Chasseurs d'Ombres. Sauf que, là, la puissance est multipliée par mille, car l'Épée tire son pouvoir de l'Ange en personne, et non de l'invocation d'un nom angélique. L'objectif de Valentin est d'inverser cette alliance, de faire de cette épée un objet démoniaque plutôt qu'angélique.

— « Loyal bon » contre « loyal mauvais » ! s'exclama Simon d'un air ravi.

— Il cite *Donjons et Dragons*, soupira Clary. Ne faites pas attention.

— En tant qu'Épée de l'Ange, Maellartach ne servirait pas beaucoup à Valentin, reprit Magnus comme si de rien n'était. En revanche, une épée dont la puissance démoniaque est égale à la puissance angélique qu'elle détenait auparavant... Eh bien, cette épée-là aurait beaucoup plus à offrir : le pouvoir sur les démons, pour commencer. Au-delà de la protection limitée que lui confère la Coupe, l'Épée lui garantirait leur obéissance.

— Une armée de démons ? intervint Alec.

— Ce type est un fan des armées en tout genre, fit remarquer Simon.

— Peut-être même qu'il veut les mener jusqu'à Idris, conclut Magnus.

— Pourquoi irait-il là-bas ? s'étonna Simon. C'est justement là que vivent tous les chasseurs de démons, pas vrai ? Ils n'en feraient qu'une bouchée !

— Les démons proviennent d'autres dimensions, résuma Jace. Nous ne connaissons pas leur nombre. Ils sont peut-être des millions. Nos boucliers en retiennent la majorité, mais s'ils débarquaient tous en même temps...

« Des millions », songea Clary. Elle repensa à Abbadon, le Démon Supérieur qu'ils avaient dû affronter, puis tenta de se figurer des centaines de créatures semblables, voire des milliers, et eut la chair de poule.

— Je ne comprends pas, dit Alec. Quel est le rapport entre ce rituel et les meurtres ?

— Pour accomplir le Rituel de Conversion, il faut chauffer l'Épée à blanc, puis refroidir le métal à quatre reprises, chaque fois dans le sang d'une Créature Obscure qui n'a pas encore atteint l'âge adulte, expliqua Magnus. D'abord, le sang d'un Enfant de Lilith, puis celui d'un Enfant de la Lune, ensuite celui d'un Enfant de la Nuit, et enfin celui d'un enfant du peuple féerique.

— Alors, il n'en a pas fini avec ces meurtres ? gémit Clary. Il va tuer un autre gamin ?

— Deux. Il a raté son coup avec le petit loup-garou. On l'a dérangé avant qu'il ait pu recueillir tout le sang dont il avait besoin.

Magnus referma le livre en faisant voler un nuage de poussière.

— Quel que soit le but ultime de Valentin, il a déjà accompli la moitié du rituel. Il est probablement déjà en mesure d'en retirer du pouvoir, d'invoquer des démons…

— Si c'était le cas, on aurait détecté une activité démoniaque forte, objecta Jace. Or, l'Inquisitrice prétend le contraire : tout est calme.

— Et elle ne se trompe peut-être pas. Si Valentin appelle tous les démons auprès de lui, pas étonnant qu'il n'y ait rien à signaler.

Les adolescents échangèrent des regards inquiets. Avant que l'un d'eux ait pu formuler une remarque, une sonnerie de téléphone retentit dans la pièce. Clary sursauta ; du café brûlant gicla sur son poignet.

— C'est ma mère, dit Alec en examinant son portable. Je reviens tout de suite.

Il s'isola près de la fenêtre, la tête basse, et se mit à chuchoter dans l'appareil.

Simon prit la main de Clary.

— Laisse-moi regarder.

Une vilaine boursouflure rouge était apparue sur le poignet de la jeune fille.

— Ce n'est rien, dit-elle.

Simon déposa un baiser sur sa blessure.

— Voilà, c'est guéri.

Clary le considéra avec surprise : Simon n'avait jamais agi de la sorte auparavant. Là encore, c'était le genre d'attitude qu'on pouvait attendre d'un petit ami. Elle dégagea sa main et, levant la tête, s'aperçut que Jace les observait de l'autre côté de la table. Ses yeux mordorés étincelaient de rage.

— Tu es une Chasseuse d'Ombres, donc tu es capable de soigner tes blessures. Tiens !

Il lui jeta sa stèle.

— Non, lâcha Clary en la repoussant vers lui.

Jace rattrapa l'objet d'un geste brusque.

— Clary...

— Elle t'a dit qu'elle n'en voulait pas, intervint Simon. Et paf !

— « Et paf » ? répéta Jace d'un ton incrédule. C'est ça, ta repartie ?

Alec, qui venait de raccrocher, s'avança vers la table, l'air désorienté.

— Qu'est-ce qui se passe ?

— Tu tombes en plein épisode des *Feux de l'amour*, ironisa Magnus. C'est assommant.

Alec repoussa une mèche de cheveux derrière son oreille.

— J'ai parlé à ma mère de la Conversion Infernale.

— Laisse-moi deviner, marmonna Jace. Elle ne t'a

pas cru et, une fois de plus, elle a rejeté la faute sur moi.

Alec secoua la tête.

— Pas tout à fait. Elle en informera la Force. Le problème, c'est qu'elle n'est pas dans les bonnes grâces de l'Inquisitrice en ce moment. On dirait que c'est l'autre qui tient les rênes, désormais. En tout cas, maman paraissait furieuse.

Son téléphone, qu'il tenait encore à la main, sonna de nouveau.

— C'est Isabelle. Une seconde, dit-il en se détournant.

Le regard de Jace se posa sur Magnus.

— Je crois que tu as raison à propos du loup-garou du Hunter's Moon. Le type qui a découvert son corps prétendait qu'il y avait quelqu'un dans la ruelle. Il l'a vu s'enfuir.

Magnus opina.

— J'ai l'impression que Valentin a été dérangé en plein travail. Il ressaiera probablement avec un autre enfant lycanthrope.

— Je vais prévenir Luke, lança Clary en faisant mine de se lever.

— Attends ! dit Alec, qui les avait rejoints, le téléphone à la main.

Son visage avait une expression étrange.

— Que voulait Isabelle ? demanda Jace.

Alec hésita avant de répondre :

— Il paraît que la reine de la Cour des Lumières nous accorde une audience.

— C'est ça, rétorqua Magnus, et Madonna veut

m'embaucher comme danseur pour sa prochaine tournée.

Alec le regarda, décontenancé.

— Qui c'est, Madonna ?

— Qui c'est, cette reine ? renchérit Clary.

— La plus haute autorité du peuple féerique, expliqua Magnus. Enfin, à l'échelle locale.

Jace se prit la tête à deux mains.

— Dis à Isabelle que c'est non.

— Elle pense qu'on devrait y aller.

— Alors, répète-lui que c'est non.

Alec fronça les sourcils.

— Qu'est-ce que ça signifie, cette histoire ?

— Oh, simplement qu'Isabelle a parfois des idées géniales, et parfois désastreuses. En fait, le plus souvent désastreuses... Tu te souviens de la fois où elle a voulu emprunter les tunnels de métro abandonnés pour se déplacer sous la ville ? Question rats géants, on a été servis !

— On peut changer de sujet ? grommela Simon.

— Là, c'est différent, objecta Alec. Elle veut qu'on se présente à la Cour des Lumières.

— Tu as raison, c'est différent. C'est bien la pire idée qu'elle ait jamais eue !

— Elle connaît un chevalier-elfe à la cour. D'après lui, la reine aimerait bien nous rencontrer. Isabelle a surpris ma conversation au téléphone avec maman, et elle pense que si on expose à la reine notre théorie concernant Valentin et l'Épée de Vérité, la cour se rangera peut-être de notre côté. Peut-être même que les fées accepteront de s'allier avec nous contre Valentin.

— C'est risqué, d'aller là-bas ? demanda Clary.

— Évidemment ! répliqua Jace, les yeux au ciel, comme si elle venait de dire la bêtise du siècle.

Elle le foudroya du regard.

— Figure-toi que je ne sais rien des fées ! Les vampires et les loups-garous, je pige. J'ai vu assez de films sur le sujet. Les fées, c'est un truc de gamins. Je me suis déguisée en fée pour Halloween quand j'avais huit ans. Ma mère m'avait fabriqué un chapeau exprès.

— Je m'en souviens ! s'écria Simon. Moi, j'étais déguisé en Transformer. En Decepticon, plus exactement.

— On peut revenir à nos moutons ? grommela Magnus.

— Bon, déclara Alec. Isabelle estime – et je suis d'accord avec elle – qu'on n'a pas intérêt à ignorer une invitation du Petit Peuple. Par ailleurs, si la cour prend parti pour nous, l'Enclave sera obligée de nous écouter.

— Les fées n'aident pas les humains ! ricana Jace.

— Les Chasseurs d'Ombres ne sont pas des humains, objecta Clary. Enfin, pas vraiment.

— On ne vaut pas beaucoup mieux qu'eux.

— Les fées, ça ne peut pas être pire que les vampires, intervint Simon. Et pourtant tu t'es bien débrouillé avec eux.

Jace le dévisagea comme s'il avait affaire à une créature répugnante.

— « Débrouillé » ? C'est ta façon de suggérer qu'on a réussi à sauver notre peau ?

— Euh...

— Les fées sont le fruit de l'union contre nature

d'un ange et d'un démon. Ces créatures possèdent la beauté des premiers et la cruauté des seconds. Un vampire t'attaquera si tu pénètres sur son domaine ; une fée, elle, peut te faire danser jusqu'à ce que tu meures d'épuisement, t'inciter à prendre un bain de minuit, puis t'entraîner sous l'eau et attendre que tes poumons éclatent, te souffler de la poussière féerique dans les yeux jusqu'à ce que tu les arraches de leurs orbites...

Clary l'interrompit au milieu de son monologue.

— Jace ! Tais-toi ! Ça suffit.

— C'est facile, d'être plus malin qu'un loup-garou ou un vampire, poursuivit-il. Ils ne sont pas plus futés que n'importe qui. Les fées, elles, vivent des centaines d'années et sont rusées comme des serpents. Elles n'ont pas le droit de mentir, ce qui ne les empêche pas de jouer avec la vérité. Elles s'arrangent pour découvrir ce que tu souhaites le plus et te l'offrent sur un plateau. Ensuite, elles trouvent le moyen de te le faire regretter jusqu'à la fin de tes jours. Leur but n'est pas d'aider les gens, en fin de compte, conclut Jace avec un soupir, mais de leur nuire.

— Et d'après toi, on n'est pas assez perspicaces pour faire la différence ? s'enquit Simon.

— C'est ça. La preuve, tu t'es fait transformer en rat par accident.

Simon lui jeta un regard noir :

— On s'en fiche, de ton avis, vu que tu ne peux pas nous accompagner. Tu es coincé ici, je te rappelle.

Jace se leva en faisant voler sa chaise.

— Vous n'emmènerez pas Clary sans moi à la Cour des Lumières. Point final !

Clary le considéra, bouche bée. Rouge de colère, les dents serrées, les veines du cou saillantes, il évitait de la regarder.

— Je peux veiller sur elle, protesta Alec, l'air vexé.

Clary n'aurait su dire si c'était parce que Jace mettait en doute ses capacités ou s'il y avait autre chose là-dessous.

— Non, Alec, tu ne peux pas, dit Jace en soutenant le regard de son frère adoptif.

— On ira, c'est décidé, déclara Alec.

Sa voix se fit presque implorante.

— Jace... Une invitation à la Cour des Lumières ! Ce serait trop bête de refuser. Et puis, Isabelle les a probablement déjà prévenus de notre arrivée.

— Pas question que je te laisse faire, Alec, lança Jace d'un ton menaçant. Je t'attacherai s'il le faut.

— Bien que ta suggestion me tente beaucoup, il existe un moyen de t'échapper d'ici, intervint Magnus en remontant les manches de sa robe de chambre en soie.

— Lequel ? C'est un ordre de l'Enclave. Je ne peux pas m'y soustraire.

Le sorcier sourit.

— Moi, si. Ne sous-estime jamais ma légendaire roublardise, Chasseur d'Ombres ! J'ai ensorcelé mon contrat avec l'Inquisitrice, histoire de te permettre de brèves sorties s'il m'en prend l'envie, à condition qu'un autre Nephilim accepte de prendre ta place.

Alec s'emporta.

— Mais où on va dénicher... Oh, fit-il d'une petite voix, tu penses à moi.

Jace leva les sourcils.

— Quoi, tu ne veux plus aller à la Cour des Lumières, maintenant ?

Alec rougit.

— Apparemment, c'est plus important pour toi que pour moi. Tu es le fils de Valentin. Je suis certain que la reine tient à te rencontrer. Et, en plus, tu es charmant.

Jace lui jeta un regard assassin.

— Bon, peut-être pas en ce moment, nuança Alec. Mais en temps normal, oui. Les fées sont très sensibles au charme.

— En revanche, si tu décides de rester ici, j'ai la première saison de *La croisière s'amuse* en intégralité à te proposer, renchérit Magnus.

— Alors, puisque je n'ai pas le choix... J'accepte, dit Jace, toujours sans regarder Clary.

— Isabelle vous attendra dans le parc près de Turtle Pond, déclara Alec. Elle connaît l'entrée secrète de la cour.

— Un dernier détail, lança Magnus en braquant son index sur Jace. Essaie de ne pas te faire tuer là-bas, sans quoi j'aurais quelques explications à leur donner.

Un sourire inquiétant étira les lèvres de Jace.

— Tu sais, Magnus, j'ai l'impression que, sur ce coup-là, ce sera quitte ou double.

Une végétation dense, composée de mousse et de plantes de toutes sortes, bordait l'étang comme un feston de dentelle verte. L'étendue d'eau se ridait çà et là quand un canard s'y posait ou qu'une nageoire chatoyante frôlait la surface.

Un petit kiosque se dressait au-dessus des eaux : c'était là qu'Isabelle s'était assise, telle une princesse de conte de fées qui languit en haut de sa tour, attendant que son chevalier vienne la délivrer.

Cependant, le tempérament d'Isabelle ne collait pas du tout à l'étiquette traditionnellement respectée chez les princesses. Avec son fouet, ses bottes et son arsenal de couteaux, elle aurait taillé en pièces le premier qui aurait eu l'idée de l'enfermer dans une tour, et construit un pont avec les ruines de l'édifice avant de s'éloigner avec nonchalance vers le soleil couchant sans s'être décoiffée. Il n'était pas facile d'aimer Isabelle, et pourtant Clary se donnait beaucoup de mal.

— Isa ! lança Jace quand ils furent arrivés au kiosque.

Elle sursauta, fit volte-face, et son visage s'éclaira d'un sourire éclatant.

— Jace ! s'écria-t-elle en se jetant dans ses bras.

« Venant d'une sœur, c'est tout à fait normal, songea Clary. En général, un frère et une sœur ne sont pas censés être empruntés ou mal à l'aise l'un avec l'autre, mais affectueux et gais. » Les yeux rivés sur Jace, qui enlaçait Isabelle, Clary s'efforça de se composer un visage de circonstance, irradiant de gaieté et d'affection.

— Tu vas bien ? demanda Simon, inquiet. Tu louches.

— Oui, ça va, répondit Clary, qui renonça à essayer de faire bonne figure.

— Tu es sûre ? Tu as l'air bizarre.

— J'ai dû manger un truc pas frais.

Isabelle les rejoignit, Jace sur les talons. Elle portait une longue robe noire avec des bottes et un manteau de la même longueur en velours vert mousse.

— Je n'en reviens pas ! s'exclama-t-elle. Comment avez-vous réussi à convaincre Magnus de laisser sortir Jace ?

— Alec a pris sa place, expliqua Clary.

Une ombre d'appréhension passa sur le visage d'Isabelle :

— Pas définitivement, j'espère ?

— Non, répondit Jace, juste pour quelques heures. À moins que je ne revienne pas, ajouta-t-il, l'air pensif. Auquel cas, Magnus le gardera peut-être. Il faut voir ça comme une location avec option d'achat.

Isabelle fit une moue dubitative.

— Papa et maman ne vont pas être contents s'ils l'apprennent.

— Quoi ? Que tu as libéré un criminel potentiel, en fourrant ton frère entre les griffes d'un sorcier qui ressemble à une version gay de Sonic le hérisson et qui s'habille comme un croque-mort sous ecstasy ? ironisa Simon. Non, peut-être pas.

Jace lui jeta un regard noir.

— Qu'est-ce que tu fais ici, déjà ? Je ne suis pas sûr qu'on devrait t'emmener à la Cour des Lumières. Ils ne supportent pas les Terrestres.

Simon leva les yeux au ciel.

— Et ça recommence !

— Quoi ? demanda Clary.

— À chaque fois que je l'énerve, il me sort le même refrain sur les Terrestres.

Simon pointa un doigt accusateur sur Jace.

— Souviens-toi du jour où vous avez décidé de me laisser en plan, et où je vous ai sauvé la mise.

— Oui, marmonna Jace. Une seule fois...

— Les fées sont des êtres dangereux, intervint Isabelle. Même tes talents d'archer ne te seront d'aucune utilité. Là, la menace est d'une autre nature.

— Je peux veiller sur moi tout seul, rétorqua Simon.

Un vent glacial se leva soudain en balayant les feuilles sèches sur le gravier. Simon frissonna et enfouit les mains dans les poches de sa veste.

— Tu n'es pas obligé de venir, dit Clary.

Simon la jaugea d'un air calme. Elle le revit chez Luke en train de l'appeler « ma copine » sans l'ombre d'une hésitation. Quoi qu'on pense de Simon, il savait ce qu'il voulait !

— Oui, mais je viens.

Jace jura dans sa barbe.

— Alors, on n'a qu'à y aller ! Ne t'attends pas à un traitement de faveur, Terrestre.

— Regardez les choses du bon côté. S'ils réclament un sacrifice humain, vous pourrez toujours me laisser entre leurs mains. De toute façon, je ne suis pas sûr que vous ayez les qualités requises pour vous proposer à ma place.

Le visage de Jace s'éclaira.

— C'est quand même drôlement agréable quand quelqu'un se porte volontaire pour monter le premier à l'échafaud !

— Allez, la porte est sur le point de s'ouvrir, les pressa Isabelle.

Clary jeta un œil autour d'elle. Le soleil s'était couché, et une lune d'un blanc crémeux se reflétait à la surface de l'étang. Pas encore pleine, elle évoquait un œil mi-clos. Un vent nocturne agitait les branches des arbres, qui cognaient les unes contre les autres avec un bruit d'osselets.

— Où va-t-on ? demanda Clary. Où est cette porte ?

Isabelle esquissa un sourire mystérieux.

— Suivez-moi.

Elle s'avança vers la berge en laissant de grosses empreintes de bottes sur le sol boueux. Clary lui emboîta le pas ; elle se félicitait d'avoir opté pour un jean, et non une jupe, comme Isabelle, qui avait retroussé sa robe et son manteau, révélant ses longues jambes pâles nues au-dessus des bottes. Sa peau était couverte de Marques pareilles à du feu sombre.

Derrière elle, Simon glissa et poussa un juron. D'instinct, Jace s'avança pour le relever. Simon refusa sa main tendue.

— Je n'ai pas besoin de ton aide !

— Arrêtez, vous deux ! s'exclama Isabelle.

Elle tapota du bout de sa botte la surface de l'eau.

— Je devrais dire vous trois. Si on ne se serre pas les coudes à la Cour des Lumières, on est morts.

— Mais je..., commença Clary.

Isabelle désigna les deux garçons d'un geste dédaigneux.

— Tu ne devrais pas les laisser faire.

— Je n'ai pas à leur donner des ordres ! se rebiffa Clary.

— Ah bon ? Honnêtement, Clary, si tu ne te

décides pas à te servir de ta supériorité féminine, je ne réponds plus de toi.

Elle fit mine de se tourner vers l'étang, puis se ravisa.

— Avant que j'oublie ! Pour l'amour de l'Ange, n'acceptez ni boisson ni nourriture tant qu'on est sous terre, compris ?

— Sous terre ? répéta Simon, l'air inquiet. Personne ne m'a prévenu qu'on allait sous terre.

Isabelle tendit les bras et s'avança dans l'étang. Son manteau vert s'enfla autour d'elle comme une énorme feuille de nénuphar.

— Venez, il nous reste peu de temps avant que la lune bouge ! cria-t-elle.

La lune quoi ? Secouant la tête, Clary entra à son tour dans l'étang. L'eau était claire et peu profonde : à la lumière des étoiles, elle distinguait de minuscules poissons qui se faufilaient entre ses jambes. Elle serra les dents en s'enfonçant dans l'eau glacée.

Derrière elle, Jace se déplaçait avec une grâce nonchalante ; un peu plus loin, Simon pataugeait en jurant. Arrivée au milieu de l'étang, Isabelle s'immobilisa. Elle avait de l'eau jusqu'à la poitrine. D'un geste, elle fit signe à Clary de s'arrêter.

Clary obtempéra. Devant elle, la lune se reflétait sur l'eau tel un énorme disque argenté. Elle sentait confusément que quelque chose ne tournait pas rond : d'ordinaire, l'astre – ou plutôt son reflet – était censé s'éloigner à mesure que l'on se rapprochait. Or, il restait posé sur la surface, comme cloué sur place.

— Jace, vas-y le premier, dit Isabelle en faisant signe au garçon.

Jace la rejoignit en frôlant Clary au passage ; une odeur de brûlé et de cuir mouillé émanait de lui. Il se retourna en souriant, puis recula dans le reflet de la lune et disparut.

— Bon, marmonna Simon. Ça, c'est bizarre.

Clary jeta un coup d'œil à son ami. Il était immergé dans l'eau jusqu'aux hanches et frissonnait en se tenant les coudes. Elle lui sourit et fit un pas en avant. Un froid glacial l'envahit au moment où elle pénétra dans le reflet argenté et miroitant. Elle vacilla comme si elle venait de perdre l'équilibre sur le dernier barreau d'une échelle, et tomba dans l'obscurité.

Elle sentit la terre ferme sous ses pieds et trébucha. Quelqu'un la rattrapa par le bras. C'était Jace.

— Doucement ! dit-il avant de la lâcher.

Elle était trempée jusqu'aux os ; l'eau glacée dégoulinait de son chemisier et de ses cheveux plaqués sur son visage. Ses vêtements mouillés semblaient peser une tonne.

Ils se trouvaient dans un tunnel éclairé par un tapis de mousse phosphorescente. Un entrelacs de lierre formait un rideau de verdure au bout du passage et de longs tentacules velus pendaient du plafond comme autant de serpents immobiles. « Des racines d'arbres », songea Clary. Un froid pénétrant régnait dans le boyau, et de petits nuages de buée se formaient à chaque fois que Clary exhalait de l'air.

— Tu as froid ? demanda Jace.

Ses cheveux clairs, collés sur ses joues et son front, semblaient presque décolorés. L'eau s'égouttait de son jean et de sa veste. À travers le tissu blanc de sa chemise humide se dessinaient les contours sombres de ses Marques permanentes ainsi que la petite cicatrice sur son épaule.

Clary détourna vivement les yeux. Les gouttelettes qui s'accrochaient à ses cils lui brouillaient la vue comme des larmes.

— Non, ça va.

— On ne dirait pas, murmura-t-il en s'approchant d'elle.

Elle sentit la chaleur de son corps à travers ses vêtements mouillés, qui réchauffait sa peau glacée.

Du coin de l'œil, elle vit Simon atterrir à quelques pas d'eux avec un bruit mat. Il tomba sur les genoux et jeta un regard affolé autour de lui.

— Mes lunettes...

— C'est moi qui les ai. Tiens, les voilà.

Clary avait pris l'habitude de récupérer les lunettes de Simon pendant ses matches de foot. Il se débrouillait toujours pour les perdre et, inévitablement, elles finissaient par être piétinées.

— Merci.

Simon glissa les lunettes sur son nez après avoir nettoyé les verres. Il se redressa en fronçant les sourcils au moment où Isabelle atterrissait gracieusement sur ses pieds. De l'eau s'écoulait de sa longue chevelure sur son manteau en velours, mais elle ne semblait pas s'en apercevoir.

— Ah, ce que c'est drôle ! s'exclama-t-elle.

— Cette année, je vais t'offrir à Noël un dictionnaire, histoire que tu puisses vérifier le sens de cet adjectif, maugréa Jace. Je ne suis pas sûr que tu saches ce que ça veut dire.

Isabelle prit la lourde masse de ses cheveux mouillés à pleines mains et l'essora comme un vulgaire paquet de linge.

— Et maintenant ? demanda Jace. Qu'est-ce qu'on fait ?

— Rien. On attend sagement qu'ils viennent nous chercher.

Cette option ne convenait guère à Clary.

— Comment sauront-ils qu'on est ici ? Il faut peut-être sonner quelque part ou nous signaler d'une manière ou d'une autre.

— La Cour sait tout ce qui se passe sur son territoire. Notre présence ne passera pas inaperçue.

Simon lança un regard soupçonneux à Isabelle.

— Et comment se fait-il que tu sois aussi calée sur les fées et la Cour des Lumières ?

À la surprise générale, Isabelle devint écarlate. À cet instant, le rideau de lierre s'écarta, et un elfe s'avança dans leur direction en rejetant en arrière sa longue chevelure. Clary, qui avait déjà vu des représentants du Petit Peuple à la fête de Magnus, avait été frappée par leur beauté froide et l'aura menaçante, irréelle, qui émanait d'eux même lorsqu'ils dansaient ou s'enivraient. Celui-ci ne faisait pas exception : de longs cheveux d'un noir bleuté encadrant un beau visage impassible aux traits anguleux, des yeux d'un vert émeraude, et sur l'une de ses pommettes un tatouage ou une marque de naissance en forme de feuille. Il portait une armure d'un brun semblable à celui de l'écorce des arbres, qui étincelait de mille couleurs à chacun de ses mouvements : noir de jais, vert mousse, gris cendre, bleu ciel…

Isabelle poussa un cri et se jeta dans ses bras.

— Meliorn !

— Ah ! fit Simon d'un ton calme et non dépourvu d'ironie. Voilà la clé de l'énigme.

Le dénommé Meliorn toisa la jeune fille d'un œil sévère avant de la repousser doucement.

— Le moment est mal choisi pour ces démonstrations d'affection, dit-il. La reine de la Cour des Lumières a demandé à s'entretenir avec les trois Nephilim qui sont parmi vous. Êtes-vous prêts à me suivre ?

Clary posa une main protectrice sur l'épaule de Simon.

— Et notre ami ?

— Les Terrestres ne sont pas admis à la Cour, répondit Meliorn, imperturbable.

— J'aurais préféré en être informé avant, marmonna Simon sans s'adresser précisément à quelqu'un. Si j'ai bien compris, je vais devoir attendre ici jusqu'à ce qu'il me pousse du lierre sur la figure.

— Cela pourrait s'avérer divertissant, observa Meliorn.

— Simon n'est pas un Terrestre ordinaire. On peut lui faire confiance, déclara Jace à l'étonnement de tous, et de Simon en particulier.

Ce dernier fixa Jace d'un air ébahi et ne songea même pas à répliquer, ce qui prouvait bien qu'il était sidéré.

— Il a mené de nombreuses batailles à nos côtés, reprit Jace.

— Une seule, tu veux dire, rectifia Simon. Deux si tu comptes la fois où j'ai été transformé en rat.

— Nous n'irons pas sans lui, intervint Clary sans lâcher l'épaule de Simon. C'est votre reine qui demande à nous voir, vous vous souvenez ? Ce n'était pas notre idée !

Une lueur moqueuse s'alluma dans les yeux verts de Meliorn.

— À votre guise. Je ne veux surtout pas qu'on raconte que la Cour des Lumières ne respecte pas les désirs de ses hôtes.

Il pivota sur ses talons et les précéda dans le tunnel sans prendre la peine de s'assurer qu'ils le suivaient. Isabelle pressa le pas pour le rattraper ; Jace, Clary et Simon fermaient la marche en silence.

— C'est permis, de batifoler avec les elfes ? chuchota Clary à l'oreille de Jace. Est-ce que tes... les Lightwood verraient d'un bon œil le fait qu'Isabelle et Machinchose...

— Meliorn, lui souffla Simon.

— ... Meliorn sortent ensemble ?

— Je ne suis pas sûr qu'ils sortent ensemble, dit Jace d'un ton lourd de sarcasme. À mon humble avis, ils s'en tiennent à des activités *intra muros*. Ou souterraines, devrais-je dire.

— À t'entendre, on croirait que tu désapprouves, remarqua Simon en écartant une racine de son chemin.

Les parois en terre du tunnel avaient laissé place à des murs en pierre lisse, d'où dépassaient quelques racines. Le sol était recouvert d'un matériau dur, semblable à du marbre incrusté de lignes étincelantes comme des joyaux.

— Ce n'est pas ça. Il n'est pas rare que les êtres

féeriques flirtent avec un mortel, mais ils finissent toujours par les abandonner quand ils se fanent.

Ces mots firent frissonner Clary. À cet instant, Isabelle gloussa, et Clary comprit pourquoi Jace avait baissé la voix : les murs répercutèrent et amplifièrent le rire de la jeune Chasseuse d'Ombres.

— Tu es tordant ! s'écria cette dernière.

Elle trébucha en coinçant le talon de sa botte entre deux dalles, et Meliorn la retint sans se départir de son impassibilité.

— Je ne comprends pas comment vous autres humains, vous arrivez à marcher avec ces souliers surélevés, dit-il. Dépêchons ! Il ne faut pas que la reine s'impatiente.

Il s'éloigna dans le tunnel sans accorder un regard à Isabelle.

— Ah, ces elfes ! Qu'est-ce qu'ils sont sérieux ! marmonna-t-elle quand les autres l'eurent rejointe.

— Oh, je ne dirais pas ça, objecta Jace. Il paraît qu'il y a un club pixie en ville baptisé l'Elfrodite... Moi, je n'y ai jamais mis les pieds, s'empressa-t-il de préciser.

Simon lui jeta un regard en coin, ouvrit la bouche comme pour le questionner, puis se ravisa, car le tunnel débouchait sur une vaste salle au sol en terre battue, soutenue par d'immenses piliers de pierre entrelacés de vigne et de fleurs aux couleurs éclatantes. Entre les piliers étaient suspendues des tentures en voile bleu ciel. La salle était brillamment éclairée, alors qu'il n'y avait aucune torche. Dans l'ensemble, l'endroit évoquait davantage un pavillon d'été inondé de soleil qu'une salle souterraine.

Clary s'arrêta sur le seuil, émerveillée. Une mélodie étrange et douce, ponctuée de fausses notes, tel du miel auquel on aurait ajouté du jus de citron, parvenait à ses oreilles. Des fées dansaient en rond au rythme de la musique, leurs pieds touchant à peine le sol. Leurs cheveux – bleus, noirs, bruns, écarlates, blond or ou blanc neigeux – volaient comme des bannières agitées par le vent.

Clary comprenait maintenant pourquoi les contes vantaient la beauté des fées. Ces créatures étaient très belles, en effet, avec leurs visages pâles et fins, leurs ailes striées d'or, de bleu et de lilas. Et Jace qui prétendait qu'elles étaient malveillantes ! La musique qui l'avait d'abord surprise par ses dissonances lui semblait désormais exquise. Elle éprouva l'envie irrépressible de se mêler à leur danse. Cet air si particulier l'appelait, lui soufflait qu'en rejoignant la ronde des fées, elle se sentirait aussi légère qu'elles. Elle fit un pas en avant...

Et Jace la retint fermement par le bras. Il la dévisagea avec sévérité, ses yeux de chat étincelant.

— Si tu y vas, chuchota-t-il, elles te feront danser jusqu'à ce que tu en crèves.

Clary cligna des yeux ; elle se sentait déçue comme si on venait de l'arracher à un beau rêve.

— Quoi ? fit-elle d'une voix pâteuse.

Avec un soupir exaspéré, Jace leva la stèle qu'il tenait à la main – Clary ne l'avait pas vu la sortir de sa poche – et, prenant son poignet de force, appliqua une Marque sur l'intérieur de son bras.

— Maintenant, regarde.

Clary obéit et se figea d'horreur. Ces visages qui lui avaient paru si charmants avaient une expression sournoise, presque animale. La jeune fille aux ailes roses et bleues lui fit signe d'approcher, et elle vit que ses doigts étaient en réalité des brindilles terminées par des feuilles. Ses yeux d'un noir de jais étaient dépourvus de pupilles. Le garçon qui dansait à son côté avait une peau verdâtre ; des cornes enroulées sortaient de ses tempes. Au moment où il virevoltait, sa cape s'ouvrit et Clary entraperçut ses côtes à nu, sur lesquelles étaient noués des rubans comme pour ajouter un air de fête à son apparence. Elle sentit son estomac se soulever.

— Viens, dit Jace en la poussant légèrement.

Inquiète, elle chercha Simon des yeux. Elle le vit devant elle, et constata qu'Isabelle ne le lâchait pas d'une semelle. Pour une fois, elle ne s'en formalisa pas : sans son aide, Simon ne pourrait pas arriver indemne à l'autre bout de la salle.

Ils contournèrent le cercle des danseurs, puis gagnèrent l'extrémité de la pièce et, après avoir écarté une tenture de soie bleue, ils pénétrèrent avec soulagement dans un nouveau couloir creusé dans un matériau brun et lustré comme la coquille d'une noix. Isabelle lâcha Simon, qui s'arrêta net. Clary découvrit qu'elle lui avait bandé les yeux avec son écharpe. Comme il s'escrimait sur le nœud, elle vint à sa rescousse. Il se tint tranquille pendant qu'elle dénouait l'écharpe pour la rendre à sa propriétaire en la remerciant d'un signe de tête.

Simon repoussa ses cheveux humides.

— Sacrée musique ! commenta-t-il. Un zeste de country et un soupçon de rock n'roll.

Meliorn, qui les attendait, fronça les sourcils.

— Ça ne vous a pas touchés ?

— Si, même un peu trop, en ce qui me concerne, répondit Clary. Qu'est-ce que c'était, au juste ? Un genre de test ? Une blague ?

Meliorn haussa les épaules.

— J'ai l'habitude de voir des mortels se laisser facilement berner par nos sortilèges féeriques. Les Nephilim y sont moins sensibles. Tu dois être protégée.

— Exactement, rétorqua Jace en plantant son regard dans les yeux sombres de l'elfe.

Ce dernier haussa de nouveau les épaules et se remit en route. Simon marcha en silence pendant quelques instants avant de demander à Clary :

— Alors, qu'est-ce que j'ai loupé ? Des filles en train de se trémousser toutes nues ?

Clary songea à l'elfe cornu avec ses côtes apparentes, et frissonna.

— Rien de très folichon, je t'assure.

— Il y a plusieurs moyens pour un humain de se mêler aux réjouissances des fées, intervint Isabelle, qui les avait écoutés. Si on t'offre un talisman – une fleur ou une feuille, par exemple – et que tu le gardes toute la nuit, tu seras sain et sauf au matin. Pareil si tu y vas accompagné d'un des leurs.

Elle jeta un coup d'œil à Meliorn, qui venait de s'immobiliser devant un rideau de verdure.

— Nous allons pénétrer dans les appartements de la reine, annonça-t-il. Elle a quitté sa cour septentrionale pour s'occuper de cette affaire d'enfant mort. S'il doit y avoir une guerre, elle veut être celle qui la déclarera.

Clary s'aperçut que le rideau de verdure était constitué de vigne étroitement entrelacée et parsemée de gouttelettes d'ambre. Meliorn écarta les branches et les fit passer devant lui. Baissant la tête, Jace se glissa le premier dans l'ouverture, suivi de Clary. Une fois à l'intérieur, elle se redressa et jeta un regard intrigué autour d'elle.

La pièce dans laquelle ils se trouvaient était dépourvue du moindre ornement. Les murs en terre étaient tendus de soie claire et des feux follets flamboyaient dans des jarres en verre. Une femme ravissante était allongée sur une espèce de sofa au ras du sol. Elle était entourée d'un groupe de courtisans hétéroclite, allant de minuscules farfadets à de jolies jeunes filles... qui cachaient derrière leur longue chevelure des yeux noirs sans pupilles.

— Votre Majesté, dit Meliorn en s'inclinant, je vous amène les Nephilim.

La reine se redressa. Elle avait de longs cheveux rouges qui flottaient autour d'elle telles des feuilles d'automne agitées par le vent. Ses yeux étaient d'un bleu transparent, et son regard acéré comme une lame de rasoir.

— Trois d'entre eux seulement sont des Nephilim, rectifia-t-elle. Le quatrième est un Terrestre.

Meliorn parut se ratatiner, mais la reine ne lui prêta pas la moindre attention. Ses yeux étaient fixés sur les Chasseurs d'Ombres. Ce regard scrutateur mettait Clary mal à l'aise. En dépit de sa beauté délicate, la reine ne trahissait aucune fragilité. Elle resplendissait comme un astre et, tel le soleil, il était impossible de la fixer trop longtemps.

— Veuillez nous excuser, Votre Majesté, dit Jace en s'avançant entre la reine et ses compagnons.

Le ton de sa voix avait changé : il parlait avec des inflexions plus douces, circonspectes.

— Ce Terrestre est sous notre responsabilité, poursuivit-il. Nous sommes tenus de le protéger, et c'est pourquoi nous le gardons avec nous.

La reine pencha la tête de côté à la manière d'un oiseau curieux. Maintenant, c'était Jace qui accaparait toute son attention.

— Une dette d'honneur ? murmura-t-elle. Envers un Terrestre ?

— Il m'a sauvé la vie.

Clary sentit Simon se figer de surprise à côté d'elle, et pria pour qu'il n'en montre rien. Les fées ne pouvaient pas mentir, d'après Jace, et lui-même disait la vérité : Simon lui avait réellement sauvé la vie. Sauf que ce n'était pas la raison de sa présence parmi eux. Clary commençait à comprendre ce que Jace entendait par « jouer avec la vérité ».

— Nous comptions sur votre compréhension, Votre Majesté : nous avons entendu dire que votre beauté n'avait d'égale que votre bonté. Dans le cas présent, votre indulgence est mise à rude épreuve, je vous l'accorde.

La reine eut un sourire narquois et se pencha vers lui, le visage dissimulé derrière un rideau de cheveux brillants.

— Tu es aussi charmant que ton père, Jonathan Morgenstern, lança-t-elle en montrant les coussins éparpillés sur le sol. Prenez donc place à côté de moi. Mangez. Buvez. Détendez-vous. On parle mieux l'estomac plein.

L'espace d'une seconde, Jace hésita, déconcerté. Meliorn se pencha pour lui glisser à l'oreille :

— Il ne serait pas sage d'ignorer les bonnes grâces de la reine.

— Ça ne va pas nous tuer, de nous asseoir, dit Isabelle en battant des cils.

Meliorn les mena vers une pile de coussins soyeux amoncelés devant le sofa de la reine. Clary s'assit avec des gestes prudents, s'attendant presque à trouver sous son coussin une grosse racine pointue qui lui piquerait les fesses. C'était le genre de plaisanterie que devait affectionner la reine. Mais rien de tel ne se produisit. Les coussins étaient très confortables. Elle s'installa à son aise tandis que ses compagnons prenaient place autour d'elle.

Une pixie à la peau bleue s'avança vers eux avec quatre gobelets en argent posés sur un plateau. Chacun prit le gobelet qu'on lui tendait. Il était rempli d'un liquide ambré, à la surface duquel flottaient des pétales de rose.

Simon posa son verre devant lui.

— Tu ne bois pas ? demanda la pixie.

— La dernière boisson féerique que j'ai goûtée ne m'a pas beaucoup réussi, répondit-il.

Clary n'entendit pas ses paroles. Le breuvage avait une odeur entêtante et capiteuse, plus puissante et plus agréable encore que la fragrance des roses. Elle saisit un pétale entre son pouce et son index pour en respirer le parfum.

— N'y touche pas, souffla Jace en lui donnant un coup de coude.

— Mais…

— Fais ce que je te dis.

Clary lâcha le pétale et reposa son verre. Ses doigts étaient tachés d'une substance rose.

— Bien, dit la reine. D'après Merliorn, vous sauriez qui a assassiné notre enfant dans le parc la nuit dernière. Autant vous dire tout de suite que l'identité du meurtrier ne fait pas de doute à mes yeux. Un enfant-elfe vidé de son sang ! Vous avez sûrement le nom d'un vampire à me donner. Cela dit, ils sont tous à blâmer dans cette histoire pour avoir enfreint la Loi, et méritent d'être punis en conséquence.

— Voyons, lança Isabelle, les vampires n'y sont pour rien !

Jace la foudroya du regard.

— Elle voulait dire que nous sommes à peu près certains qu'il ne faut pas chercher l'assassin de ce côté-là. Nous pensons qu'il essaie de faire peser les soupçons sur les vampires pour agir en toute impunité.

Il s'exprimait d'un ton calme, mais Clary sentait au contact de son épaule qui frôlait la sienne qu'il était tendu à l'extrême.

— En avez-vous la preuve ?

— Hier soir, les Frères Silencieux ont été tués, et eux n'ont pas été vidés de leur sang.

— Quel est le rapport avec notre enfant ? Si le meurtre d'un Nephilim est une tragédie pour vous, il ne me touche en rien.

À cet instant, Clary ressentit une douleur fulgurante dans la main gauche. Baissant les yeux, elle vit la silhouette minuscule d'un farfadet plonger entre deux coussins. Une goutte de sang perla sur son doigt ; elle le porta à sa bouche avec une grimace. Ces farfadets étaient mignons, mais ils avaient un sacré coup de dents !

— L'Épée de Vérité a disparu le même soir, reprit Jace. Avez-vous entendu parler de Maellartach, Votre Majesté ?

— L'épée qui oblige les Chasseurs d'Ombres à dire la vérité ? Nous autres n'avons pas besoin de tels attributs.

— C'est Valentin Morgenstern qui l'a volée. Il a massacré les Frères Silencieux pour s'en emparer, et nous pensons qu'il est aussi l'assassin de l'enfant-elfe. Il avait besoin de son sang pour inverser le pouvoir de l'épée et s'en servir à ses fins.

— Et il ne s'arrêtera pas là, ajouta Isabelle. Il lui faut encore du sang.

La reine leva les sourcils.

— Du sang des nôtres ?

— Non, répondit Jace en jetant à Isabelle un regard que Clary ne parvint pas à déchiffrer. Du sang d'une Créature Obscure. Celui d'un loup-garou, d'un vampire et...

Les yeux de la reine étincelèrent.

— Cela ne nous concerne pas.

— Il a tué l'un des vôtres, lui rappela Isabelle. Vous ne réclamez pas vengeance ?

La reine la toisa avec indifférence.

— Pas dans l'immédiat. Nous sommes un peuple

patient ; nous avons l'éternité devant nous. Valentin est un ennemi de longue date, mais nous en avons d'autres, bien plus anciens. Nous nous contenterons d'attendre et d'observer.

— Il invoque des démons pour qu'ils l'assistent dans sa tâche, reprit Jace. Il est en train de rassembler une armée...

— Des démons ! répéta la reine d'un ton badin tandis que ses courtisans bavardaient autour d'elle. Ces créatures relèvent de votre responsabilité, n'est-ce pas, Chasseur d'Ombres ? Si vous avez autorité sur nous tous, c'est bien parce que vous éliminez les démons, si je ne m'abuse !

— Je ne suis pas venu vous donner des ordres au nom de l'Enclave. Si nous avons accepté votre invitation, c'est parce que nous avons cru qu'en apprenant la vérité, vous décideriez de nous prêter main-forte.

— Vraiment ? Tu dois savoir, Chasseur d'Ombres, que certains d'entre nous ne supportent plus de subir la loi de l'Enclave. Nous sommes las de mener vos guerres à votre place.

— Mais cette guerre-là n'est pas seulement la nôtre ! Valentin voue aux Créatures Obscures une haine encore plus tenace qu'aux démons. S'il réussit à nous vaincre, vous serez les prochains sur sa liste.

La reine planta son regard dans le sien.

— Et quand il s'en prendra à votre peuple, poursuivit Jace, souvenez-vous que c'est un Chasseur d'Ombres qui vous a mise en garde contre lui.

Le silence s'abattit sur l'assemblée. Les courtisans, qui s'étaient tus, observaient leur reine du coin de l'œil. Celle-ci se rallongea sur ses coussins et but une gorgée dans un calice en argent.

— Ainsi, tu viens me mettre en garde contre ton propre sang, dit-elle. Je croyais que les mortels étaient au moins capables d'amour filial. Or, tu ne montres aucune loyauté envers ton père.

Jace ne répondit pas. Pour une fois, il paraissait à court d'arguments. La reine reprit d'un ton suave :

— À moins que ton hostilité à son égard ne soit qu'une façade. Chez vous, l'amour va souvent de pair avec le mensonge.

— Nous n'avons aucune affection pour notre père, intervint Clary tandis que Jace s'enfermait dans un silence inquiétant. Nous le haïssons.

— Vraiment ? fit la reine avec indifférence.

— Majesté, vous n'êtes pas sans savoir que la famille est comme le lierre, lança Jace, retrouvant soudain la voix. Elle s'accroche à nous, parfois jusqu'à nous étouffer.

— Tu trahirais ton propre père pour l'Enclave ?

— S'il le faut, oui, Votre Majesté.

La reine partit d'un rire glacial.

— Qui aurait cru que les petites expériences de Valentin se retourneraient contre lui !

Clary jeta un coup d'œil interrogateur à Jace, mais elle comprit à l'expression de son visage que lui non plus n'avait pas la moindre idée de ce que la reine des fées entendait par là. Ce fut Isabelle qui demanda :

— Quelles expériences ?

La souveraine ne lui accorda même pas un regard. Ses yeux d'un bleu lumineux étaient fixés sur Jace.

— Le Petit Peuple a ses secrets. Nous savons aussi

garder ceux des autres. La prochaine fois que tu verras ton père, questionne-le au sujet du sang qui coule dans tes veines, Jonathan.

— Je n'avais rien prévu de tel pour nos retrouvailles, mais si tel est votre désir, Majesté, je m'y plierai.

La reine esquissa un sourire.

— Je pense que tu es un menteur. Un menteur charmant, au demeurant. Tellement charmant que je vais te faire une promesse : pose cette question à Valentin, et je te jure de faire mon possible pour t'aider si tu devais un jour l'affronter.

Jace sourit à son tour.

— Votre générosité égale sans nul doute votre beauté, Majesté.

Clary réprima un hoquet de mépris, mais la reine parut apprécier le compliment de Jace.

— Je crois que nous en avons terminé, ajouta-t-il en se levant.

Ses compagnons l'imitèrent. Isabelle s'était déjà précipitée pour parler à Meliorn, qui attendait près du rideau de vigne, l'air pris au piège.

— Un instant, dit la reine en se levant à son tour. L'un d'entre vous doit rester.

Jace s'arrêta.

— Que voulez-vous dire ?

Elle tendit la main vers Clary.

— Si un mortel goûte à notre nourriture ou à nos breuvages, il nous appartient. Tu le sais bien, Chasseur d'Ombres.

— Mais je n'ai touché à rien ! s'écria Clary en se tournant vers Jace. Elle ment.

— Les fées ne mentent jamais, lui rappela-t-il, l'air inquiet. J'ai bien peur que vous vous mépreniez, Majesté, dit-il à l'intention de la reine.

— Regarde ses doigts et ose affirmer qu'elle ne les a pas léchés.

Simon et Isabelle observaient la scène, bouche bée. Clary baissa les yeux vers sa main.

— Un farfadet m'a mordue. Mon doigt saignait...

Elle se remémora le goût douceâtre du sang mélangé au jus rose qui tachait ses doigts. Affolée, elle voulut se précipiter vers la sortie, mais des mains invisibles la clouèrent sur place. Elle regarda Jace avec effroi.

— Elle a raison.

Son visage s'était empourpré de colère.

— J'aurais dû m'attendre à un mauvais tour de ce genre ! dit-il à la reine d'un ton prouvant qu'il avait renoncé à son numéro de charme. Pourquoi vous faites ça ? Qu'est-ce que vous nous voulez ?

— Peut-être n'est-ce que de la curiosité de ma part, répondit la reine d'une voix suave. Je n'ai pas souvent l'occasion d'observer d'aussi près de jeunes Chasseurs d'Ombres. Comme nous, vous comptez un ange dans votre ascendance : cela m'intrigue.

— Mais, contrairement à vous, nous n'avons aucun lien avec l'enfer, cracha Jace.

— Vous êtes mortels : vous vieillissez, vous mourez, observa la reine avec dédain. Si ce n'est pas l'enfer, qu'est-ce donc, je te le demande ?

— Si vous voulez juste étudier de près un Chasseur d'Ombres, je ne vous servirai pas à grand-chose, intervint Clary, au bord des larmes.

Elle inspira à fond pour se calmer avant de continuer :

— Je n'y connais rien dans ce domaine. Je n'ai suivi presque aucun enseignement. Bref, vous avez misé sur le mauvais cheval.

Pour la première fois, le regard de la reine s'attarda sur Clary, qui réprima un mouvement de recul.

— Au contraire, Clarissa Morgenstern est la personne idéale.

Devant l'air déconfit de Clary, les yeux de la reine brillèrent d'une joie mauvaise.

— Grâce aux changements que ton père a initiés en toi, tu ne ressembles pas aux autres Chasseurs d'Ombres. Tes dons diffèrent des leurs.

— Mes dons ? répéta Clary, abasourdie.

— Tu possèdes le don des mots qui ne peuvent être prononcés, et ton frère celui de l'Ange en personne. Ton père s'est assuré de cela lorsque Jonathan n'était encore qu'un enfant, avant même ta naissance.

— Mon père ne m'a jamais rien transmis, protesta Clary. Il ne m'a même pas donné de nom !

Jace semblait aussi désorienté qu'elle.

— Si le Petit Peuple ne peut pas mentir, ce n'est pas notre cas, lança-t-il. Je crois que vous êtes victime d'un mauvais tour ou d'une plaisanterie, Majesté. Ma sœur et moi-même n'avons pas de dons particuliers.

— Tu te sous-estimes ! répliqua la reine en riant. Tu dois bien savoir que tu n'es pas un garçon ordinaire, Jonathan…

Son regard se posa sur Isabelle, qui suivait la scène, bouche bée, avant de revenir sur Jace.

— Se pourrait-il que tu n'en saches rien ? murmura-t-elle.

— Je sais seulement que je ne laisserai pas ma sœur ici. Puisque vous n'avez rien à apprendre d'elle ou de moi, peut-être pourriez-vous consentir à la relâcher ? « Maintenant que vous vous êtes bien amusée », semblaient dire ses yeux, bien qu'il s'exprimât d'un ton neutre et poli.

Un sourire diabolique étira les lèvres de la reine.

— Et si je te disais que seul un baiser peut la délivrer ?

— Vous voulez que Jace vous embrasse ? souffla Clary, éberluée.

La reine éclata de rire, et ses courtisans l'imitèrent en une cacophonie de caquètements, de mugissements et de cris perçants qui évoquaient les hurlements d'animaux à l'agonie

— C'est une idée tout à fait charmante ; cependant un tel baiser ne peut pas te délivrer.

Les quatre adolescents échangèrent des regards interdits.

— Je veux bien embrasser Meliorn, déclara Isabelle.

— Non, ceci ne concerne aucun de mes courtisans.

Meliorn s'écarta d'Isabelle, qui se tourna vers ses compagnons en levant les bras au ciel.

— Que ce soit bien clair, il est hors de question que j'embrasse l'un d'entre vous, dit-elle d'un ton sans appel. Voilà, c'est dit.

— Ce ne sera pas nécessaire, intervint Simon. S'il suffit juste d'un baiser...

Il s'avança vers Clary, figée de surprise, et la prit par le bras. Sa première pensée fut de le repousser. Elle avait déjà embrassé Simon sans aucune gêne ; mais, là, la situation était pour le moins particulière. Et pourtant, cette solution tombait sous le sens. Elle jeta un bref coup d'œil à Jace et constata qu'il était furieux.

— Non, ce n'est pas non plus ce que je veux, dit la reine d'une voix cristalline.

Isabelle leva les yeux au ciel.

— Oh, pour l'amour de l'Ange ! Écoutez, s'il n'y a pas d'autre moyen de se sortir de là, j'accepte d'embrasser Simon. Cela m'est déjà arrivé, ce n'était pas si terrible.

— Merci, marmonna le garçon. Je suis très flatté.

— Hélas, fit la reine avec une grimace mauvaise, j'ai bien peur que cela ne fasse pas l'affaire non plus.

Clary se demanda si elle ne réclamait pas ce baiser dans le seul but de les voir se tordre d'embarras devant elle.

— Eh bien, moi, je refuse d'embrasser le Terrestre, grommela Jace. Je préfère encore rester ici.

— Pour l'éternité ? lâcha Simon. Ça fait long, tout de même !

Jace leva les sourcils.

— Je le savais ! Tu as envie de m'embrasser, c'est ça ?

— Bien sûr que non ! protesta Simon, exaspéré.

— Alors, c'est vrai ce qu'on dit, commenta Jace. Il n'y a pas d'hétéros dans les tranchées.

— Athées, crétin ! rectifia Simon avec colère. « Il n'y a pas d'athées dans les tranchées. »

La reine mit fin à leur affrontement en disant d'un ton glacial :

— Bien que tout cela soit très amusant, j'aimerais revenir à ce qui nous occupe. Le baiser qui délivrera cette jeune fille est celui qu'elle désire le plus en secret.

L'expression de son visage et le ton de sa voix trahissaient sa jubilation, et ses mots transpercèrent Clary comme un poignard. Simon la regarda, l'air blessé. Clary aurait voulu le prendre dans ses bras, mais elle restait immobile, figée d'horreur.

— Pourquoi faites-vous ça ? s'indigna Jace.

— Et moi qui pensais te faire plaisir !

Jace rougit et prit soin d'éviter le regard de Clary.

— C'est ridicule ! maugréa Simon. Ils sont frère et sœur.

La reine haussa gracieusement les épaules.

— Le désir va parfois de pair avec la répulsion, et il n'est pas toujours accordé comme une simple faveur à ceux qui le méritent entre tous. Étant donné que ma magie est enchaînée à mes mots, vous connaîtrez la vérité. Si elle ne désire pas ce baiser, elle ne sera pas délivrée.

Simon marmonna quelque chose ; Clary ne l'écoutait pas. Ses oreilles bourdonnaient comme si un essaim d'abeilles malfaisantes s'agitait à l'intérieur de son crâne. Son ami se tourna vers elle, furieux.

— Tu n'es pas obligée de faire ça, Clary, c'est un piège...

— Non, ce n'est pas un piège, dit Jace. C'est un test.

— Eh bien, je ne sais pas pour toi, Simon, lança

Isabelle d'un ton nerveux, mais moi j'aimerais bien tirer Clary de ce guêpier.

— Parce que toi, tu embrasserais Alec si la reine de la Cour des Lumières l'exigeait ?

— Évidemment, si l'autre option était de rester coincé ici pour l'éternité, répliqua Isabelle avec irritation. Quelle importance ? C'est juste un baiser.

— Exactement, renchérit Jace.

Clary le vit s'avancer vers elle comme à travers un brouillard. Il posa une main sur son épaule et se pencha.

— C'est juste un baiser, répéta-t-il d'un ton cassant.

En revanche, ses mains se firent étonnamment douces. Clary leva la tête. Les yeux de Jace lui parurent très sombres, ce qui était peut-être dû aux lumières tamisées. Elle distingua son propre reflet, minuscule, dans ses pupilles dilatées.

— Tu n'as qu'à fermer les yeux et penser à autre chose, suggéra-t-il.

Clary obéit. Elle sentit le poids des mains de Jace sur ses épaules, seule source de chaleur dans la pièce humide et froide.

D'abord, il effleura ses lèvres, qui s'entrouvrirent au contact des siennes. Presque malgré elle, elle se détendit et se hissa sur la pointe des pieds pour enlacer le cou de Jace tandis qu'il glissait les mains dans ses cheveux. Brusquement, leurs lèvres se firent plus pressantes. Un murmure pareil à un soupir parcourut la cour. Clary ne percevait plus que l'afflux du sang dans ses veines et l'impression grisante de légèreté dans tout son corps.

Les mains de Jace lâchèrent ses cheveux, descendirent le long de son cou ; elle sentit la pression de ses paumes sur ses épaules. Il s'écarta doucement en détachant ses bras de sa nuque. Pendant une fraction de seconde, Clary perdit l'équilibre comme si on venait de lui arracher un organe vital, et elle fixa Jace d'un air ébahi : il n'éprouvait donc rien ? Cette idée lui était insupportable.

Il lui rendit son regard, et elle y lut la même expression que ce jour-là à Renwick, lorsque le Portail qui le séparait de sa maison d'enfance avait volé en éclats. Il la fixa un instant, puis détourna les yeux.

— Vous êtes satisfaite ? lança-t-il à la reine et à ses courtisans. Ça vous a plu ?

La reine porta la main à sa bouche pour dissimuler un sourire.

— Pas autant qu'à vous deux, on dirait.

— Simple hypothèse : j'ai l'impression que les émotions des mortels vous divertissent parce que vous n'en éprouvez pas vous-même.

Le sourire de la reine se figea.

— Doucement, Jace, chuchota Isabelle.

Puis, se tournant vers Clary, elle demanda :

— Tu peux bouger maintenant ? Tu es libre ?

Clary s'avança vers la porte et constata sans surprise que plus rien ne lui barrait le passage. Avant de regagner le tunnel, elle jeta un coup d'œil à Simon : il la regardait comme s'il la voyait pour la première fois.

— Partons avant qu'il ne soit trop tard, dit-elle.

— Il est déjà trop tard, Clary, murmura-t-il.

Meliorn les raccompagna jusqu'au parc sans prononcer un seul mot. Une fois qu'ils eurent émergé de l'étang, il fit demi-tour et, sans prendre la peine de saluer Isabelle, disparut dans le reflet mouvant de la lune.

— Je ne suis pas près de le revoir, celui-là, soupira-t-elle.

Jace étouffa un éclat de rire en remontant le col trempé de sa veste. Ils tremblaient tous de la tête aux pieds. Une odeur de terre, de végétation et de béton flottait dans l'air glacé de la nuit. Autour du parc, la ville brillait de mille feux – bleu glacier, vert et rouge vif. L'étang léchait paisiblement ses berges sales. Le reflet de la lune, qui s'était déplacé à l'autre bout de l'étendue d'eau, frissonnait comme s'il avait peur d'eux.

Isabelle resserra son manteau mouillé autour d'elle :

— On n'a pas intérêt à traîner si on ne veut pas mourir de froid.

— On va mettre une éternité pour rentrer à Brooklyn, grommela Clary. On devrait peut-être prendre un taxi.

— Ou aller directement à l'Institut, suggéra Isabelle.

En voyant l'expression de Jace, elle s'empressa d'ajouter :

— Il n'y a personne là-bas, de toute manière. Ils sont tous partis chercher des indices dans la Cité Silencieuse. Ça ne prendra qu'une seconde, le temps d'enfiler des vêtements secs. Et puis, l'Institut, c'est toujours chez toi, Jace.

— C'est d'accord, dit-il à la surprise manifeste

d'Isabelle. Il faut que je récupère quelque chose dans ma chambre, de toute façon.

Clary hésita.

— Je ne sais pas… Je vais peut-être prendre un taxi avec Simon.

Elle espérait qu'en restant seule avec lui, elle parviendrait à lui expliquer ce qui s'était passé à la Cour des Lumières. Ce n'était pas du tout ce qu'il croyait !

Jace, qui inspectait sa montre pour s'assurer qu'elle fonctionnait encore, leva brusquement la tête.

— Ça risque d'être un peu compliqué, vu qu'il est déjà parti.

— Quoi ?

Clary se tourna pour scruter l'obscurité : Simon avait bel et bien disparu. Elle courut jusqu'en haut de la côte, cria son nom. Au loin, elle distingua vaguement sa silhouette qui s'éloignait d'un pas résolu sur l'allée bétonnée menant à l'avenue. Elle l'appela de nouveau, mais il ne se retourna pas.

9
Et la mort n'aura pas d'empire

Isabelle avait raison : l'Institut était désert. Ou presque. En entrant, ils trouvèrent Max, endormi sur le canapé rouge du vestibule, ses lunettes légèrement de travers. Manifestement, il avait lutté contre le sommeil avant de sombrer : un livre ouvert gisait par terre à côté de lui, et ses pieds chaussés de tennis reposaient sur l'accoudoir du canapé.

Clary se sentit fondre sur-le-champ. Il lui rappelait Simon à l'âge de neuf ou dix ans, avec son regard de myope et ses grandes oreilles.

— Max est comme un chat. Il s'endort partout, dit Jace.

Il se pencha pour ôter les lunettes du petit garçon et les posa sur une table basse avec un air doux et protecteur que Clary ne lui connaissait pas.

— Oh, laisse ses affaires tranquilles, tu vas mettre de la boue dessus, lança Isabelle avec mauvaise humeur en déboutonnant son manteau.

Sa robe était plaquée sur son corps longiligne. Le cuir de sa grosse ceinture gorgée d'eau avait pris une teinte plus sombre.

Elle grimaça.

— Je couve un rhume. Je vais prendre une douche chaude.

Jace se débarrassa de sa veste mouillée et la pendit à la patère à côté du manteau d'Isabelle.

— Moi non plus, je n'aurais rien contre une bonne douche.

Clary éprouva l'envie subite de se retrouver seule : elle voulait appeler Simon sur son portable pour s'assurer qu'il allait bien.

— Étant donné que je n'ai pas de vêtements de rechange, je vais t'attendre ici.

— Ne sois pas bête, je peux te prêter un tee-shirt, marmonna Jace.

Le jean trempé pendait sur ses hanches, révélant une bande de chair pâle et tatouée. Clary détourna les yeux.

— Je ne crois pas...

— Allez, viens, dit-il d'un ton qui ne souffrait aucun refus. J'ai quelque chose à te montrer, de toute façon.

En suivant Jace dans le couloir menant à sa chambre, Clary jeta un coup d'œil furtif sur son téléphone. Simon ne s'était pas manifesté. Elle avait le cœur lourd : jusque-là – excepté ces deux dernières semaines –, elle ne s'était jamais disputée avec son ami. Mais, depuis peu, il semblait constamment furieux contre elle.

La chambre de Jace était telle que dans son souvenir, c'est-à-dire propre comme un sou neuf et aussi épurée que la cellule d'un moine. Elle ne contenait pas un seul objet personnel susceptible d'éclairer le visiteur sur la personnalité de son occupant : pas de posters sur les murs ni de livres empilés sur la table de nuit. La couette sur le lit était d'un blanc immaculé.

Jace sortit d'un tiroir un tee-shirt bleu à manches longues et le tendit à Clary.

— Il a rétréci au lavage. Il sera sans doute encore trop grand pour toi, mais…

Il haussa les épaules.

— Je vais prendre une douche. Crie si tu as besoin de quelque chose.

Clary acquiesça en tenant le tee-shirt devant elle à la manière d'un bouclier. Jace ouvrit la bouche comme pour ajouter quelque chose, puis se ravisa. Avec un autre haussement d'épaules, il disparut dans la salle de bains en refermant soigneusement la porte derrière lui.

Clary se laissa tomber sur le lit, le tee-shirt déplié sur les genoux, sortit son téléphone portable et composa le numéro de Simon. La messagerie se mit en marche au bout de quatre sonneries : « Salut, c'est Simon. Soit je suis trop loin du téléphone, soit j'essaie de vous éviter. Laissez un message et… »

— Qu'est-ce que tu fais ?

Jace se tenait sur le seuil, torse nu. Le robinet de la douche gargouillait bruyamment dans la salle de bains, déjà envahie de vapeur d'eau. Son jean descendu sur ses hanches découvrait ses Marques imprimées profondément dans la chair, comme si quelqu'un avait pressé les doigts sur sa peau.

Clary éteignit précipitamment son portable et le jeta sur le lit.

— Rien, je vérifiais l'heure.

— Il y a une pendule sur le mur. Tu essayais de joindre le Terrestre, c'est ça ?

— Il s'appelle Simon ! s'écria Clary en roulant le tee-shirt en boule. Pourquoi tu le traites comme un moins que rien ? Il t'a sauvé la mise plus d'une fois.

Les yeux cernés de Jace prirent une expression pensive.

— Tu te sens coupable parce qu'il est parti. À ta place, je ne me fatiguerais pas à l'appeler. Je suis sûr qu'il ne répondra pas.

— C'est vrai que tu sais tout de lui, vous êtes tellement proches ! cracha Clary sans chercher à masquer sa colère.

— Non, j'ai juste vu son expression avant qu'il s'en aille. Toi, tu ne le regardais pas. Moi, si.

D'un geste brusque, Clary écarta ses cheveux encore humides de ses yeux. La peau la démangeait sous ses vêtements mouillés et elle devait sentir l'eau croupie, mais elle s'en fichait : elle ne pensait qu'à Simon et au regard haineux qu'il lui avait jeté en quittant la Cour des Lumières.

— C'est ta faute ! lança-t-elle soudain, la rage au cœur. Tu n'aurais pas dû m'embrasser comme ça.

Jace, qui s'était appuyé au chambranle de la porte, se redressa :

— Et comment voulais-tu que je t'embrasse ? Tu as des préférences ?

— Non.

Clary regarda ses mains posées sur ses genoux. Elles étaient froides, pâles, ridées par le séjour prolongé dans l'eau. Elle croisa les doigts pour les empêcher de trembler.

— Je n'avais pas envie que tu m'embrasses, voilà tout.

— En l'occurrence, il me semble qu'aucun de nous deux n'avait le choix.

— C'est bien ce qui m'échappe ! s'emporta Clary. Pourquoi nous obliger à nous embrasser ? Quelle plaisir la reine pouvait-elle en retirer ?

— Tu as entendu ce qu'elle a dit, non ? Elle pensait me faire plaisir.

— N'importe quoi !

— Non, c'est la vérité. Combien de fois faut-il te le répéter ? Les fées ne mentent jamais.

Clary repensa aux paroles de Jace prononcées chez Magnus. « Elles s'arrangent pour découvrir ce que tu souhaites le plus, et te l'offrent sur un plateau, mais elles trouvent le moyen de te le faire regretter. »

— Alors, elle s'est trompée.

— Non, dit Jace avec amertume. Elle a vu la façon dont je te regardais, dont toi tu me regardais ; elle a vu le regard de Simon sur toi, et elle a joué aux marionnettes avec nous.

— Moi, je ne te regarde pas, mumura Clary.

— Quoi ?

— Du moins, j'essaie...

Jace la contempla de ses yeux mi-clos qui ne laissaient entrevoir qu'une étincelle dorée derrière ses longs cils, et elle se souvint que lors de leur première rencontre il lui avait fait penser à un lion, un lion aux yeux miel et aux gestes menaçants.

— Pourquoi ?

— À ton avis ? chuchota-t-elle d'une voix à peine audible.

— Alors, pourquoi ? éclata-t-il, la voix tremblante. Pourquoi toutes ces simagrées avec Simon, pourquoi tu me repousses, pourquoi tu ne me laisses pas t'approcher…

— Parce que c'est impossible, répondit Clary, et malgré tous ses efforts pour se contrôler, son dernier mot se perdit dans un sanglot. Tu le sais aussi bien que moi !

— Parce que tu es ma sœur.

Clary hocha la tête.

— Admettons, reprit Jace. Et donc, tu as décidé que ton vieil ami Simon ferait office de distraction ?

— Ça n'a rien à voir ! J'aime Simon.

— Tu l'aimes de la même façon que tu aimes Luke. Ou ta mère.

— C'est faux ! Qu'est-ce que tu sais de ce que je ressens ?

— Je ne te crois pas.

Clary se leva. Incapable de soutenir le regard de Jace, elle fixa la petite cicatrice en forme d'étoile qui ornait son épaule droite, un souvenir d'une vieille blessure. « Une vie de cicatrices et de meurtres, avait dit Hodge un jour. Tu ne sais rien de cette vie-là. »

— Jace, gémit-elle. Pourquoi tu me fais ça ?

— Parce que tu me mens. Et que tu te mens à toi-même.

Les yeux de Jace étincelaient et, bien qu'il ait glissé

les mains dans ses poches, elle s'aperçut qu'il serrait les poings.

Quelque chose en elle se brisa.

— Tu veux la vérité ? Eh bien, la vérité, c'est que j'aime Simon comme je devrais t'aimer, toi. La vérité, c'est que je donnerais tout pour que ce soit lui mon frère, et pas toi. Seulement, je ne peux rien y changer, et toi non plus ! À moins que tu aies une idée, toi qui es si malin !

Jace en resta bouche bée. Clary songea qu'elle n'aurait jamais, au grand jamais, imaginé dire un jour une chose pareille. L'expression de Jace reflétait sa propre stupéfaction.

Elle s'efforça de se redonner une contenance.

— Pardon, Jace, je ne voulais pas…

— Non, tu n'as pas à t'excuser.

Il fit un pas vers elle, trébucha – lui qui ne trébuchait jamais – et prit son visage dans ses mains. Elle s'abandonna à la chaleur de ses doigts tout en sachant qu'elle aurait dû le repousser. Elle ne pouvait cependant bouger, ni détacher ses yeux de lui.

— Tu ne vois donc pas ? dit-il d'une voix tremblante. Je n'ai jamais ressenti ça pour personne. Je ne m'en croyais pas capable. Je pensais… avec mon éducation… mon père…

— Aimer, c'est détruire. Oui, je me souviens.

— Je croyais que mon cœur était à jamais brisé. Mais toi…

Une expression ébahie s'imprima sur son visage tandis qu'il parlait, comme si lui-même s'étonnait de s'entendre prononcer ce mot : *mon cœur*.

— Arrête, Jace, ça ne mène à rien.

Elle saisit sa main, replia ses doigts autour des siens.

— Non, lâcha-t-il, au désarroi. On éprouve tous deux les mêmes sentiments...

— Et alors, qu'est-ce que ça change ?

Clary s'écoutait parler, et elle avait l'impression d'entendre une étrangère. Sa voix lui semblait lointaine, triste, méconnaissable.

— On irait où, tous les deux ? Comment pourrait-on vivre avec ça ? poursuivit-elle.

— Ce serait notre secret.

— Les gens finiraient par découvrir la vérité. Et puis, moi, je n'ai aucune envie de mentir à ma famille, pas toi ?

— Quelle famille ? répliqua Jace avec amertume. Les Lightwood me détestent, de toute façon.

— Mais non ! Moi, je ne pourrai jamais en parler à Luke. Et ma mère ? Si elle se réveille, qu'est-ce qu'on lui dira ? Tous ceux qu'on aime vont penser que c'est dégoûtant...

— Dégoûtant ?

Jace recula comme si elle l'avait giflé. Il semblait abasourdi.

— Ce qu'on ressent l'un pour l'autre... mes sentiments pour toi... tu trouves ça dégoûtant ?

Clary retint son souffle, bouleversée par l'expression de son visage.

— Peut-être, murmura-t-elle. Je ne sais pas.

— Alors, tu aurais dû commencer par ça.

— Jace...

Mais il s'était déjà refermé comme une huître.

— Je regrette de m'être épanché, dit-il d'un ton

cassant. Je n'essaierai plus de t'embrasser, tu peux compter là-dessus.

Il se détourna pour attraper une serviette dans un tiroir avant de regagner la salle de bains. Le cœur de Clary se serra :

— Mais… Jace, qu'est-ce que tu fais ?

— Je vais prendre ma douche. Et si le ballon d'eau chaude s'est vidé à cause de toi, je serai très en colère.

À ces mots, il ferma la porte d'un coup de pied.

Clary se laissa tomber sur le lit et fixa longtemps le plafond avant de s'apercevoir qu'elle s'était vautrée sur le tee-shirt de Jace. Il avait conservé son odeur, une odeur de savon et de brûlé à laquelle se mêlait celle, métallique, du sang. Clary s'enroula dedans comme dans une couverture, et ferma les yeux.

Dans son rêve, elle contemplait l'étendue d'eau scintillante devant elle, pareille à un miroir infini reflétant le ciel nocturne. Sa surface était lisse et dure, et elle pouvait marcher dessus. Elle flânait en respirant l'air de la nuit, l'odeur des feuilles humides et les émanations de la ville qui brillait dans le lointain tel un château féerique nimbé de lumière. Mais, bientôt, à l'endroit où elle posait les pieds, des fissures se formèrent et des éclats de verre jaillirent comme des gouttes d'eau.

Le ciel s'éclaira soudain d'une multitude de points lumineux qui s'abattirent sur elle en une pluie de charbons ardents. Elle enfouit la tête dans ses bras. Une flammèche tomba juste devant elle et, en touchant le sol, prit forme humaine. C'était Jace, tout auréolé de lumière, avec ses yeux et ses cheveux couleur miel ; des ailes d'un blanc tirant sur l'or, plus larges et plus duveteuses que celles du plus grand des oiseaux, lui avaient poussé dans le dos.

Avec un sourire narquois, il pointa le doigt derrière elle. Se retournant, elle vit un garçon aux cheveux bruns – était-ce Simon ? – qui lui aussi avait des ailes, mais celles-ci étaient noires comme la nuit, et chaque plume était tachée de sang.

Clary s'éveilla en sursaut, les mains agrippées au tee-shirt de Jace. La chambre était plongée dans la pénombre, la seule source de lumière étant l'étroite fenêtre près du lit. Elle se redressa, la tête lourde et la nuque douloureuse, et parcourut lentement la pièce du regard. Quelque chose étincela dans l'obscurité comme les yeux d'un chat, et Clary sursauta.

Jace était assis dans un fauteuil près du lit. Il portait un jean ainsi qu'un sweat-shirt gris, et ses cheveux avaient presque fini de sécher. Il tenait un objet métallique à la main. Une arme ? Contre quoi pouvait-il bien se protéger, ici, à l'Institut ? Clary n'en avait aucune idée.

— Tu as bien dormi ?

Elle hocha la tête.

— Pourquoi tu ne m'as pas réveillée ?

— J'ai pensé qu'un peu de repos ne te ferait pas de mal. Et puis, tu dormais comme une souche. Tu as même bavé, ajouta-t-il. Sur mon tee-shirt.

Clary porta la main à sa bouche.

— Désolée.

— On n'a pas si souvent l'occasion de voir quelqu'un baver avec un tel abandon, observa Jace. La bouche grande ouverte, et ainsi de suite.

— Oh, la ferme !

Clary chercha son téléphone à tâtons parmi les couvertures et jeta un coup d'œil sur l'écran, bien qu'elle connaisse d'avance le verdict : pas d'appels.

— Il est trois heures du matin, dit-elle avec consternation. Tu crois que Simon va bien ?

— À mon avis, ce type est bizarre, déclara Jace. Et ça n'a pas grand-chose à voir avec l'heure qu'il est.

Clary glissa le téléphone dans la poche de son jean.

— Je vais me changer.

La salle de bains de Jace n'était pas plus spacieuse que celle d'Isabelle. En revanche, elle était beaucoup plus propre. Les chambres de l'Institut différaient peu les unes des autres mais, à défaut d'originalité, elles garantissaient au moins un minimum d'intimité. Elle ôta son chemisier humide, qu'elle suspendit au porte-serviettes, puis s'aspergea le visage d'eau glacée et démêla ses boucles indisciplinées.

Le tee-shirt de Jace, trop grand pour elle, était doux au toucher. Elle en roula les manches et revint dans la chambre où elle trouva Jace, assis au même endroit, qui fixait d'un air sombre l'objet brillant dans sa main. Clary s'appuya au dossier du fauteuil.

— Qu'est-ce que c'est ?

En guise de réponse, il retourna l'objet dans sa main afin qu'elle puisse le voir. C'était un débris de miroir ; sauf qu'au lieu de refléter son visage il renfermait l'image d'une pelouse verdoyante et d'un ciel bleu en partie masqué par les branches noires et dénudées d'un arbre.

— J'ignorais que tu l'avais conservé. C'est un bout du Portail, n'est-ce pas ?

— C'est pour le récupérer que j'ai accepté de revenir ici.

La voix de Jace avait pris une inflexion haineuse teintée de nostalgie.

— Je continue de croire qu'un jour, peut-être, je verrai mon père dans ce reflet et que je finirai par découvrir ce qu'il manigance.

— Mais il n'est pas là-bas ! Je croyais qu'il se cachait quelque part en ville.

Jace secoua la tête.

— Magnus, qui s'est lancé sur ses traces, ne pense pas qu'il soit resté dans les parages.

— Magnus ? Je l'ignorais. Comment...

— Magnus n'est pas Grand Sorcier pour rien. Son pouvoir s'étend à toute la ville et au-delà. Il sent ce qui se passe ici.

Clary ricana.

— Ah bon ? Il sent des perturbations dans la Force ?

Jace se tourna vers elle, les sourcils froncés.

— Je ne plaisante pas. Après l'assassinat du sorcier dans le quartier de TriBeCa, il a commencé à faire des recherches. Quand je suis allé m'installer chez lui, il m'a demandé un objet ayant appartenu à mon père pour faciliter ses investigations. Je lui ai donné la bague des Morgenstern. Il m'a dit qu'il me préviendrait s'il découvrait la présence de Valentin en ville. Or, pour l'instant il ne m'en a pas reparlé.

— Peut-être qu'il voulait juste ta bague. Il porte beaucoup de quincaillerie.

— Il peut la garder, elle n'a plus aucune valeur à mes yeux.

La main de Jace se resserra autour du débris de miroir. Clary nota avec inquiétude qu'une goutte de sang perlait à l'endroit où le tranchant du verre entrait dans sa chair.

— Hé, doucement ! dit-elle en lui ôtant l'objet des mains.

Elle glissa le bout de Portail dans la poche de la veste accrochée au mur. Les contours du fragment de verre étaient tachés de sang.

— Il faudrait peut-être penser à rentrer chez Magnus, suggéra-t-elle de sa voix la plus douce. Alec est là-bas depuis un bout de temps, et…

— Je doute que ça lui pose problème, la coupa Jace, mais il se leva docilement, prit sa stèle et traça une rune de guérison sur le dos de sa main ensanglantée.

— J'ai quelque chose à te demander, poursuivit-il.

— Je t'écoute.

— Comment tu t'y es prise pour me sortir de ma cellule, dans la Cité Silencieuse ? Comment as-tu déverrouillé la porte ?

— Oh, j'ai juste eu recours à une rune de descellement classique et…

Clary fut interrompue par une sonnerie stridente. Elle porta la main à la poche de son jean avant de s'apercevoir que le bruit était bien plus assourdissant que celui de son téléphone. Elle jeta un regard désorienté autour d'elle.

— C'est la cloche de l'Institut, expliqua Jace en prenant sa veste. Viens !

Ils avaient presque atteint le vestibule quand Isabelle sortit de sa chambre en peignoir de coton, un masque en soie rose repoussé sur le front et une expression hébétée sur le visage.

— Il est trois heures du matin ! s'écria-t-elle d'un ton qui suggérait que c'était forcément la faute de Jace ou de Clary. Qui vient sonner à notre porte à cette heure ?

— Peut-être que c'est l'Inquisitrice, répondit Clary.

— Elle peut entrer sans notre aide, objecta Jace. Comme n'importe quel Chasseur d'Ombres, d'ailleurs. L'Institut n'est fermé qu'aux Terrestres et aux Créatures Obscures.

Clary sentit sa poitrine se serrer.

— Simon ! Ce doit être lui !

— Oh, fit Isabelle en bâillant, ne me dis pas qu'il nous réveille en pleine nuit pour te prouver son amour ! Il n'aurait pas pu appeler ? Décidément, les hommes sont des imbéciles.

Ils pénétrèrent dans le vestibule, qui était désert : Max avait dû regagner son lit. Isabelle traversa le hall pour presser un interrupteur. Quelque part dans la cathédrale, un grincement s'éleva.

— Voilà, l'ascenseur est en route.

— Sans blague, il aurait pu avoir la décence d'aller se prendre une cuite quelque part et de s'endormir dans un caniveau, ironisa Jace. Je dois dire qu'il me déçoit.

Clary l'entendit à peine. Une angoisse croissante l'envahissait. Elle se remémora son rêve – les anges, la glace, Simon et ses ailes ensanglantées – et frissonna.

Isabelle lui lança un regard compatissant.

— Il fait froid ici, hein ?

Elle prit un manteau en velours bleu accroché à la patère.

— Tiens, mets ça.

Clary s'exécuta et resserra les pans du vêtement autour d'elle. Il était trop grand, mais au moins il tenait chaud.

La porte de l'ascenseur s'ouvrit sur une cage vide dont les parois vitrées reflétèrent son visage pâle et médusé. Sans réfléchir, elle se glissa à l'intérieur.

— Qu'est-ce que tu fais ? demanda Isabelle, une fois revenue de sa surprise.

— C'est Simon qui est en bas. J'en suis sûre !

— Mais…

Jace rejoignit Clary dans la cabine étroite et tint la porte.

— Viens, Isa.

Avec un soupir théâtral, elle s'engouffra dans l'ascenseur. Clary essaya d'accrocher le regard de Jace tandis qu'Isabelle se recoiffait dans un silence de mort, mais il semblait déterminé à ne pas la regarder. Il contemplait son profil dans le miroir en sifflotant comme à chaque fois qu'il était nerveux. Elle se souvint que ses mains tremblaient un peu lorsqu'il l'avait prise dans ses bras à la Cour des Lumières. Elle revit l'expression de Simon avant qu'il ne disparaisse dans les ténèbres du parc. Une angoisse sourde lui noua la gorge, sans qu'elle puisse s'en expliquer la cause.

Quand la porte de l'ascenseur s'ouvrit sur la nef de la cathédrale illuminée par les flammes tremblotantes des cierges, elle passa devant Jace et s'élança dans l'allée entre les bancs. Elle trébucha sur un pan de son manteau qui traînait par terre, releva le tissu d'un geste impatient et courut vers la porte à double battant dont les verrous en bronze étaient de la taille de son bras. Au moment où elle avançait la main vers le plus élevé, la cloche retentit de nouveau. Elle entendit Isabelle murmurer quelque chose à Jace, et elle tira sur le verrou de toutes ses forces. Jace, qui l'avait rejointe, posa la main sur la sienne pour l'aider à ouvrir la lourde porte.

L'air nocturne s'engouffra en soufflant les cierges dans leurs chandeliers. Il apporta avec lui la puanteur de la ville – gaz d'échappement, béton mouillé, détritus – et un relent plus discret de cuivre. Une odeur de sou neuf.

D'abord, Clary crut que les marches étaient désertes. Elle cligna des yeux dans l'obscurité, et soudain elle vit Raphaël debout sur l'une des marches, ses boucles brunes ébouriffées par la brise, sa chemise blanche ouverte dévoilant sa cicatrice à la base du cou. Dans ses bras, il tenait un corps que Clary, figée d'épouvante, n'identifia pas tout de suite. Ses membres pendaient, inertes, et sa tête rejetée en arrière révélait la gorge mutilée. Elle sentit la main de Jace se refermer sur son bras comme un étau, et alors seulement, en y regardant de plus près, elle reconnut l'éternelle veste en velours avec sa manche déchirée, le tee-shirt bleu, à présent taché de sang... Elle poussa un long hurlement.

Clary sentit ses genoux se dérober sous elle, et se serait sans doute affaissée sur le sol si Jace ne l'avait pas rattrapée.

— Ne regarde pas, lui glissa-t-il à l'oreille. Ne regarde pas, par l'Ange !

Mais comment ne pas voir le sang qui poissait les cheveux bruns de son ami, sa gorge et ses poignets ouverts ? Sa vue se brouilla tandis qu'elle cherchait son souffle.

Isabelle s'empara d'un des candélabres qui se trouvaient près de la porte et le pointa vers Raphaël comme une lance.

— Qu'est-ce que tu as fait à Simon ? demanda-t-elle d'un ton impérieux.

L'espace d'un instant, elle eut exactement la même voix que sa mère.

— *El no es muerto*, répondit Raphaël sans montrer la moindre émotion.

Et, avec des gestes d'une douceur surprenante, il déposa Simon par terre aux pieds de Clary. Elle avait oublié qu'en dépit de sa carrure frêle il était doté, à l'instar de tous les vampires, d'une force surnaturelle. Elle fixa avec horreur la tache de sang sur la poitrine de Simon.

— Tu as dit...

— Il n'est pas mort, murmura Jace en la serrant plus fort. Il n'est pas mort.

D'un geste brusque, Clary se dégagea et s'agenouilla à côté de Simon. Elle glissa les mains sous sa tête et la posa sur ses genoux. Elle n'éprouvait rien d'autre qu'une terreur enfantine. Elle se rappelait avoir éprouvé la même chose le jour où, vers l'âge de cinq ans, elle avait cassé la lampe de sa mère, d'une valeur inestimable : « C'est fini, disait une petite voix dans sa tête, il n'y a plus rien à faire. »

— Simon, c'est moi, chuchota-t-elle en lui caressant le visage.

Elle remarqua qu'il avait perdu ses lunettes.

— Il ne peut pas t'entendre, dit Raphaël. Il est en train de mourir.

— Mais tu as dit…

— J'ai dit qu'il n'était pas encore mort. Dans quelques minutes, son cœur ralentira, puis cessera de battre.

Clary resserra son étreinte.

— Il faut l'emmener à l'hôpital… ou appeler Magnus !

— Personne ne peut plus rien pour lui. Tu ne comprends pas ?

— Effectivement, intervint Jace d'un ton tranquille qui ne présageait rien de bon. Nous ne comprenons pas. Alors, je propose que tu t'expliques, sans quoi je vais en conclure que tu n'es qu'un suceur de sang sans foi ni loi, et je me verrai dans l'obligation de te tailler en pièces. C'est d'ailleurs ce que j'aurais dû faire la dernière fois que j'ai croisé ta route.

Raphaël esquissa un sourire glacial.

— Tu as juré de ne pas me faire de mal, Chasseur d'Ombres. L'aurais-tu oublié ?

— Moi, je n'ai rien juré ! lança Isabelle en brandissant son candélabre.

Raphaël l'ignora ; il avait les yeux fixés sur Jace.

— Je me souviens du soir où tu es venu chercher ton ami à l'hôtel Dumort. C'est pour cela qu'en le trouvant là-bas j'ai décidé de vous le ramener, au lieu de laisser les autres le saigner à mort. Car, vois-tu, il est entré chez nous sans permission, et par conséquent il nous revient de droit. Pourtant, je lui ai laissé la vie sauve, sachant qu'il était des vôtres. Je ne cherche pas d'histoires aux Nephilim.

— Il est entré chez vous ? répéta Clary, incrédule. C'est de la folie ! Simon n'aurait jamais commis un acte aussi stupide !

— Et pourtant, c'est ce qu'il a fait, rétorqua Raphaël en souriant. Il croyait qu'il était en train de devenir l'un des nôtres, et il voulait savoir si le processus pouvait être inversé. Tu te souviens peut-être que, sous sa forme de rat, il m'a mordu.

— Et j'applaudis cette initiative, intervint Jace.

— Toujours est-il qu'il a goûté à mon sang. Vous savez sans doute que c'est par le sang que nous transmettons nos pouvoirs.

Par le sang. Clary revit Simon quitter brusquement la pièce après être tombé sur le film de vampires à la télévision, et cligner des yeux sous le soleil de McCarren Park.

— Il croyait qu'il était en train de se transformer en vampire, et il est venu vous trouver afin de savoir si ses peurs étaient fondées ? souffla-t-elle.

— Oui, dit Raphaël. Le plus triste, c'est que les effets de mon sang sur son organisme se seraient dissipés avec le temps s'il s'était tenu tranquille. Mais maintenant…

Il désigna d'un geste le corps inerte de Simon.

— Maintenant, quoi ? demanda Isabelle d'un ton cassant. Il va mourir ?

— Et ressusciter. Il va devenir un vampire.

Isabelle, les yeux écarquillés de surprise, en lâcha son candélabre.

— Quoi ?

Jace rattrapa son arme de fortune avant qu'elle ait touché le sol et tourna vers Raphaël un regard glacial.

— Tu mens !

— Attends de voir. Il mourra pour renaître sous la forme d'un Enfant de la Nuit. C'est aussi pour cela que je suis venu : Simon est à moi, désormais.

Sa voix ne trahissait ni joie ni mécontentement ; cependant Clary le soupçonna de se réjouir en secret d'avoir trouvé un objet de marchandage aussi intéressant.

— Il n'existe aucun moyen de revenir en arrière ? voulut s'assurer Isabelle, au bord de la panique.

Clary s'étonna vaguement que Jace et Isabelle, qui n'aimaient pourtant pas Simon autant qu'elle, soient les seuls à parler. Mais peut-être s'exprimaient-ils en son nom, ayant constaté qu'elle était incapable de proférer un son.

— Vous pouvez toujours lui trancher la tête et jeter son cœur dans le feu, mais je doute que vous optiez pour cette solution-là.

— Non ! cria Clary en resserrant ses bras autour de Simon. Je t'interdis de lui faire du mal.

— Je n'en ai pas l'intention, déclara Raphaël.

— Ce n'est pas à toi que je m'adresse, lâcha Clary sans lever les yeux. N'y pense même pas, Jace.

Le garçon hésita quelques instants avant de prendre la parole.

— Clary, tu crois que c'est ce que Simon voudrait ?

Elle redressa la tête : Jace, les yeux baissés sur elle, tenait toujours le candélabre à la main. Soudain, une image s'immisça dans son esprit : Jace maintenant Simon à terre tandis qu'il enfonçait l'extrémité pointue du candélabre dans sa poitrine en faisant jaillir une fontaine de sang.

— Reste où tu es !

Elle avait crié si fort que les silhouettes lointaines qui déambulaient dans l'avenue devant la cathédrale tournèrent la tête, cherchant la provenance du bruit.

Jace blêmit. Ses yeux écarquillés se détachaient sur son visage comme deux disques d'or inhumains.

— Clary, tu ne penses tout de même pas…

Soudain, Simon poussa un râle et se convulsa dans les bras de Clary. Elle laissa échapper un cri et l'attira contre elle. Ses yeux grands ouverts, terrifiés, la fixaient sans la voir. Il leva la main, et elle n'aurait su dire si c'était pour lui caresser le visage ou la repousser.

— C'est moi, chuchota-t-elle en prenant doucement sa main. Simon, c'est moi. C'est Clary.

Les doigts de Simon glissaient dans les siens. Elle s'aperçut qu'ils étaient tachés de sang.

— Simon, je t'aime.

La main de Simon se referma sur la sienne. Il exhala un dernier souffle rauque et entrecoupé, puis… plus rien.

« Je t'aime. Je t'aime. Je t'aime. » Ses derniers mots destinés à Simon résonnaient encore en elle tandis qu'il s'affaissait dans ses bras. Isabelle s'approcha pour lui parler, mais elle ne l'entendit pas. Un bruit de ressac lui emplissait les oreilles. Elle regardait la jeune fille, qui s'efforçait en vain, avec des gestes tendres, de desserrer ses doigts qui agrippaient le corps de Simon, et s'en étonna elle-même : elle n'avait pas l'impression de le serrer si fort que ça.

Renonçant à les séparer, Isabelle s'en prit à Raphaël. Au beau milieu de sa tirade, Clary recouvra l'ouïe, comme si quelqu'un venait de monter brusquement le son.

— ... Et maintenant, qu'est-ce qu'on va faire ? criait Isabelle.

— Enterrez-le, répondit Raphaël.

Jace balança le candélabre dans sa main.

— Très drôle.

— Je suis sérieux, reprit le vampire, imperturbable. C'est ainsi que ça se passe. On nous vide de notre sang et on nous enterre. Ensuite, il ne lui restera plus qu'à s'extraire de sa tombe en creusant vers la surface pour qu'un vampire naisse.

Isabelle poussa un gémissement de dégoût.

— Moi, je n'en serais pas capable.

— Certains n'en ont pas la force. Si personne ne leur vient en aide, ils restent piégés comme des rats.

Un sanglot déchira la gorge de Clary.

— Je refuse qu'on le mette en terre !

— Alors, il restera entre la vie et la mort, sans jamais se réveiller.

Tous avaient les yeux rivés sur Clary. Isabelle et Jace attendaient sa décision en retenant leur souffle. Quant à Raphaël, il paraissait indifférent et donnait presque l'impression de s'ennuyer.

— Tu n'es pas entré dans l'Institut parce que c'est

un lieu sacré et que tu es un être impur, c'est bien ça ? demanda Clary.

— Ce n'est pas si..., commença Jace, mais Raphaël l'interrompit d'un geste.

— Il faut que je vous prévienne, dit le vampire, que nous n'avons pas beaucoup de temps devant nous. Plus nous attendrons avant de le mettre en terre, moins il aura de forces pour creuser.

Clary contempla Simon. Sans les profondes entailles qui mutilaient son cou, on aurait cru qu'il dormait.

— Qu'on l'enterre, déclara-t-elle. Mais je veux que ce soit dans un cimetière juif. Et je tiens à être là quand il se réveillera.

— Je te préviens, ça ne sera pas une partie de plaisir, dit Raphaël.

— J'ai l'habitude.

Elle serra les dents.

— Partons. Il ne nous reste que quelques heures avant l'aube.

10

Un havre de paix

Le cimetière était situé à la limite du Queens, dans un secteur où les immeubles résidentiels laissaient place à des rangées de maisons victoriennes proprettes, peintes en rose, blanc ou bleu. Les rues spacieuses étaient pour la plupart désertes ; un seul et unique réverbère éclairait l'avenue menant au cimetière. Il leur fallut peu de temps pour forcer la serrure de la grille avec leur stèle, et quelques minutes supplémentaires pour trouver un emplacement sûr où Raphaël pourrait creuser. Ils s'arrêtèrent au sommet d'un monticule, séparé de la route en contrebas par un épais rideau d'arbres. Il formait un abri idéal. Si Clary, Jace et Isabelle étaient protégés par un charme, Raphaël ne pouvait pas se cacher ni dissimuler le corps de Simon.

Sur le versant opposé à la route s'élevaient des pierres tombales, surmontées pour la plupart d'une étoile de David. Elles luisaient d'un éclat laiteux sous le clair de lune. Un lac miroitait dans le lointain, sa surface ondulée de rides scintillantes. « C'est un bel endroit, songea Clary. Le genre d'endroit où l'on aime venir déposer des fleurs ou se recueillir. » En revanche, ce n'était pas un lieu où l'on aimait se promener la nuit, surtout si c'était pour enterrer son meilleur ami dans une fosse peu profonde, sans cercueil ni prières.

— Il a souffert ? demanda-t-elle à Raphaël.

Il s'appuya sur le manche de sa pelle, tel le fossoyeur d'*Hamlet*.

— Hein ?

— Simon. Est-ce qu'il a souffert ?

— Non. Il y a des morts plus douloureuses, répondit-il à voix basse. La morsure d'un vampire a des propriétés anesthésiantes. C'est agréable, comme s'endormir.

Un vertige fit chanceler Clary ; l'espace d'une seconde, elle crut qu'elle allait tourner de l'œil. La voix de Jace la ramena à la réalité.

— Clary ! Viens ici ! Tu n'es pas obligée d'assister à ça.

Derrière lui, Isabelle faisait le guet, son fouet à la main. Le corps de Simon, enveloppé dans une couverture, gisait à ses pieds.

— Je veux être là quand il se réveillera.

— Je sais. On reviendra dans une minute.

Comme elle ne faisait pas mine de bouger, Jace la prit par le bras et l'entraîna de force à l'écart de la clairière, vers le flanc de la colline. Là, derrière la première rangée de tombes, se trouvaient de gros rochers ; il s'assit sur l'un d'eux et remonta la fermeture Éclair de sa veste. Il faisait particulièrement froid. Pour la première fois de la saison, Clary voyait de la buée s'échapper de sa bouche quand elle soufflait.

Elle se laissa tomber sur un rocher à côté de Jace et contempla le lac. Elle entendait les coups de pelle réguliers de Raphaël et le bruit de la terre qui retombait sur le sol. Raphaël n'étant pas humain, il travaillait vite. Il ne lui faudrait pas longtemps pour finir sa besogne. Simon n'était pas très charpenté, il était inutile de creuser très profond.

Clary ressentit une douleur fulgurante au creux de l'abdomen. Elle se pencha, les mains sur l'estomac.

— Je ne me sens pas bien.

— Je sais. C'est pour ça que je t'ai emmenée à l'écart. J'ai cru que tu allais vomir sur les pieds de Raphaël.

Clary répondit par un grognement.

— Remarque, ça lui aurait fait passer l'envie de sourire, à celui-là, murmura Jace.

— Oh, tais-toi !

La douleur s'était calmée. Clary releva la tête et scruta le ciel : la lune argentée ressemblait à une assiette ébréchée flottant dans une mer d'étoiles.

— C'est ma faute, tout ça, lâcha-t-elle.

— Mais non.

— Tu as raison, c'est notre faute.

Jace se détourna sans pour autant parvenir à dissimuler son agacement. Clary l'observa en silence pendant quelques instants. Il avait besoin d'une coupe de cheveux. Ses boucles, d'un or très pâle au clair de lune, s'enroulaient comme de la vigne autour de son crâne. Les cicatrices de son visage et de son cou semblaient gravées à l'eau-forte sur sa peau. « Comme il est beau ! » pensa-t-elle avec tristesse. Il n'y avait rien en lui, pas une seule expression, pas un trait distinctif dans le tracé de ses pommettes, de sa mâchoire ou de ses lèvres, qui témoigne d'un quelconque air de famille avec elle ou avec sa mère. Il ne ressemblait même pas à Valentin.

— Quoi ? lança-t-il. Pourquoi tu me regardes comme ça ?

Clary ne savait plus si elle avait envie de sangloter dans ses bras ou de le frapper à coups de poing.

— Sans cette histoire à la Cour des Lumières, Simon serait encore en vie, se contenta-t-elle de répondre.

D'un geste brusque, Jace arracha une touffe d'herbe à ses pieds et la jeta au loin.

— On n'a pas eu le choix ! Ce n'était pas pour le plaisir ni pour lui faire du mal. Et puis, ajouta-t-il avec un pâle sourire, je te rappelle que tu es ma sœur.

— Tu as une façon de le dire…

— Quoi, « sœur » ?

Jace secoua la tête.

— Enfant, je m'étais rendu compte que, lorsqu'on répétait le même mot à toute vitesse, il finissait par perdre son sens. Allongé sur mon lit, je me répétais des mots sans suite : sucre, miroir, murmure, obscurité. Sœur, chuchota-t-il. Tu es ma sœur.

— Tu peux le dire autant de fois que tu veux, ça n'y changera rien.

— Et tu peux toujours m'empêcher d'en parler, ça n'y changera rien non plus.

— Jace !

Alec s'avança vers eux, hors d'haleine, un sac en

plastique noir à la main. Derrière lui venait Magnus, grande silhouette dégingandée vêtue d'un long manteau de cuir que le vent soulevait comme les ailes d'une chauve-souris.

Alec s'arrêta devant Jace et lui tendit le sac.

— J'ai apporté du sang, comme tu me l'as demandé.

Jace entrouvrit le sac, jeta un œil à l'intérieur et fronça le nez :

— Je peux savoir où tu l'as trouvé ?

— Chez un boucher halal de Greenpoint, répondit Magnus, qui les avait rejoints. Ils saignent leur viande à blanc. C'est du sang d'animal.

— Ça fera l'affaire, déclara Jace en se levant.

Il regarda Clary, l'air hésitant.

— Quand Raphaël t'a dit que ça ne serait pas une partie de plaisir, il ne mentait pas. Tu peux rester ici. Je vais demander à Isabelle d'attendre avec toi.

— Tu as déjà vu naître un vampire ?

— Non, mais...

— Alors, tu ne sais pas vraiment ce qui va se passer ?

Clary se leva.

— Je veux être là. Il le faut.

Elle distinguait mal le visage de Jace dans la pénombre, mais elle crut y lire de l'admiration.

— J'avais oublié que tu n'en fais qu'à ta tête, lança-t-il. Allons-y.

Raphaël était en train de tasser un monticule de terre fraîchement retournée lorsqu'ils revinrent dans la clairière. Jace et Clary marchaient devant Alec et Magnus, qui se disputaient à voix basse. Le corps de

Simon avait disparu. Isabelle, assise par terre, son fouet d'or enroulé à ses pieds, claquait des dents.

— C'est vrai qu'il fait froid, observa Clary en resserrant autour d'elle le lourd manteau d'Isabelle. On dirait que l'hiver est arrivé dans la nuit.

Au moins, le velours était épais et chaud. Elle s'efforça d'oublier que le bas du vêtement était taché du sang de Simon.

— Une chance qu'il ne soit pas encore là ! dit Raphaël en appuyant sa pelle au tronc d'un arbre voisin. En hiver, le sol gèle et devient dur comme du béton. Parfois, creuser devient impossible, et le novice doit endurer la faim pendant des mois avant de pouvoir renaître.

— « Novice » ? C'est comme ça que vous appelez les jeunes vampires ?

— Oui, car ils ont tout à apprendre.

Il se tut, surpris, en apercevant Magnus. L'instant d'après, il reprenait contenance.

— Le Grand Sorcier de Brooklyn ! s'écria-t-il. Je ne m'attendais pas à te trouver ici.

Un éclair traversa les yeux félins de Magnus.

— Simple curiosité. Je n'ai jamais vu naître un Enfant de la Nuit.

Raphaël jeta un coup d'œil à Jace, qui s'était adossé à un tronc d'arbre.

— Tu as des fréquentations aussi illustres qu'étonnantes, Chasseur d'Ombres.

— C'est à toi que tu fais allusion ? Je te trouve un peu prétentieux.

— Il parlait peut-être de moi, intervint Alec.

Tous lui lancèrent un regard étonné : Alec se laissait rarement aller à des plaisanteries. Il eut un sourire nerveux.

— Désolé. C'est le stress.

— Inutile de s'affoler, dit Magnus en s'avançant pour le prendre par l'épaule.

Alec s'écarta brusquement, et la main de Magnus retomba le long de son corps.

— Et maintenant, qu'est-ce qu'on fait ? demanda Clary en se frictionnant les bras.

Elle avait l'impression que le froid s'immisçait en elle par tous les pores de sa peau. Raphaël, qui avait vu son geste, eut un petit sourire.

— La température chute toujours avant une naissance à la nuit, expliqua-t-il, parce que le novice puise ses forces dans la matière vivante autour de lui. C'est de là qu'il tire l'énergie nécessaire pour renaître.

Clary le foudroya du regard.

— Toi, tu n'as pas l'air d'être gelé.

— Je suis mort, ne l'oublie pas.

Il s'écarta un peu de la tombe et fit signe aux autres d'en faire autant.

— Faites de la place ! Simon ne pourra jamais sortir si vous restez plantés là.

Tous reculèrent précipitamment. Clary sentit qu'Isabelle la tirait par le coude et, se retournant, elle s'aperçut que la jeune fille était livide.

— Ça ne va pas ? demanda-t-elle.

— Non. Clary, peut-être qu'on aurait dû le laisser partir…

— Le laisser mourir, tu veux dire ?

Clary arracha son bras à l'étreinte d'Isabelle.

— Évidemment ! À tes yeux, tout ce qui est différent n'a pas le droit de vivre !

Les traits d'Isabelle se décomposèrent.

— Ce n'est pas...

Un bruit qui retentit dans la clairière la fit taire. Clary n'avait jamais rien entendu de tel : on aurait dit un roulement de tambour venant des entrailles de la terre, comme si tout à coup son cœur s'était mis à battre.

Soudain, le sol se mit à trembler sous ses pieds. Elle tomba à genoux. La tombe ondulait comme la surface d'un océan déchaîné. Puis des mottes de terre jaillirent dans les airs et le petit monticule bougea, pareil à une fourmilière. De son centre surgit une main, les doigts écartés, qui agrippa frénétiquement le sol.

— Simon !

Clary fit mine de s'élancer vers lui, mais Raphaël la retint.

— Lâche-moi ! cria-t-elle en essayant de se dégager. Tu ne vois pas qu'il a besoin d'aide ?

— Il doit y arriver seul, répliqua le vampire sans desserrer ses doigts.

— C'est ta méthode, pas la mienne !

Clary se libéra d'un geste brusque et courut vers la tombe. À cet instant, une pluie de terre s'abattit sur le sol, la projetant en arrière. Une forme voûtée s'extirpa du trou en prenant appui sur ses mains sales, pareilles à des griffes. Ses bras étaient noirs de boue et de sang. Une fois à la surface, la chose rampa sur quelques mètres, puis s'effondra.

— Simon..., murmura Clary.

Elle se redressa péniblement et se précipita vers lui.

— Clary ! cria Jace. Stop ! Qu'est-ce que tu fais ?

Elle trébucha, se tordit la cheville et tomba à genoux tout près de Simon, qui gisait immobile comme un cadavre. Ses cheveux étaient collés par la boue ; son tee-shirt déchiré laissait entrevoir la peau maculée de sang.

— Simon, murmura Clary en lui touchant l'épaule. Simon, tu vas…

Le corps de Simon se raidit sous ses doigts. Chacun de ses muscles se tendit, et sa peau devint dure comme de la glace.

— … bien ?

Il tourna la tête, et ses yeux vides la regardèrent sans la voir. Puis, avec un cri perçant, il se jeta sur elle, rapide comme un serpent, et la frappa violemment. Clary tomba à la renverse en criant son nom, mais il ne parut pas l'entendre. Son visage convulsé était méconnaissable quand il se dressa au-dessus d'elle, les lèvres retroussées. Des canines effilées étincelèrent au clair de lune. Terrifiée, elle lui donna un coup de pied ; il la saisit par les épaules pour la plaquer au sol. Ses mains ensanglantées aux ongles cassés étaient d'une force surhumaine, bien supérieure à la sienne. Elle sentit craquer les os de ses épaules alors qu'il se penchait sur elle…

Soudain, il fut tiré en arrière et projeté dans les airs comme un vulgaire fétu de paille. Clary se releva d'un bond en suffoquant et croisa le regard sévère de Raphaël.

— Je t'avais dit de ne pas t'approcher de lui, siffla-t-il.

Il s'agenouilla près de Simon qui se tordait par terre, roulé en boule. Clary réprima un sanglot.

— Il ne me reconnaît pas !

— Si, il sait qui tu es. Mais il s'en moque.

Raphaël jeta un coup d'œil à Jace par-dessus son épaule.

— Il est affamé. Il lui faut du sang.

Jace, qui se tenait immobile près de la tombe éventrée, le visage livide, s'avança et lui tendit sans un mot le sac en plastique. Raphaël le lui arracha des mains et l'ouvrit d'un geste brusque. Plusieurs sachets remplis d'un liquide rouge en tombèrent. Il en saisit un, le déchira à la hâte en éclaboussant sa chemise blanche, déjà tachée de terre.

Comme s'il avait senti l'odeur du sang, Simon se recroquevilla avec un gémissement pitoyable. Il lacéra la terre de ses ongles en roulant des yeux tandis que Raphaël approchait le sachet de sa bouche et laissait couler le liquide rouge sur son visage blême.

— Tiens, dit le vampire d'une voix presque caressante. Bois, mon petit. Bois.

Et Simon, qui était végétarien depuis l'âge de dix ans, ne buvait que du lait bio et défaillait à la vue d'une seringue, arracha le sachet des mains de Raphaël et engloutit son contenu en quelques gorgées avant de le jeter au loin avec un autre geignement. Raphaël en avait déjà préparé un deuxième, qu'il lui glissa dans la main.

— Pas trop vite ! lui dit-il. Tu vas te rendre malade.

Bien entendu, Simon ignora son conseil. Il réussit à ouvrir le deuxième sachet sans son aide et but goulûment, les yeux fermés. Du sang coula le long de son menton et de son cou ; de grosses gouttes écarlates tombèrent sur ses mains.

Clary vit que tous les regards convergeaient vers elle : ils exprimaient la même horreur, le même dégoût.

— La prochaine fois qu'il se nourrira, expliqua Raphaël avec calme, ce sera plus civilisé.

Clary se détourna et traversa la clairière en titubant. Elle entendit vaguement Jace l'appeler ; elle ne réagit pas. Arrivée à hauteur des arbres, elle se mit à courir. Elle avait presque atteint les rochers quand un élancement la força à s'arrêter. Elle tomba à genoux, eut un haut-le-cœur et vomit un flot de bile.

Quand ce fut fini, elle rampa sur quelques mètres, puis se laissa tomber. Elle avait dû s'affaler sur une tombe, mais cela n'avait aucune importance. Elle colla sa joue brûlante contre la terre glacée et pensa, pour la première fois de sa vie, que les morts n'étaient peut-être pas à plaindre, en fin de compte.

11
Fumée et acier

Le service des soins intensifs de l'hôpital évoquait toujours à Clary des photos qu'elle avait vues de l'Antarctique : l'endroit était glacial, lui semblait aussi lointain, et tout y était gris, blanc ou bleu pâle. Les murs de la chambre étaient blancs, les moniteurs qui bipaient sans cesse autour du lit, gris, et la couverture ramenée sur la poitrine de sa mère était bleu pâle. Son visage aussi était blanc comme de la craie. La seule touche de couleur dans la pièce était sa chevelure rousse étalée sur l'oreiller neigeux telle une bannière éclatante et incongrue plantée au centre du pôle Sud.

Clary se demanda comment Luke se débrouillait pour payer une chambre individuelle. Elle se promit de lui poser la question quand il reviendrait d'une de ses visites à la petite cafétéria sinistre du troisième étage. Le café délivré par le distributeur avait le goût et l'aspect du goudron, mais apparemment Luke avait une passion pour cette mixture.

Les pieds en métal de la chaise crissèrent quand Clary s'assit en lissant sa jupe sur ses genoux. À chaque fois qu'elle venait voir sa mère ici, elle se sentait nerveuse et avait la bouche sèche comme si elle s'attendait à se faire réprimander. Peut-être parce que le visage de Jocelyne avait la même expression figée que lorsqu'elle était sur le point d'exploser de rage.

— Maman, chuchota Clary en se penchant pour prendre sa main.

Celle-ci, toujours constellée de taches de peinture et de térébenthine, était sèche comme l'écorce d'un arbre. Clary serra les doigts de sa mère et sentit une boule se former dans sa gorge.

— Maman, reprit-elle après s'être éclairci la voix, Luke prétend que tu peux m'entendre. Je ne sais pas s'il a raison. Bref, je suis venue te voir parce que j'avais besoin de te parler. Ce n'est pas grave si tu ne peux pas répondre. En fait, c'est...

Elle s'interrompit et fixa la bande de ciel bleu au-delà du mur en brique qui faisait face à l'hôpital.

— C'est Simon. Il lui est arrivé quelque chose d'horrible par ma faute.

Et, sans regarder sa mère, Clary raconta toute l'histoire d'une traite : sa rencontre avec Jace et les autres Chasseurs d'Ombres, la quête de la Coupe Mortelle, la trahison de Hodge et la bataille de Renwick, la découverte que Valentin était son père et celui de Jace. Elle n'omit pas les événements plus récents : leur visite nocturne à la Cité des Os, le vol de l'Épée de Vérité, la haine que l'Inquisitrice vouait à Jace, et l'inconnue aux cheveux argentés. Puis elle décrivit la Cour des Lumières, parla du prix qu'avait exigé la reine, et de ce qui était arrivé à Simon par la suite. Des sanglots lui nouaient la gorge, mais elle éprouvait un réel soulagement à se décharger de ce fardeau, même si celle qui gisait là ne pouvait sans doute pas l'entendre.

— En résumé, conclut-elle, j'ai tout fichu par terre. Je me souviens de t'avoir entendue dire un jour que grandir, c'est regarder en arrière et regretter de ne pas pouvoir changer le passé. Eh bien, ça signifie que j'ai grandi, maman. Seulement… (Clary ravala ses larmes.) J'aurais voulu que tu sois là pour m'épauler, pensa-t-elle sans l'exprimer.

À cet instant, quelqu'un se racla la gorge dans son dos. En se retournant, elle vit Luke debout sur le seuil, un gobelet à la main. Sous les néons de l'hôpital, elle découvrait à quel point il était fatigué. Ses cheveux avaient blanchi, et sa chemise en flanelle bleue était toute froissée.

— Depuis combien de temps tu es là ?

— Je viens d'arriver. Je t'ai pris un café.

Il lui tendit le gobelet, qu'elle refusa d'un geste.

— Je déteste ce truc-là. Il a un goût de chaussettes.

Luke sourit.

— Ah bon, parce que tu sais quel goût ça a, des chaussettes ?

Clary se pencha pour embrasser la joue froide de sa mère.

— Au revoir, maman.

La camionnette bleue de Luke était garée dans le parking sous l'hôpital. Luke attendit de s'engager sur l'autoroute pour prendre la parole.

— J'ai entendu ce que tu as dit à l'hôpital.

— Je savais bien que tu m'espionnais, lança Clary sans animosité.

Il n'y avait rien dans ce qu'elle avait raconté à sa mère qu'elle ne pouvait partager avec lui.

— Ce qui est arrivé à Simon, ce n'est pas ta faute.

Clary l'écoutait, mais ses mots semblaient rebondir sur elle comme si un mur invisible les séparait. Le même mur que Hodge avait élevé autour d'elle quand il l'avait trahie pour le compte de Valentin. Seulement, cette fois, aucun son, aucune sensation ne passait à travers. Clary avait l'impression d'être prisonnière d'un bloc de glace.

— Tu m'entends, Clary ?

— C'est gentil de me dire ça, mais évidemment que c'est ma faute.

— Pourquoi ? Parce qu'il était en colère contre toi quand il est entré dans cet hôtel ? Il n'est pas retourné là-bas à cause de ce qui s'était passé, Clary. Il obéissait sans doute à une impulsion incontrôlable, comme ceux qui sont en cours de mutation.

— C'est vrai, le sang de Raphaël coulait dans ses veines. Mais si je ne l'avais pas emmené à cette fête...

— Tu pensais que vous ne risquiez rien là-bas. Tu ne lui aurais jamais fait courir un danger inutile. Arrête de te torturer ! dit Luke en s'engageant sur le pont de Brooklyn.

En contrebas, les eaux grises du fleuve avaient des reflets argent. Clary se recroquevilla sur son siège et enfouit les mains dans les manches effilochées de son pull.

— Écoute, reprit Luke. Le jour même où j'ai connu Simon, j'ai compris qu'il n'avait qu'un seul souhait dans la vie. Et il s'est toujours démené comme un beau diable pour le réaliser !

— Quel souhait ?

— Être à tes côtés. Tu te souviens de la fois où tu t'es cassé le bras en tombant d'un arbre à la ferme ? Tu avais quoi, dix ans ? Il voulait monter dans l'ambulance qui t'emmenait à l'hôpital ; il a crié et tapé du pied jusqu'à ce que les infirmiers cèdent.

— Tu riais, murmura Clary, et maman t'a donné une tape sur l'épaule.

— Difficile de garder son sérieux ! Une détermination pareille chez un gamin de dix ans, ça vaut le coup d'œil ! On aurait dit un pitbull.

— Un pitbull à lunettes, allergique au pollen…

— Ce genre de loyauté n'a pas de prix, observa gravement Luke.

— Je sais. N'en rajoute pas, je me sens assez mal comme ça.

— Clary, ce que j'essaie de t'expliquer, c'est que ses décisions lui appartiennent. Tu te reproches d'être ce que tu es. Ce n'est la faute de personne, et tu ne peux rien y changer. Tu as été honnête avec lui, et ensuite il a fait ce qu'il a voulu. Tout le monde doit faire des choix ; ça, personne n'a le droit de nous l'enlever. Même par amour.

— Justement, objecta Clary. Quand on aime quelqu'un, on n'a pas le choix.

Elle se rappela à quel point son cœur s'était serré quand Isabelle avait appelé pour l'informer de la disparition de Jace. Elle avait quitté la maison sans une seconde d'hésitation.

— L'amour ne donne pas d'alternative.

— Souvent, ça vaut mieux.

Luke prit la direction de Flatbush. Clary ne réagit pas à sa remarque et regarda par la vitre. Le secteur aux abords du pont n'était pas le plus joli de Brooklyn ; des deux côtés, l'avenue était bordée d'immeubles de bureaux monstrueux et de stations-service. En temps normal, elle détestait ce coin-là, cependant, en ce moment même, le paysage s'accordait à son humeur.

— Au fait, tu as des nouvelles de... ? commença Luke.

Apparemment, il venait de décider qu'il était temps de changer de sujet.

— Simon ? Oui, tu le sais bien.

— En fait, je parlais de Jace.

— Oh.

Jace avait laissé plusieurs messages sur son portable. Elle n'avait pas décroché ni cherché à le rappeler. En refusant de lui parler, elle se punissait de ce qui était arrivé à Simon. C'était le pire châtiment qu'elle avait trouvé.

— Non, pas de nouvelles.

— Tu devrais peut-être lui téléphoner, suggéra Luke d'un ton prudent. Juste pour t'assurer qu'il va bien. Il traverse sans doute une mauvaise passe, étant donné...

Clary se tortilla sur son siège.

— Je croyais que tu avais fait ton enquête auprès de Magnus. Je t'ai entendu lui parler de Valentin et de cette histoire d'épée. Je suis sûre que si Jace n'allait pas bien, il te le ferait savoir.

— Magnus est capable de me rassurer sur la santé

de Jace. En revanche, en ce qui concerne son état d'esprit...

— Laisse tomber. Je n'ai pas l'intention d'appeler Jace, coupa Clary d'un ton qui la surprit elle-même. C'est Simon qui a besoin de moi en ce moment. Lui non plus ne va pas fort.

Luke soupira.

— S'il a des problèmes pour s'adapter à sa nouvelle condition, il devrait peut-être...

— Bien sûr qu'il a des problèmes ! s'écria Clary en jetant un regard accusateur à Luke, qui ne s'en aperçut pas, concentré sur le trafic. Toi le premier, tu devrais savoir ce que c'est, de...

— De se réveiller du jour au lendemain dans la peau d'un monstre ?

La voix de Luke trahissait plus la lassitude que l'amertume.

— Oui, tu as raison. Et si jamais il éprouve le besoin de me parler, je serais ravi de lui donner mon avis sur la question. Il s'en remettra, même si pour l'instant il est persuadé du contraire.

Clary cligna des yeux, éblouie par le soleil couchant qui se reflétait dans le rétroviseur.

— Ce n'est pas la même chose ! Toi au moins, tu as grandi dans l'idée que les loups-garous existaient vraiment. Lui, avant de pouvoir confier à un proche qu'il est un vampire, il devra le convaincre que ces créatures n'appartiennent pas à la légende.

Luke parut sur le point de protester, puis se ravisa.

— Tu as certainement raison.

Ils venaient d'entrer dans Williamsburg et traversaient Kent Avenue, bordée de part et d'autre d'entrepôts, à moitié déserte.

— Toujours est-il que j'ai quelque chose pour lui, juste au cas où... C'est là-dedans.

Clary ouvrit la boîte à gants et en sortit une brochure en papier glacé, du genre de celles qu'on trouve sur les présentoirs des salles d'attente à l'hôpital.

— *Comment faire ton* coming out *auprès de tes parents ?* lut-elle à haute voix. Luke ! Ne sois pas ridicule. Simon n'est pas gay, c'est un vampire.

— Je sais, mais cette brochure explique comment avouer à tes parents une vérité difficile, qu'ils ne sont pas prêts à affronter. Peut-être qu'en adaptant certains conseils à son cas...

— Luke !

Clary avait crié si fort qu'il freina brutalement dans un crissement de pneus. Ils étaient arrivés devant chez lui. Les eaux noires de l'East River scintillaient à leur gauche ; le ciel gris cendre s'assombrissait.

Ils sursautèrent en apercevant une silhouette recroquevillée sous le porche.

Luke plissa les yeux : si, en devenant loup, il avait une vue parfaite, sous sa forme humaine il n'y voyait pas grand-chose.

— Est-ce que c'est... ?

— Oui, c'est Simon.

Clary l'aurait reconnu même dans le noir.

— Je ferais mieux d'aller lui parler, dit-elle.

— D'accord. Je vais... euh... faire un tour. J'ai des bricoles à acheter.

— Quoi ?

Luke lui fit signe de descendre de la camionnette.

— Des provisions. J'en ai pour une demi-heure. Ne restez pas dehors, d'accord ? Entrez à la maison et enfermez-vous.

— Oui, ne t'inquiète pas.

Clary regarda le pick-up s'éloigner, puis se dirigea vers la maison, le cœur battant. Elle avait eu Simon au téléphone à quelques reprises, mais ne l'avait pas revu depuis qu'ils l'avaient ramené chez Luke, groggy et couvert de sang, dans les premières heures de cette matinée horrible, pour le laver avant de le reconduire chez lui. Elle aurait préféré l'emmener à l'Institut, ce qui, bien entendu, était impossible. Simon ne verrait plus jamais l'intérieur d'une église ni d'une synagogue.

Elle l'avait regardé suivre l'allée menant à sa porte, les épaules voûtées comme s'il marchait contre un vent violent. Quand la lumière du porche s'était allumée, il avait tressailli en se protégeant d'instinct les yeux. Clary s'était mise à pleurer en silence à l'arrière de la camionnette, inondant de larmes l'étrange Marque noire qui ornait son avant-bras. « Clary », avait murmuré Jace en faisant mine de lui prendre la main, et elle avait eu le même mouvement de recul que Simon face à la lumière.

Elle ne le toucherait plus jamais. C'était sa punition, le prix à payer pour ce qu'elle avait fait subir à Simon.

À présent, en gravissant les marches du porche, elle avait la bouche sèche et la gorge nouée. Elle ravala ses larmes pour ne pas saper le moral de Simon.

Il l'observait : elle vit ses yeux étinceler dans la pénombre et se demanda s'ils brillaient du même éclat auparavant. Difficile de se souvenir.

— Simon ?

Il se leva d'un mouvement gracieux qui lui donna la chair de poule. Si un adjectif ne s'était jamais appliqué à Simon jusque-là, c'était bien « gracieux ». Il avait changé.

— Désolé si je t'ai fait peur, lança-t-il d'un ton impassible, comme s'ils étaient deux étrangers.

— Ce n'est rien, c'est juste… Ça fait longtemps que tu es là ?

— Non. Je ne peux pas sortir avant le coucher du soleil, tu te souviens ? Hier, j'ai approché la main de la fenêtre par mégarde, et mes doigts ont failli partir en fumée. Heureusement, je cicatrise vite.

Clary chercha sa clé, l'introduisit dans la serrure et ouvrit grand la porte. Un rayon de lumière éclaira le porche.

— Luke a dit qu'on devait rester dedans.

— Oui, on ne sait jamais, avec toutes ces créatures malfaisantes qui rôdent la nuit, ironisa Simon en la précédant.

La maison baignait dans une clarté vive et réconfortante. Clary ferma la porte derrière elle et tira le verrou. Le manteau bleu d'Isabelle était toujours suspendu dans l'entrée. Elle avait prévu de le porter à la teinturerie dans l'espoir qu'on viendrait à bout des taches de sang, mais elle n'avait pas encore eu le temps de s'en occuper. Elle le fixa quelques instants et rassembla son courage avant d'affronter le regard de Simon.

Il se tenait au milieu du salon, les mains enfoncées dans les poches de sa veste. Il portait un jean et un tee-shirt élimé arborant l'inscription « I ❤ NEW YORK », qui appartenait à son père. Tout en lui était familier, et pourtant Clary avait l'impression d'être en présence d'un étranger.

— Tes lunettes ! s'exclama-t-elle, comprenant soudain ce qui l'avait chiffonnée quand elle l'avait aperçu en arrivant. Tu ne les as pas retrouvées ?

— Tu as déjà vu un vampire avec des lunettes ?

— Euh... non, mais...

— Je n'en ai plus besoin. Apparemment, nous autres, on a de bons yeux, ça fait partie de la panoplie.

Simon s'installa sur le canapé, et Clary l'imita, évitant toutefois de s'asseoir trop près de lui. À cette distance, elle constata qu'il était très pâle et qu'un réseau de veines bleues se voyait à travers sa peau. Sans les lunettes, ses yeux bordés d'une frange de longs cils noirs paraissaient immenses, et plus sombres que jamais.

— Évidemment, je suis obligé de les porter à la maison pour ne pas inquiéter ma mère. Je vais devoir lui dire que je suis passé aux lentilles de contact.

— Tu vas devoir lui dire tout court, grommela Clary. Tu ne peux pas mentir éternellement sur... sur ton état.

— Je peux continuer pendant quelque temps.

Il se passa la main dans les cheveux avec une grimace angoissée.

— Clary, qu'est-ce que je vais faire ? Ma mère continue à m'apporter mes repas, et je suis obligé de les balancer par la fenêtre. Je n'ai pas mis le nez dehors depuis deux jours ! Je ne sais pas combien de temps je vais pouvoir tenir avec cette histoire de rhume. Elle va faire venir le médecin, et là, hein ? Je n'ai pas de pouls ! Il va lui dire que je suis mort.

— Ou te répertorier dans les miracles de la science, plaisanta Clary.

— Ce n'est pas drôle.

— Je sais, je voulais seulement...

— Je suis obsédé par le sang. J'en rêve dès que je ferme l'œil. J'y pense en me réveillant. À ce train-là, je vais finir par écrire de la poésie morbide, genre ado torturé.

— Et les flacons que Magnus t'a donnés ? Il t'en reste, n'est-ce pas ?

— Oui, trois. Je les garde dans mon mini-frigo. Mais qu'est-ce qui se passera quand je n'en aurai plus ?

— Ça n'arrivera pas. On t'en procurera d'autres, dit Clary en s'efforçant d'avoir l'air convaincant.

Elle pourrait toujours rendre visite au fournisseur local de Magnus, qui l'approvisionnait en sang d'agneau, mais cette idée la mettait mal à l'aise.

— Écoute, Simon, Luke pense que tu devrais en parler à ta mère. Tu ne réussiras pas à le lui cacher indéfiniment.

— Ça ne m'empêchera pas d'essayer.

— Regarde Luke, l'implora Clary. Il mène une vie presque normale.

— Et nous, tu y as pensé ? Tu veux d'un vampire pour petit ami ?

Simon partit d'un rire amer.

— Imagine nos beaux pique-niques romantiques : toi et ton verre d'eau pétillante, moi et mon verre d'O négatif.

— Tu n'as qu'à voir ça comme un handicap ! Il te faudra juste organiser ta vie différemment. Beaucoup de personnes y parviennent.

— Pas sûr que j'entre encore dans cette catégorie. Je ne suis plus une personne.

— Pour moi, si. Et puis, l'humanité, c'est surfait.

— Au moins, Jace ne pourra plus m'appeler « Terrestre ». C'est quoi, ce truc ? demanda Simon en remarquant la brochure qu'elle tenait encore à la main.

— Oh, ça...

Clary brandit le prospectus sous son nez. Il écarquilla les yeux.

— Tu as quelque chose à m'annoncer ?

— C'est pour toi. Tiens.

— Je n'ai pas besoin de faire mon *coming out* auprès de ma mère ! Elle croit déjà que je suis gay, parce que je ne m'intéresse pas au sport et que je n'ai pas eu de copine sérieuse jusqu'à maintenant. Enfin, pas à sa connaissance.

— Mais il faut que tu fasses ton *coming out* de vampire. Luke pense que tu pourrais peut-être... tu sais... utiliser les arguments proposés dans la brochure en remplaçant « homosexuel » par...

— OK, j'ai compris, j'ai compris. Allez, je vais m'entraîner sur toi.

Il s'éclaircit la voix et commença à lire.

— « Maman. J'ai quelque chose à t'annoncer. Voilà, je suis un vampire. Je sais, tu as peut-être des idées préconçues sur nous. Je comprends que cette révélation te mette mal à l'aise. Mais je tiens à te rassurer, les vampires sont des êtres humains comme toi et moi. »

Il s'interrompit.

— Là, ça coince un peu.

— Simon !

— D'accord, je continue. « La première chose que tu dois comprendre, c'est que je reste le même, quoi qu'il advienne. Ma condition de vampire n'est pas ce qui me caractérise en priorité, elle fait simplement partie de moi-même. La deuxième chose que tu dois savoir, c'est que ce n'est pas un choix. Je suis né comme ça. »

Simon lança un coup d'œil à Clary par-dessus la brochure.

— Mort comme ça, plutôt.

Clary poussa un soupir.

— Tu n'essaies même pas !

— Au moins, je pourrai lui annoncer que vous m'avez enterré dans un cimetière juif, déclara Simon en abandonnant la brochure sur le canapé. Peut-être que je devrais commencer par ma sœur.

— Si tu veux, je viendrai avec toi pour t'aider à leur expliquer.

Simon posa sur elle un regard surpris, et derrière sa carapace de sarcasme qui se fissurait elle lut de la peur.

— Tu ferais ça pour moi ? souffla-t-il.

Clary allait répondre quand un crissement de pneus leur parvint du dehors, suivi d'un bruit de verre brisé. Elle se leva d'un bond et courut à la fenêtre, Simon sur les talons. Elle écarta le rideau et scruta l'obscurité.

Le pick-up de Luke était garé sur la pelouse, le moteur en marche. Des traces noires de caoutchouc brûlé étaient visibles sur le trottoir. L'un des phares éclairait la rue ; l'autre avait volé en éclats. Une tache sombre se découpait sur la calandre du véhicule, et une forme blanche, inerte, recroquevillée sur elle-même gisait sous les pneus avant. Clary sentit son estomac se nouer : Luke venait-il de renverser quelqu'un ? Non, c'était impossible. Elle s'empressa de faire le vide dans son esprit pour effacer le charme qui obstruait sa vue comme de la saleté sur une vitre. La chose coincée sous le châssis de Luke n'était pas humaine. On aurait dit une grosse larve blanche qui se tortillait tel un ver accroché à un hameçon.

La portière du conducteur s'ouvrit à la volée, et Luke sauta au bas de la camionnette. Sans se préoccuper de la créature prise au piège sous les roues, il traversa la pelouse au pas de course. Suivant son regard, Clary distingua dans la pénombre du porche une silhouette étendue de tout son long. Là, il s'agissait bien d'un être humain : une jeune fille de petite taille avec des cheveux tressés.

— C'est Maia, la fille loup-garou. Qu'est-ce qui lui est arrivé ? s'étonna Simon.

— Je n'en sais rien.

Clary alla prendre sa stèle sur une étagère. Les deux adolescents dévalèrent les marches du perron et se précipitèrent vers Luke qui, accroupi à côté de Maia, la souleva par les épaules pour l'appuyer doucement contre le mur. Clary vit que son tee-shirt était déchiré et qu'un filet de sang coulait de son épaule.

À quelques pas de Maia, Simon s'arrêta net et Clary manqua trébucher sur lui. Elle laissa échapper un hoquet de surprise et lui jeta un regard noir avant de comprendre que c'était le sang qui l'avait fait reculer. Il avait peur de regarder.

— Elle va bien, dit Luke.

Maia dodelina de la tête en gémissant de douleur. Il lui administra une petite claque sur la joue, et elle ouvrit les yeux.

— Maia, tu m'entends ?

Elle hocha la tête d'un air hébété.

— Luke ? Qu'est-ce qui s'est passé ? Mon épaule...

— Allez, je t'emmène à l'intérieur.

Quand il la prit dans ses bras, Clary se souvint qu'elle l'avait toujours trouvé étonnamment robuste pour un libraire. Elle mettait cela sur le compte des cartons de livres qu'il portait à longueur de journée.

— Clary, Simon ! Venez.

Ils suivirent Luke à l'intérieur. Il déposa la blessée sur le canapé en velours gris élimé, puis les envoya chercher une couverture et une serviette humide. En revenant, Clary trouva Maia adossée aux coussins. L'air fiévreux, elle parlait à Luke avec agitation.

— Je traversais la pelouse quand... j'ai senti une odeur de pourriture. J'ai tourné la tête, et c'est là qu'on m'a frappée...

— Qui t'a frappée ? demanda Clary en tendant la serviette à Luke.

Maia fronça les sourcils.

— Je n'ai pas vu ce que c'était. Je suis tombée à la renverse... Je n'ai pas vu le coup venir, c'était trop rapide...

— Moi, je l'ai vu, dit Luke. J'arrivais en voiture quand tu as traversé la pelouse... Il a surgi de la pénombre. J'ai tenté de te mettre en garde, mais tu ne m'as pas entendu. C'est là qu'il t'a frappée.

— Qui ça, il ? demanda Clary.

— Un Drevak, répondit Luke d'un ton lugubre. Ces démons-là sont aveugles : ils flairent leurs victimes. Je l'ai embouti avec ma camionnette.

Clary regarda le pick-up par la fenêtre. La chose qui se tortillait sous ses roues avait disparu. Rien de surprenant à cela : les démons regagnaient toujours leur dimension en mourant.

— Pourquoi en avait-il après Maia ?

Soudain, une pensée lui traversa l'esprit.

— Tu penses que c'est Valentin qui cherchait du sang de loup-garou pour accomplir son rituel ? chuchota-t-elle. La dernière fois, il a été interrompu...

— Je ne crois pas, répondit Luke à son étonnement. Les Drevaks ne sont pas des suceurs de sang. Par ailleurs, ces créatures n'auraient pas pu causer le genre de destruction que tu as vue à la Cité Silencieuse. Ce sont en général des espions et des messagers. À mon avis, Maia s'est simplement mise en travers de son chemin.

Il se pencha pour examiner la jeune fille, qui gémissait doucement, les yeux clos.

— Tu peux remonter ta manche, que je jette un coup d'œil sur ta blessure ?

Maia se mordit la lèvre et s'exécuta. Il y avait une grosse entaille juste en dessous de son épaule. Le sang y formait déjà une croûte. Clary constata avec un haut-le-cœur que les bords de la blessure étaient hérissés de piquants noirs qui saillaient de façon grotesque.

Maia considéra son bras d'un air horrifié.

— Qu'est-ce que c'est que ces trucs ?

— Les Drevaks n'ont pas de dents ; en revanche, ils ont des épines empoisonnées à l'intérieur de la bouche. Celles-ci se sont cassées.

Maia se mit à claquer des dents.

— Empoisonnées ? Je vais mourir ?

— Pas si on agit vite, la rassura Luke. Je vais les ôter, et ça risque d'être douloureux. Tu crois que tu peux tenir le coup ?

Une grimace tordit le visage de Maia. Elle parvint à hocher la tête.

— Enlève-les.

— Enlever quoi ? s'enquit Simon, qui venait d'entrer dans la pièce avec une couverture sous le bras.

Découvrant la blessure de Maia, il fit tomber la couverture par terre et recula.

— Qu'est-ce que c'est que ça ?

— On ne supporte pas la vue du sang, Terrestre ? lança Maia avec un petit sourire en coin. Aïe, ça fait mal !

— Je sais, dit Luke, qui enveloppait délicatement son avant-bras dans une serviette.

Il tira un couteau de sa ceinture. Maia ferma les yeux.

— Fais ce que tu as à faire, murmura-t-elle. Seulement... je ne veux pas que les autres regardent.

— Je comprends.

Luke fit signe à Clary et à Simon.

— À la cuisine, vous deux ! Appelez l'Institut.

Expliquez-leur ce qui s'est passé et demandez du renfort. Puisqu'ils ne peuvent pas nous envoyer un Frère, qu'ils dépêchent, de préférence, quelqu'un qui a des rudiments de médecine, ou encore un sorcier.

Simon et Clary le dévisagèrent d'un air hébété, impressionnés par la vue du couteau et du bras de Maia qui virait peu à peu au violet.

— Vite ! les pressa Luke.

Cette fois, ils obéirent.

12

La cruauté des rêves

Simon regarda Clary s'adosser au réfrigérateur en se mordant la lèvre ; elle le faisait toujours quand elle était nerveuse. Souvent, il oubliait à quel point elle était petite, menue et vulnérable, mais dans des moments comme celui-ci, où il avait envie de la prendre dans ses bras, il se retenait de la toucher par peur de l'étreindre trop fort, surtout depuis qu'il ne mesurait plus sa force.

Jace, lui, ne s'embarrassait pas de ce genre d'appréhension, aucun doute là-dessus. Le cœur serré, Simon le revit prendre Clary dans ses bras et l'embrasser avec fougue. Il la tenait fermement contre lui au risque de lui briser les os, comme s'il voulait se fondre en elle.

Même si, en réalité, Clary était beaucoup plus robuste que ne le croyait Simon – c'était une Chasseuse d'Ombres, avec tout ce que cela impliquait –, le lien qu'ils avaient tissé était toujours aussi fragile que la flamme d'une bougie. Simon n'ignorait pas que si ce lien se rompait, quelque chose en lui se briserait irrémédiablement.

La voix de Clary le tira de sa rêverie.

— Simon, tu m'écoutes ?

— Quoi ? Oui, bien sûr.

Il s'appuya à l'évier en s'efforçant de prendre l'air attentif. Le robinet qui gouttait détourna de nouveau son attention pendant quelques instants : chaque goutte d'eau semblait hésiter avant de tomber, parfaite comme une larme. La vision d'un vampire était une chose étrange. Il était sans arrêt distrait par mille et un détails insignifiants – le miroitement de l'eau, une fissure dans le trottoir recelant quelque mauvaise herbe, le lustre d'une tache d'huile sur la route – comme s'il les voyait pour la première fois.

— Simon ! répéta Clary, exaspérée en lui tendant son téléphone.

— Tu as entendu ? Je veux que tu appelles Jace.

Simon retrouva immédiatement ses esprits.

— Quoi ? Mais il me déteste !

— Non, ce n'est pas vrai.

Il comprit à son regard qu'elle-même n'en était pas tout à fait convaincue.

— De toute façon, je n'ai pas envie de lui parler. Je t'en prie !

— D'accord.

Il lui prit le portable des mains et chercha le nom de Jace dans le répertoire.

— Qu'est-ce que je dois lui dire ?

— Raconte-lui juste ce qu'il s'est passé. Il saura quoi faire.

Jace décrocha, hors d'haleine, à la troisième sonnerie.

— Clary ! s'écria-t-il, faisant sursauter Simon qui, l'espace d'un instant, avait oublié que le nom de Clary avait dû s'inscrire sur l'écran du téléphone de Jace. Clary, tu vas bien ?

Simon hésita. Il y avait dans la voix de Jace une inflexion nouvelle, qu'il ne lui connaissait pas, une inquiétude sincère dénuée de sarcasme ou de défiance. Était-ce ainsi qu'il parlait à Clary lorsqu'ils étaient seuls ? Simon lui jeta un regard en coin : elle le fixait de ses grands yeux verts en mordillant nerveusement l'ongle de son index.

— Clary, répéta Jace. Je croyais que tu m'évitais...

La fureur s'empara de Simon. « Tu es son frère, c'est tout, avait-il envie de crier. Elle ne t'appartient pas. Tu n'as pas le droit de prendre ce ton si... si... »

Malheureux. C'était le mot qui convenait. Jace avait la voix de quelqu'un qui avait le cœur brisé, bien qu'il ne soit jamais venu à l'esprit de Simon qu'il puisse avoir un cœur.

— C'est toujours d'actualité, répondit-il. Simon à l'appareil.

Un silence interminable suivit ses mots. Il se demanda si Jace n'avait pas raccroché.

— Allô ?

— Je suis là, dit son interlocuteur d'un ton cassant qui ne trahissait plus aucune vulnérabilité. Si tu m'appelles juste pour bavarder, Terrestre, tu dois être encore plus seul que je ne l'imaginais.

— Crois-moi, je ne t'appellerais pas si j'avais le choix. Je fais ça pour Clary.

— Elle va bien ? S'il lui est arrivé quelque chose...

— Ça va, répliqua Simon en s'efforçant de contenir sa colère.

Il fit à Jace un compte rendu aussi bref que possible

des événements de la nuit et de l'état de Maia. Le Chasseur d'Ombres attendit qu'il ait terminé, puis lui donna quelques consignes laconiques. Simon l'entendait comme à travers un brouillard ; il se surprit à hocher la tête. Il reprit la parole, mais le silence lui répondit : Jace avait raccroché. Sans un mot, il éteignit le téléphone avant de le rendre à sa propriétaire.

— Il arrive.

Clary s'affaissa contre l'évier.

— Maintenant ?

— Oui. Alec et Magnus viennent avec lui.

— Magnus ? répéta-t-elle, interdite, puis : Oh, c'est vrai, Jace est chez Magnus, j'avais oublié...

Un cri déchirant l'interrompit. Ses yeux s'agrandirent d'effroi.

— Tout va bien, dit Simon d'un ton qui se voulait rassurant. Luke ne ferait pas de mal à Maia.

— Il n'a pas le choix, dit Clary en secouant la tête. C'est toujours la même rengaine, ces temps-ci : il n'y a jamais le choix.

Maia poussa un autre hurlement, et Clary s'agrippa au comptoir de la cuisine comme si c'était elle qui souffrait.

— Ras le bol ! s'écria-t-elle soudain. J'en ai assez, d'avoir peur, de me sentir traquée en permanence, de me demander sans cesse qui sera le prochain blessé. J'aimerais que tout redevienne comme avant !

— C'est impossible, murmura Simon. Toi, au moins, tu peux encore sortir la journée.

Clary se tourna vers lui, navrée.

— Oh, Simon, je ne voulais pas...

— Je sais.

Il battit en retraite avec la tête de quelqu'un qui a une arête coincée dans la gorge.

— Je vais voir où ils en sont.

Pendant une fraction de seconde, elle envisagea de le suivre, mais elle se ravisa et le laissa sortir de la cuisine sans protester.

Dans le salon, toutes les lumières étaient allumées. Maia gisait sur le canapé, les yeux fermés, le visage cendreux, la couverture ramenée sur la poitrine. Elle pressait contre son bras un bout d'étoffe taché de sang.

— Où est Luke ? demanda Simon.

Il fit la grimace, conscient d'avoir parlé d'un ton un peu trop brusque. Elle faisait peine à voir, avec ses yeux cernés et sa bouche crispée de douleur.

— Luke est sorti déplacer la camionnette, répondit-elle tout bas. Il s'inquiétait au sujet des voisins.

Simon jeta un coup d'œil par la fenêtre. Il vit le faisceau des phares balayer la façade de la maison tandis que Luke manœuvrait le pick-up dans l'allée.

— Et toi, ça va mieux ? Il t'a enlevé ces machins du bras ?

Elle hocha mollement la tête.

— Je suis juste très fatiguée. Et j'ai soif.

— Je vais te chercher de l'eau.

Il y avait un pichet et des verres sur le buffet. Simon remplit un verre d'eau tiède et l'apporta à Maia. Ses mains tremblaient un peu, et quelques gouttes tombèrent quand elle lui prit le verre des mains. Elle leva la tête et s'apprêtait à le remercier quand leurs doigts se frôlèrent. Elle tressaillit, le verre lui glissa des mains, alla heurter le bord de la table basse et vola en éclats tandis que l'eau se répandait sur le plancher.

— Maia ? Tu te sens bien ?

Elle recula contre les coussins, les lèvres retroussées sur ses canines. Ses yeux étaient maintenant d'un jaune étincelant. Un bruit sourd s'échappa de sa gorge, tel le grognement d'un chien aux abois.

— Maia ? répéta Simon, abasourdi. Qu'est-ce que tu as ?

— Vampire ! hurla-t-elle.

Simon sursauta comme si elle l'avait giflé.

— Maia…

— Je croyais que tu étais humain ! Mais, en réalité, tu es un monstre. Une sangsue.

— Je suis un être humain, protesta-t-il, l'esprit brumeux, le cœur au bord des lèvres. Enfin, je l'étais jusqu'à il y a quelques jours. J'ai été mordu. Comme toi…

— Je t'interdis de te comparer à moi !

Elle s'était redressée tant bien que mal et dardait sur lui ses yeux brûlant de haine et de dégoût.

— Moi, je suis encore en vie… Toi, tu n'es qu'un mort qui se nourrit du sang des autres.

— Du sang d'animaux…

— Oui, parce que tu n'as pas le droit de goûter à celui des hommes, sans quoi les Chasseurs d'Ombres te brûleraient vif !

— Maia… gémit-il d'un ton mi-suppliant, mi furieux en faisant un pas vers elle.

Elle lança son bras et de ses griffes longues comme des poignards elle lui lacéra la joue. Il chancela en portant la main à son visage, sentit un goût de sang sur ses lèvres… Son estomac se mit à gargouiller.

Maia s'accroupit sur le canapé ; un grondement s'échappa de sa gorge tandis qu'elle découvrait de longs crocs pointus. Elle avait lâché le bout d'étoffe ensanglanté qui lui enveloppait le bras, et Simon vit le sang perler sur les marques laissées par les piquants.

Une douleur fulgurante dans sa lèvre inférieure l'avertit que ses canines venaient de transpercer ses gencives. Une part de lui-même avait envie de se jeter sur elle et de la plaquer au sol pour s'abreuver de son sang tiède, mais tout son être hurlait d'effroi. Il recula d'un pas, puis d'un autre, les bras tendus comme pour la tenir à distance.

Maia se préparait à bondir quand la porte de la cuisine s'ouvrit à la volée et Clary fit irruption dans la pièce. Elle s'élança et atterrit sur la table basse avec l'agilité d'un chat. Elle brandissait une dague recourbée, qui frôla les cheveux de Maia avant de s'enfoncer jusqu'à la garde dans le velours gris du canapé. Avec un hoquet de surprise, la lycanthrope tenta de s'écarter, en vain : la dague avait cloué sa manche au coussin.

Cette arme appartenait à Luke. Après avoir entrouvert la porte de la cuisine et jeté un coup d'œil au salon, Clary avait foncé vers son bureau, où il gardait sa réserve d'armes personnelle. Elle n'avait pas le choix : Maia était peut-être malade et affaiblie, mais elle paraissait assez enragée pour attaquer Simon, et Clary ne doutait pas un instant de son potentiel de tueuse.

— Tu es folle, ou quoi ? s'exclama-t-elle, et le ton tranchant de sa voix la surprit elle-même. Loups-garous, vampires... vous êtes tous des Créatures Obscures !

— Les loups-garous ne s'en prennent pas aux gens. Les vampires, eux, sont des meurtriers. L'un d'eux a tué un garçon devant le Hunter's Moon l'autre soir...

— Ce n'était pas un vampire.

La certitude dans la voix de Clary fit blêmir Maia.

— Si vous cessiez de vous accuser les uns les autres dès qu'un événement survient dans le Monde Obscur, poursuivit Clary, peut-être que les Nephilim vous prendraient un peu plus au sérieux et qu'ils se décideraient à intervenir.

Elle se tourna vers Simon. Les vilaines estafilades sur sa joue étaient déjà en train de cicatriser.

— Tu vas bien ?

— Oui, répondit-il d'une voix à peine audible.

Devant la souffrance qu'elle lut dans ses yeux, elle réprima une envie furieuse de se jeter sur Maia.

— Tu as de la chance qu'il ne soit pas aussi sectaire que toi, dit-elle à la fille lycanthrope, sans quoi je me serais plainte auprès de l'Enclave, et la meute entière aurait payé pour ton comportement.

D'un geste brusque, elle arracha la dague du coussin, libérant la manche de Maia.

— Tu n'y es pas du tout ! se récria cette dernière. Les vampires sont infectés par des énergies démoniaques...

— Tout comme les lycanthropes ! Je ne suis peut-être pas très bien informée, mais ça, je le sais.

— C'est là le problème. Les énergies démoniaques altèrent notre nature ; tu peux considérer ça comme une maladie, peu importe. Les démons qui ont engendré les vampires et ceux qui ont créé les loups-garous étaient en guerre. Ils se détestaient, c'est donc dans notre sang de nous haïr. C'est pourquoi un vampire et un loup-garou ne seront jamais amis.

Elle jeta à Simon un regard noir.

— Bientôt, tu te mettras à me détester. Tu finiras aussi par détester Luke. C'est dans ta nature.

— Détester Luke ? lâcha Simon, le visage décomposé.

Avant que Clary ait pu le rassurer, la porte d'entrée s'ouvrit brusquement. Clary se retourna, s'attendant à voir Luke ; or, ce fut Jace qui entra, entièrement vêtu de noir, deux poignards séraphiques glissés dans sa ceinture. Derrière lui apparut Alec, puis Magnus, qui portait une longue cape virevoltante incrustée de strass.

Les yeux mordorés de Jace se posèrent aussitôt sur Clary. Si elle avait cru qu'il ferait profil bas, qu'il manifesterait de l'inquiétude ou encore de la honte après ce qui s'était passé, elle se trompait lourdement. Son visage ne trahissait que de la colère.

— Qu'est-ce que tu fabriques ? lança-t-il sans chercher à dissimuler son agacement.

Clary se rappela qu'elle était toujours perchée sur la table basse, la dague à la main. Elle réprima l'envie de la cacher derrière son dos.

— On a eu un petit problème, mais je m'en suis occupée.

— Vraiment ? fit Jace d'un ton lourd de sarcasme. Est-ce qu'au moins tu saurais manipuler ce couteau sans risquer ta vie ou celle d'un innocent, Clarissa ?

— Je n'ai blessé personne, grommela Clary.

— Elle s'est contentée de poignarder le canapé, intervint Maia d'une voix faible.

La fièvre empourprait ses joues, alors que le reste de son visage était d'une pâleur alarmante. Simon l'examina d'un air inquiet.

— J'ai l'impression que son état empire.

Magnus se racla la gorge et, comme Simon ne faisait pas mine de bouger, il dit avec humeur :

— Ôte tes fesses de là, Terrestre.

Puis il se dirigea vers la blessée en faisant voler les pans de sa cape.

— J'imagine que c'est toi, ma patiente ?

Il l'observa de derrière ses longs cils constellés de paillettes.

Maia lui lança un regard vague. Il lui tendit sa main chargée de bagues.

— Je m'appelle Magnus Bane, dit-il d'une voix rassurante.

Des étincelles bleues jaillirent de ses doigts et se mirent à danser entre eux comme des lucioles.

— Je suis le sorcier censé te soigner. On ne t'a pas prévenue de ma visite ?

— Je sais qui tu es, dit Maia d'une voix pâteuse, mais… mais… qu'est-ce que tu brilles !

Alec partit d'un ricanement, qu'il s'efforça de camoufler en toussant tandis que les mains délicates de Magnus tissaient un voile de magie bleue autour de la jeune lycanthrope.

Jace, lui, n'avait manifestement aucune envie de rire.

— Où est Luke ? demanda-t-il.

— Il est dehors, répondit Simon. Il gare la camionnette dans l'allée.

Alec et Jace échangèrent un bref regard.

— C'est drôle, observa Jace. Je ne l'ai pas vu en arrivant.

Clary sentit monter en elle les premiers signes de panique.

— Son pick-up n'était pas là ?

— Si, dit Alec. Devant la maison. Les phares étaient éteints.

À ces mots, même Magnus, dont l'attention était fixée sur Maia, leva la tête. À travers le voile d'enchantement qu'il avait tissé autour de lui et de sa patiente, ses traits semblaient flous, indistincts comme s'il se trouvait derrière un mur d'eau.

— Je n'aime pas ça, déclara-t-il d'une voix atone et lointaine. Après une attaque de Drevaks, il faut rester méfiant. Ils rôdent en bandes.

Jace porta la main à l'un de ses poignards séraphiques.

— Je vais aller vérifier. Alec, tu restes ici pour protéger la maison.

Clary s'avança vers lui.

— Je viens avec toi.

— Hors de question.

Il fonça vers la porte sans un regard pour elle. Clary bondit et lui barra le passage.

— Stop !

Pendant un instant, elle crut qu'il allait lui passer sur le corps, mais il s'arrêta et se pencha si près qu'elle sentit son souffle dans ses cheveux.

— S'il faut employer la force, je n'hésiterai pas, Clarissa.

— Arrête de m'appeler comme ça !

— Clary, reprit-il tout bas.

Il avait prononcé son nom d'une façon si intime qu'elle en eut la chair de poule.

L'or de ses yeux avait pris un éclat froid, métallique. Elle se demanda un instant s'il était vraiment capable de la frapper ou de la jeter à terre. La simple idée qu'il la touche lui fit monter le sang aux joues. Elle s'efforça de contenir l'émotion dans sa voix.

— C'est mon oncle, pas le tien...

— Ton oncle est forcément le mien, sœur chérie, répliqua Jace avec colère. Quant à Luke, ni toi ni moi n'avons de lien de parenté avec lui.

— Jace...

— En outre, je n'ai pas le temps de te marquer, et tu n'as que ce couteau pour te défendre. Il ne te servira pas à grand-chose si c'est de démons qu'il s'agit.

Clary planta sa dague dans le chambranle de la porte.

— Et alors ? Tu as deux poignards séraphiques, tu n'as qu'à m'en donner un.

— Oh, pour l'amour du..., s'écria Simon. J'y vais.

Ses yeux noirs comme du charbon, qui ressortaient sur sa figure blême, lançaient des éclairs.

— Simon, non..., bredouilla Clary.

— Moi, au moins, je ne perds pas mon temps à flirter pendant que Luke est peut-être en danger.

Il fit signe à Clary de s'éloigner de la porte.

— On y va tous ensemble, décréta Jace.

À l'étonnement de Clary, il tira un poignard séraphique de sa ceinture et le lui tendit.

— Tiens.

— Comment je dois l'appeler ?

— Nakir.

Comme Clary avait laissé sa veste dans la cuisine, le vent froid qui soufflait de l'East River la fit frissonner lorsqu'elle sortit sous le porche.

— Luke ! cria-t-elle.

La camionnette était stationnée dans l'allée, l'une des portières ouverte. Le plafonnier, resté allumé, dispensait une faible clarté. Jace fronça les sourcils.

— Les clés sont sur le contact. Le moteur tourne encore.

Simon ferma la porte d'entrée derrière eux.

— Comment le sais-tu ? Moi, je n'entends rien.

Jace le jaugea du regard.

— J'ai l'oreille fine. Tu devrais apprendre à te servir des tiennes, suceur de sang.

Il dévala les marches du perron avec un petit rire moqueur.

— Finalement, je préférais quand il m'appelait « Terrestre », grommela Simon.

— Avec Jace, on ne peut pas espérer choisir son surnom, observa Clary. Viens.

Elle tâta la poche de son jean et sentit sous ses doigts le contact lisse et froid de sa pierre de rune, qu'elle leva dans sa main. La pierre s'illumina comme un minuscule soleil.

Jace avait dit vrai : le moteur de la camionnette tournait encore. Clary sentit sa poitrine se serrer : Luke n'aurait jamais laissé la camionnette ouverte, les clés sur le contact, sans raison. Il lui était forcément arrivé quelque chose.

Jace fit le tour du véhicule, les sourcils froncés.

— Éclaire-moi.

Il s'agenouilla dans l'herbe, l'effleura du bout des doigts et sortit d'une poche de sa veste un objet en métal, entièrement recouvert de runes délicates, que Clary reconnut sur-le-champ : un Détecteur. Quand il le promena au-dessus de la pelouse, l'appareil émit une succession de clics sonores, comme un compteur Geiger devenu fou.

— Niveau d'activité démoniaque élevé.

— C'est peut-être ce qui reste du démon qui a attaqué Maia, suggéra Simon.

— Non, le signal est trop fort. Il y avait plus d'un démon dans les parages, ce soir.

Jace se releva, l'air préoccupé.

— Retournez à l'intérieur, tous les deux. Allez chercher Alec. Lui a déjà eu affaire à ce genre de situation.

Clary sentit de nouveau la rage monter en elle. Elle allait répliquer quand elle aperçut un mouvement furtif de l'autre côté de la rue, parmi les blocs de ciment qui s'amoncelaient sur la berge de l'East River. La forme qu'elle venait d'entrevoir était trop rapide, trop allongée pour être une silhouette humaine…

— Regardez ! Là-bas, au bord de l'eau ! s'écria-t-elle en tendant le bras.

Une fraction de seconde plus tard, Jace s'élançait en direction du fleuve, suivi de Simon et de Clary. Tandis qu'elle courait, la pierre dans sa main éclairait au hasard des bouts de paysage : une touffe d'herbe, un bloc de béton lézardé, sur lequel elle faillit trébucher, un tas de détritus, un débris de verre et, soudain, au bord du fleuve, le corps étendu d'un homme.

C'était Luke. Clary le reconnut immédiatement bien que les deux formes penchées sur lui dissimulent son visage. Il était couché sur le dos tout près de l'eau, si bien que dans un moment de panique elle se demanda si les deux créatures n'essayaient pas de le noyer. Quand elles reculèrent en sifflant, leur bouche sans lèvres grande ouverte, elle constata que sa tête reposait sur la berge caillouteuse. Son visage immobile avait pris une teinte grisâtre.

— Des Raums, chuchota Jace.

Simon écarquilla les yeux.

— Ce sont les mêmes créatures qui ont attaqué Maia ?

— Non, celles-ci sont bien plus dangereuses.

Jace fit signe à Simon et à Clary.

— Restez là, vous deux.

Puis, levant son poignard séraphique, il cria : « Israfiel ! » Soudain, une explosion de lumière éclaira les alentours. Jace s'élança vers le démon le plus proche en faisant tournoyer son arme. À la lueur du poignard, celui-ci apparut dans toute sa laideur : une peau squameuse d'une blancheur cadavérique, un trou noir en guise de bouche, des yeux globuleux de batracien et des bras prolongés par des tentacules. Rapide comme l'éclair, la créature déplia l'un d'eux, mais Jace la devança : avec un sifflement atroce, Israfiel trancha le tentacule du démon au niveau du poignet. Le monstrueux appendice vola dans les airs avant de s'écraser aux pieds de Clary sans cesser de tressauter. D'un blanc tirant sur le gris, il était couvert de ventouses rouge sang, hérissées de minuscules dents effilées.

Simon eut un hoquet de dégoût ; Clary faillit vomir. D'un coup de pied, elle envoya valser dans l'herbe sale le bout de chair agité de spasmes. Levant les yeux, elle s'aperçut que Jace avait jeté à terre le démon blessé, et que tous deux s'étaient lancés dans un corps-à-corps impitoyable. Le poignard séraphique de Jace projetait de magnifiques arcs de lumière sur l'eau tandis qu'il roulait par terre pour éviter les tentacules de la créature et le sang noir qui s'échappait de son membre mutilé. Clary hésita : devait-elle s'occuper de Luke ou courir aider Jace ? À cet instant, elle entendit Simon crier : « Clary, attention ! » Elle se retourna au moment où le second démon fondait sur elle.

Elle n'eut pas le temps de dégainer son poignard séraphique ni de se rappeler le nom qu'elle devait invoquer. Instinctivement, elle tendit les bras vers la créature pour la repousser. Le coup que celle-ci lui administra la fit tomber à la renverse ; elle lâcha un cri en heurtant le sol inégal. Les tentacules luisants du monstre s'abattirent sur elle : l'un d'eux lui emprisonna le bras tandis que l'autre s'enroulait autour de sa gorge.

Affolée, elle porta les mains à son cou et tenta désespérément de desserrer l'étau qui l'empêchait de respirer. Ses poumons privés d'air commençaient à la brûler. Elle se débattit, donna des coups de pied à l'aveuglette...

Soudain, la pression du tentacule se relâcha. Clary avala une grande bouffée d'air et se mit sur les genoux.

Le démon, courbé devant elle, la fixait de ses petits yeux noirs inexpressifs. Se préparait-il à se jeter sur elle de nouveau ? S'emparant de son poignard, elle cria : « Nakir ! » et un rayon de lumière jaillit de ses doigts. Elle ne s'était jamais servie d'une telle arme. Le manche du poignard tremblait et vibrait dans sa main comme s'il était doué de vie. « NAKIR ! » cria-t-elle encore, chancelante, en menaçant le Raum de sa lame.

À sa stupéfaction, il recula d'un bond comme s'il avait peur d'elle. Du coin de l'œil, elle vit Simon accourir armé d'une espèce de tuyau. Derrière lui, Jace se relevait péniblement. Aucune trace du démon qu'il venait d'affronter : peut-être avait-il réussi à le tuer. Quant à l'autre Raum, un cri d'effroi, pareil au hululement monstrueux d'une chouette, s'échappa de sa bouche béante ; puis, sans demander son reste, il fit demi-tour, se précipita vers le fleuve en fouettant l'air de ses tentacules et plongea dans les eaux noires. Il disparut sous la surface sans que la moindre bulle d'air puisse attester sa présence.

À cet instant, Jace rejoignit Clary. Il se pencha sur elle, hors d'haleine, les vêtements tachés de sang démoniaque.

— Qu'est-ce qui s'est passé ?

— Je ne sais pas, dit Clary. Il s'est jeté sur moi... J'ai essayé de le repousser, mais il était trop rapide... Et, soudain, il a pris la fuite comme si quelque chose l'avait effrayé.

— Tu vas bien ?

Simon arriva à son tour, son tuyau à la main. S'il

n'accusait aucun signe de fatigue – mais Clary se souvint qu'il ne respirait plus –, il paraissait inquiet.

— Où tu as dégoté ça ? s'étonna Jace.

— Je l'ai arraché à un poteau téléphonique.

L'explication de Simon sembla le surprendre lui-même.

— Il faut croire qu'on est capable de tout quand l'adrénaline y met du sien, dit-il.

— Ou que tu possèdes la force surnaturelle des damnés, renchérit Jace.

— Oh, vous n'allez pas recommencer, vous deux ! s'écria Clary en s'avançant au bord du fleuve. On dirait que vous avez déjà oublié Luke !

Cette remarque lui valut un regard courroucé de Jace ; Simon, lui, faisait des yeux de martyr.

Luke était inconscient, mais il respirait encore. Sa pâleur rappelait celle de Maia ; la manche de sa chemise était déchirée. Avec des gestes précautionneux, Clary écarta l'étoffe tachée de sang, et vit que son épaule était couverte de plaies circulaires, dont s'échappait du sang mêlé d'une substance noire.

— Il faut l'emmener à la maison !

Magnus les attendait sous le porche. Après en avoir terminé avec Maia, il l'avait couchée dans la chambre de Luke ; aussi purent-ils l'installer sur le canapé pour que le sorcier s'occupe de lui.

— Il va s'en sortir ? demanda Clary en faisant les cent pas autour du canapé tandis que Magnus faisait jaillir des flammes bleues de ses mains.

— Oui, ne t'inquiète pas. Le poison des Raums est plus difficile à traiter qu'une morsure de Drevak, mais ça reste dans mes cordes.

Il lui fit signe de s'éloigner.

— Enfin, si tu ne traînes pas dans mes pattes. Il me faut de la place pour travailler.

À contrecœur, Clary se laissa tomber dans un fauteuil. Postés près de la fenêtre, Alec et Jace s'entretenaient à voix basse. Jace faisait de grands gestes : Clary en déduisit qu'il racontait à Alec leur affrontement avec les démons. Simon s'était adossé au mur près de la porte de la cuisine, l'air mal à l'aise. Il semblait perdu dans ses pensées. Clary, qui ne pouvait se résoudre à regarder les traits tirés et les yeux cernés de Luke, observait son ami du coin de l'œil en s'efforçant de relever ce qui avait changé chez lui et ce qui restait familier. Sans lunettes, ses yeux semblaient deux fois plus grands, et très sombres : désormais, ils étaient plutôt noirs que marron. Sa peau était blanche et lisse comme du marbre ; des veines bleues couraient sur ses tempes et ses pommettes saillantes. Ses cheveux, qui paraissaient plus bruns, offraient un contraste saisissant avec la pâleur de sa carnation. Clary se souvenait d'avoir parcouru des yeux la foule rassemblée dans l'hôtel de Raphaël et de s'être demandé s'il existait des vampires laids. Elle s'était dit qu'ils avaient peut-être créé une loi au sujet des gens disgracieux. Maintenant, elle en venait à soupçonner le vampirisme de transformer physiquement les individus : il lissait leur peau de mortels, ravivait la couleur et l'éclat de leur chevelure et de leurs yeux. Ces améliorations étaient sans doute le résultat d'une évolution progressive de l'espèce : après tout, les vampires devaient être beaux pour attirer leurs proies.

À cet instant, elle s'aperçut que Simon l'observait lui aussi. S'arrachant à sa rêverie, elle se tourna vers Magnus, qui venait de se relever. Les flammes bleues avaient disparu. Si Luke n'ouvrait toujours pas les yeux, il avait repris des couleurs, et sa respiration était plus régulière.

— Il est sorti d'affaire ! s'exclama-t-elle.

Alec, Jace et Simon accoururent à leur tour. Simon glissa sa main dans celle de Clary, qui referma ses doigts autour des siens, touchée par ce geste de réconfort.

— Alors, il vivra ? demanda-t-il tandis que Magnus s'affalait sur l'accoudoir du fauteuil le plus proche, l'air épuisé. Tu en es sûr ?

— Sûr et certain. Je sais ce que je fais : Je suis le Grand Sorcier de Brooklyn.

Son regard se posa sur Jace, qui venait de chuchoter quelque chose à l'oreille d'Alec.

— À propos, reprit Magnus d'un ton cassant, et c'était bien la première fois que Clary l'entendait parler de la sorte, j'ai l'impression que vous, en revanche, vous êtes un peu à côté de la plaque. J'en ai assez qu'on m'appelle au moindre bobo ! Mon temps est précieux. Il y a plein de sorciers moins prestigieux qui se feraient un plaisir de vous dépanner pour un tarif plus modeste.

Clary le dévisagea, interdite.

— Tu nous factures ton aide ? Mais... Luke est un ami !

Magnus sortit une mince cigarette bleue de la poche de sa chemise.

— Le vôtre peut-être, mais pas le mien. Je ne l'ai

côtoyé qu'aux rares occasions où il accompagnait ta mère, quand les sortilèges effaçant tes souvenirs avaient besoin d'être renouvelés.

Il approcha son index du bout de la cigarette, et une flamme multicolore en jaillit.

— Vous pensiez vraiment que je vous aidais par grandeur d'âme ? Ou suis-je le seul spécialiste que vous connaissez ?

Jace, qui avait écouté sans broncher la tirade de Magnus, sursauta. Une lueur mauvaise s'alluma dans ses yeux ambrés :

— Non, mais tu es le seul qui sort avec un de nos copains !

Instantanément, tous les regards se braquèrent sur lui. Chacun exprimait une émotion différente : l'épouvante chez Alec, la colère et l'étonnement chez Magnus, la stupéfaction chez Clary et Simon. Ce fut Alec qui prit la parole d'une voix tremblante :

— Pourquoi tu dis ça ?

Jace parut déconcerté.

— Pourquoi je dis quoi ?

— Eh bien, que je... qu'il sort avec moi... Ce n'est pas vrai ! protesta Alec d'une voix stridente.

Jace le dévisagea sans ciller.

— Je n'ai pas mentionné ton nom. C'est drôle que tu te sentes visé !

— On ne sort pas ensemble, répéta Alec.

— Ah oui ? fit Magnus. Alors, tu te montres toujours aussi amical avec les gens, si j'ai bien compris ?

— Magnus ! gémit Alec en lui jetant un regard implorant.

Le sorcier semblait avoir eu son compte. Les bras croisés, il s'adossa à son fauteuil et observa la scène les yeux mi-clos.

Alec se tourna vers Jace.

— Tu ne..., bégaya-t-il. Tu ne penses tout de même pas...

Jace secoua la tête d'un air perplexe.

— Ce qui m'échappe dans cette histoire, c'est que tu te donnes autant de mal pour me cacher ta relation avec Magnus alors que ça ne m'aurait pas dérangé le moins du monde si tu m'en avais parlé.

Si ses paroles se voulaient rassurantes, elles n'eurent pas l'effet escompté. Alec devint livide et se mura dans le silence. Jace se tourna vers Magnus.

— Dis-lui, toi, que je m'en moque.

— Oh, rétorqua tranquillement Magnus, je suis sûr qu'il n'a pas besoin de moi pour te croire.

— Alors, je n'y...

Jace s'interrompit, stupéfait. Voyant à l'expression de Magnus qu'il était sérieusement tenté de lui fournir une explication, Clary, dans un élan de pitié pour Alec, lâcha la main de Simon et lança :

— Ça suffit, Jace ! Laisse tomber.

— Laisser tomber quoi ? fit la voix de Luke.

Il s'était redressé sur le canapé et grimaçait un peu à cause de la douleur, mais par ailleurs il semblait en bien meilleure forme.

— Luke !

Clary s'élança vers lui, envisagea une seconde de se jeter dans ses bras, vit qu'il se tenait l'épaule et abandonna cette idée.

— Tu te rappelles ce qui s'est passé ?

— Pas vraiment. La dernière chose dont je me souviens, c'est d'avoir marché vers la camionnette. On m'a frappé l'épaule et jeté à terre. J'ai ressenti une douleur incroyable... Ensuite, j'ai dû m'évanouir... pour me réveiller, allongé sur un canapé, avec cinq personnes qui s'époumonaient autour de moi. Pourquoi tout ce vacarme, au fait ?

— Pour rien, répondirent en chœur Clary, Simon, Alec, Magnus et Jace.

Luke leva les sourcils, interloqué.

— Je vois, dit-il d'une voix lasse.

Comme Maia dormait toujours dans sa chambre, Luke déclara qu'il pouvait très bien passer la nuit sur le canapé. Clary proposa de lui laisser son lit, mais il déclina son offre ; elle alla donc chercher des draps et des couvertures dans le placard du couloir. Elle essayait d'attraper un édredon sur la plus haute étagère lorsqu'elle sentit une présence derrière elle. Elle se retourna brusquement en laissant tomber la couverture qu'elle tenait sous son bras.

— Désolé de t'avoir fait peur, dit Jace.

— Ce n'est rien, marmonna-t-elle.

— En fait, je retire ce que je viens de dire. C'est la première fois depuis des jours que je te vois manifester une émotion.

— Normal, ça fait des jours qu'on ne s'est pas vus.

— À qui la faute ? Je t'ai appelée plusieurs fois. Tu ne décroches pas ton téléphone. Et je ne pouvais pas venir te voir. Je suis en prison, au cas où tu l'aurais oublié.

— Ce n'est pas une prison à proprement parler,

objecta Clary sur un ton désinvolte. Tu as Magnus et *La croisière s'amuse* pour te tenir compagnie.

— Tu sais ce qu'elle te dit, *La croisière s'amuse* ? grogna-t-il.

Clary poussa un soupir.

— Tu n'es pas censé rentrer avec Magnus ?

Jace fit la moue, un voile de tristesse dans le regard.

— On a hâte de se débarrasser de moi ?

— Non.

Clary ramassa la couverture et la serra contre elle, se concentrant sur les mains de Jace pour éviter de le regarder dans les yeux. Ses doigts fins et gracieux étaient striés de cicatrices ; une ligne plus claire était encore visible sur l'index de sa main droite, qui avait porté l'anneau des Morgenstern. L'envie de le toucher était si forte qu'elle faillit hurler.

— Non, ce n'est pas ça, reprit-elle. Je ne te déteste pas, tu sais.

— Moi non plus.

— Je suis ravie de l'entendre…

— Si seulement je pouvais !

Jace poursuivit d'un ton désinvolte, un sourire vague sur les lèvres, mais ses yeux criaient sa peine.

— J'essaie de te détester. Ce serait tellement plus simple ! Parfois, j'y arrive presque, et puis je te vois, et…

Clary agrippa la couverture de toutes ses forces.

— Et quoi ?

— À ton avis ? Pourquoi faut-il toujours que ce soit moi qui parle de ce que je ressens alors que tu ne me dis jamais rien ? J'ai l'impression de me taper la tête contre un mur ! Sauf que, si c'était vraiment le cas, je serais capable de m'arrêter.

Les lèvres de Clary tremblaient si fort qu'elle eut du mal à répondre.

— Tu crois que c'est facile pour moi ? Tu crois...

— Clary ?

Simon s'avança dans le couloir à pas de loup, avec cette grâce qui le caractérisait désormais. Clary, qui ne l'avait pas entendu venir, sursauta et fit de nouveau tomber sa couverture. Elle se détourna, mais pas assez vite pour lui cacher l'expression de son visage et ses yeux humides qui en disaient long sur son désarroi.

— Je vois, marmonna-t-il après un long silence. Désolé de vous avoir interrompus.

À travers ses larmes, Clary le regarda regagner le salon. Furieuse, elle se tourna vers Jace.

— Pourquoi ? lança-t-elle. Pourquoi faut-il toujours que tu gâches tout ?

Elle lui jeta la couverture au visage et courut derrière Simon. Il avait déjà atteint le porche quand elle le rejoignit.

— Simon ! Où vas-tu ?

Il se retourna comme à contrecœur.

— Chez moi. Il est tard... Je n'ai pas envie d'être coincé ici au lever du jour.

Clary trouva l'excuse un peu faible : le soleil ne devant pas se montrer avant plusieurs heures.

— Tu peux rester dormir ici pendant la journée, ça te permettra d'éviter ta mère. Je te prêterai ma chambre...

— Je ne crois pas que ce soit une bonne idée.

— Pourquoi ? Je ne comprends pas pourquoi tu t'en vas.

Simon sourit tristement.

— Tu sais ce que c'est, le pire ? C'est de ne pas faire confiance à la personne qu'on aime le plus au monde.

Clary posa la main sur son bras. S'il n'essaya pas de se dégager, il ne réagit pas non plus.

— Tu parles de...

— Oui, je parle de toi.

— Tu sais que tu peux me faire confiance.

— Je le croyais. Mais j'ai l'impression que tu préfères t'accrocher à quelqu'un d'inaccessible plutôt que de tenter une histoire possible.

Cela ne servait à rien de nier. Clary demanda :

— Laisse-moi du temps. J'ai juste besoin d'un peu de temps pour régler ça.

— Tu ne cherches pas à me donner tort, à ce que je vois. Pas cette fois, en tout cas.

Dans la pénombre du porche, les yeux de Simon semblaient immenses et noirs comme la nuit.

— Non, pas cette fois. Désolée.

— Ne t'excuse pas, lâcha-t-il en ignorant sa main tendue. Au moins, tu dis la vérité.

« Pour ce que ça vaut... », songea Clary. Glissant les mains dans ses poches, elle le regarda s'éloigner jusqu'à ce que l'obscurité se referme sur lui.

Magnus et Jace ne prirent pas le chemin du retour, en fin de compte. Magnus voulait rester chez Luke pour s'assurer que ses malades récupéraient bien. Au terme de quelques minutes de conversation maladroite avec un Magnus renfrogné, pendant que Jace, assis au piano de Luke, faisait mine de déchiffrer une partition, Clary décida d'aller se coucher.

Mais le sommeil ne vint pas. À travers le mur, elle entendait Jace jouer doucement ; pourtant ce n'était pas ce qui la tenait éveillée. Elle pensait à Simon, qui était retourné dans une maison désormais inhospitalière, au désespoir qui perçait dans la voix de Jace lorsqu'il avait dit regretter de ne pas pouvoir la détester et à Magnus, qui avait décidé de cacher à Jace la vérité concernant Alec, à savoir que s'il ne voulait pas évoquer sa relation devant lui, c'était parce qu'il l'aimait encore. Quelle satisfaction en aurait retirée le sorcier s'il avait pu rompre le silence ! Cependant, il avait choisi de se taire et de laisser Alec sauver les apparences parce que c'était ce qu'il voulait, et Magnus tenait assez à lui pour lui accorder cela. Peut-être que la reine de la Cour des Lumières avait raison, après tout : l'amour va souvent de pair avec le mensonge.

13

Un refuge pour les anges rebelles

G*aspard de la nuit*, le chef-d'œuvre de Ravel, comprend trois parties distinctes. Venu au bout de la première, Jace alla s'enfermer dans la cuisine, prit le téléphone de Luke et passa un seul et unique coup de fil. Puis il retourna s'asseoir au piano et reprit sa partition.

Il était au milieu de la troisième section quand il vit des phares balayer la pelouse de Luke. Ils s'éteignirent un instant plus tard, et la fenêtre fut de nouveau plongée dans les ténèbres. Jace s'était déjà levé pour prendre sa veste.

Il referma sans bruit la porte d'entrée derrière lui et descendit les marches du perron quatre à quatre. Dans l'allée était garée une moto, le moteur en marche. L'engin donnait l'impression déplaisante d'être doté d'une existence propre : des tuyaux pareils à des veines noueuses s'enroulaient autour de son châssis, et son phare éteint évoquait l'œil luisant d'un cyclope. D'une certaine manière, cette moto semblait aussi vivante que le garçon adossé à la machine, qui observait Jace d'un air intrigué. Il portait un blouson en cuir marron ; des cheveux noirs bouclés lui tombaient sur les yeux. Un sourire narquois découvrait ses dents blanches et pointues. En dépit des apparences, ni le garçon ni sa moto n'étaient vraiment vivants ; tous deux se nourrissaient d'énergie démoniaque et de nuit noire.

— Raphaël, lança Jace en guise de salut.

— Elle est là, comme tu me l'as demandé, dit l'autre.

— Oui, je vois ça.

— J'ose ajouter cependant que je suis très curieux de savoir pourquoi tu tenais tant à ce que je t'apporte un de ces engins démoniaques. D'une part, ils ne sont pas très conformes au Covenant, et d'autre part, je me suis laissé dire que tu en possédais déjà un.

— C'est vrai, admit Jace en contournant la moto pour l'examiner sous toutes les coutures. Mais je l'ai laissée sur le toit de l'Institut, et je me vois mal aller la récupérer pour l'instant.

Raphaël rit tout bas.

— J'ai l'impression que, toi et moi, nous ne sommes pas les bienvenus à l'Institut.

— Vous autres suceurs de sang, vous êtes toujours sur sa liste noire ?

Raphaël cracha par terre.

— On nous accuse de meurtre, déclara-t-il avec colère. Ils nous ont mis la mort du loup-garou sur le dos, ainsi que celle de l'enfant-elfe, et même celle du sorcier ! Je me tue à leur répéter que nous ne buvons jamais le sang de ces créatures : il est amer et peut entraîner des changements bizarres chez ceux qui le boivent.

— Tu l'as dit à Maryse ?

— Maryse ? Je ne pourrais pas lui parler même si je le voulais. Toutes les décisions doivent recevoir l'aval de l'Inquisitrice, désormais ; la moindre enquête, la moindre demande est soumise à son approbation. Ça sent le roussi, mon ami.

— Je ne te le fais pas dire ! Et nous ne sommes pas amis. Si j'ai consenti à ne pas informer l'Enclave de ce qui est arrivé à Simon, c'est parce que j'ai besoin de ton aide, pas parce que je te porte dans mon cœur.

Raphaël sourit, et ses dents étincelèrent dans l'obscurité.

— Allez, tu m'aimes bien ! C'est drôle, reprit-il d'un air pensif. J'aurais cru que ça te changerait de tomber en disgrâce auprès de l'Enclave, que tu ravalerais un peu de ton arrogance. Or, tu es resté exactement le même.

— J'aime être cohérent dans ce que je fais. Tu me passes cette moto, oui ou non ? Il ne me reste que quelques heures avant le lever du soleil.

— Si je comprends bien, tu n'as pas l'intention de me reconduire chez moi ? s'enquit Raphaël en s'écartant d'un mouvement gracieux.

Jace vit scintiller la chaîne en or qu'il portait autour du cou.

— Non, répondit-il en se mettant en selle. Mais tu peux dormir dans la cave si tu t'inquiètes au sujet du soleil.

— Mmm... fit Raphaël d'un air dubitatif.

Bien qu'il mesure quelques centimètres de moins que Jace et qu'il paraisse plus jeune physiquement, ses yeux lui donnaient l'air plus âgé.

— Alors, on est quittes en ce qui concerne Simon, Chasseur d'Ombres ?

Jace fit ronfler le moteur et tourna le guidon vers le fleuve.

— Nous ne serons jamais quittes, suceur de sang. Appelons ça un début.

Jace, qui n'était pas monté sur une moto depuis que le temps avait changé, fut pris au dépourvu par le vent froid soufflant du fleuve, qui transperçait de ses innombrables aiguilles glacées sa veste légère et le coton de son jean. Il frissonna, se félicitant d'avoir au moins pensé à emporter ses gants de cuir.

Il regarda le fleuve en contrebas, qui avait pris une teinte acier sous le ciel nocturne. Des phares clignotaient sur les ponts de Williamsburg et de Manhattan. Une odeur de neige flottait dans l'air, bien que l'hiver fût encore loin.

La dernière fois qu'il avait survolé le fleuve, Clary était avec lui, les bras autour de sa taille, ses petites mains enfouies dans le tissu de sa veste. Il n'avait pas eu froid cette nuit-là. Il manœuvra brutalement la moto, la sentit se cabrer sous lui et crut voir son ombre se dessiner sur l'eau, bizarrement déformée. En redressant l'engin, il distingua un navire aux flancs noirs, sans nom ni lumières à bord, dont la proue fendait les flots telle une lame. Le bateau faisait penser à un énorme requin élancé filant à toute allure, prêt à frapper.

Il freina, piqua sans bruit vers la surface, plus léger qu'une feuille portée par le vent. Il n'avait pas l'impression de tomber ; c'était plus comme si le bateau venait à sa rencontre, soulevé par une grosse vague. Les roues de la moto touchèrent le pont et l'engin s'immobilisa peu à peu. Jace sauta au bas de sa monture et, après un dernier rugissement, le moteur se tut. En s'éloignant, il jeta un coup d'œil par-dessus son épaule et eut l'impression qu'elle lui lançait un regard triste, celui d'un chien malheureux obligé d'attendre son maître.

— Je reviendrai te chercher, dit-il en souriant. Je dois inspecter ce truc.

Et il avait du pain sur la planche ! Il se tenait sur le pont de l'immense bateau entièrement peint en noir, qui avait la taille d'un terrain de football. Jace n'en avait jamais vu de pareil : trop gros pour être assimilé à un yacht, il était trop petit pour servir de navire de guerre. Il se demanda où son père avait bien pu le dénicher.

Il entreprit de faire le tour du propriétaire. Les nuages s'étaient dispersés et les étoiles brillaient d'un éclat irréel. La ville scintillait autour de lui comme s'il avançait dans un passage étroit aux murs de lumière. Soudain, il lui vint à l'esprit que Valentin n'était peut-être même pas dans les parages. Jace avait rarement eu l'occasion de se trouver dans un endroit aussi désert, du moins en apparence.

Il fit halte à la proue pour contempler le fleuve qui séparait Manhattan de Long Island comme une grosse cicatrice. Les flots gris bouillonnaient contre la carlingue, formant des vaguelettes ourlées d'argent ; un vent impétueux, de ceux qu'on ne rencontre jamais sur la terre ferme, balayait continuellement le pont du bateau. Jace ouvrit les bras et le laissa soulever les pans de sa veste comme des ailes, fouetter son visage jusqu'à lui faire monter les larmes aux yeux.

Près du manoir d'Idris, il y avait un lac. Son père lui avait enseigné la navigation ainsi que le langage de l'eau et du vent. « Tous les hommes devraient savoir naviguer », avait-il déclaré un jour. C'était l'une de ces occasions, fort rares, où il avait préféré le mot « hommes » à celui de « Chasseurs d'Ombres », afin de rappeler à Jace que, quoi qu'il advienne, il ferait toujours partie de la race humaine.

Tournant le dos à la mer, les yeux larmoyants, Jace aperçut une porte découpée dans une paroi de la cabine, entre deux hublots recouverts de peinture noire. Il traversa le pont en courant et secoua la poignée : elle était verrouillée. De sa stèle, il traça à la hâte une rune de descellement sur le panneau en métal, et la porte s'ouvrit dans un grincement de charnières en projetant des débris de rouille. Jace se baissa pour entrer et se retrouva en haut d'un escalier métallique qui s'enfonçait dans la pénombre. Une odeur de moisi flottait dans l'air. Il allait faire un pas quand la porte se referma avec fracas derrière lui, le plongeant dans les ténèbres.

Il poussa un juron, chercha sa pierre de rune dans sa poche. Soudain, ses gants lui semblèrent lourds et ses doigts s'engourdirent. Il faisait plus froid à l'intérieur que dehors, sur le pont. Il frissonna, et s'aperçut que ce n'était pas seulement le fait de la température. Il avait la chair de poule, ses nerfs étaient à vif : quelque chose ne tournait pas rond.

Il leva sa pierre, et la lumière de sort éclaira les alentours en lui picotant les yeux. À travers un brouillard, il distingua la silhouette frêle d'une fille qui se tenait devant lui. Elle serrait les bras sur sa poitrine, et ses cheveux d'un roux éclatant se détachaient sur le métal noir des entrailles du navire.

Jace sursauta ; la pierre de rune projeta des rais de lumière folle, comme si un essaim de lucioles venait de surgir des ténèbres.

— Clary ?

La fille posa les yeux sur lui ; elle était livide et tremblait comme une feuille. Une question mourut sur les lèvres de Jace : que faisait-elle ici ? Comment avait-elle atterri sur ce bateau ? Une terreur sans nom s'empara de lui ; jamais encore il n'avait ressenti un tel effroi. Ce n'était pas pour lui-même qu'il avait peur mais pour Clary. Soudain, décroisant les bras, elle tendit les mains vers lui. Elles étaient poissées de sang, ainsi que le devant de sa robe blanche.

Il la rattrapa au moment où elle tombait de tout son long et faillit lâcher la pierre de rune quand elle s'affaissa contre lui. Il sentit les battements affolés de son cœur et la caresse familière de ses cheveux soyeux. Cependant, elle n'avait pas la même odeur que d'habitude. La fragrance qu'il associait à Clary, un mélange de savon fleuri et de coton propre, avait laissé place à l'odeur puissante du métal et du sang. Elle renversa la tête en arrière, roula des yeux, son cœur ralentit… Puis, plus rien.

— Non ! cria-t-il en la secouant si fort que sa tête ballotta contre son bras. Clary ! Réveille-toi !

Il la secoua de nouveau. Cette fois, elle battit des paupières. Avec un immense soulagement, il la regarda ouvrir les yeux. Cependant, au lieu de ses pupilles vertes, il vit deux billes opaques d'un éclat aveuglant comme des phares sur une route déserte, et blanches comme le bruit assourdissant à l'intérieur de son crâne. « J'ai déjà vu ces yeux », eut-il le temps de penser avant que les ténèbres le submergent telle une vague.

Ébloui par deux points lumineux qui venaient de trouer l'obscurité, Jace ferma les yeux et s'efforça de retrouver son souffle. Il avait un goût de cuivre dans la bouche, du sang probablement, et gisait sur une surface métallique qui le glaçait jusqu'aux os. Il compta à rebours pour que sa respiration se calme, puis rouvrit les yeux.

Les ténèbres étaient toujours épaisses, mais elles avaient désormais la forme rassurante d'un ciel nocturne constellé d'étoiles. Il était couché sur le pont ; Brooklyn Bridge se dressait au-dessus de la proue pareil à une immense montagne de pierre et de métal. Avec un grognement, il se redressa sur les coudes... puis se figea en apercevant une silhouette penchée sur lui, qu'il reconnut instantanément.

— Tu as reçu un vilain coup sur la tête, dit la voix qui hantait tous ses cauchemars. Comment te sens-tu ?

Jace essaya de se lever et regretta aussitôt son initiative en sentant son estomac se soulever. S'il avait eu l'occasion d'avaler quelque chose ces dix dernières heures, il aurait sans doute vomi. Au lieu de quoi, un goût aigre de bile lui emplit la bouche.

— J'ai connu des jours meilleurs, lâcha-t-il.

Valentin, assis sur une pile de caisses vides, sourit. Avec son costume gris et sa cravate impeccables, il aurait tout aussi bien pu trôner derrière l'élégant bureau en acajou du manoir des Wayland à Idris.

— J'ai une autre question à te poser : comment m'as-tu retrouvé ?

— J'ai torturé l'un de vos démons Raums, répondit Jace. Souvenez-vous, c'est vous qui m'avez appris à localiser leur cœur. Je l'ai menacé, et il a fini par parler. Ces créatures ne sont pas très futées, mais il a su me dire qu'il était venu en bateau par le fleuve. Je suis parti à votre recherche, et j'ai vu l'ombre de votre navire. Il m'a raconté que vous l'aviez invoqué, lui aussi, mais ça, j'étais déjà au courant.

— Je vois.

Valentin réprima un sourire.

— La prochaine fois, pense à m'avertir de ta visite. Cela t'épargnera une rencontre malencontreuse avec mes gardes.

— Vos gardes ?

Jace s'appuya au bastingage et inspira une grande bouffée d'air frais.

— Vous parlez de vos démons, c'est ça ? Vous vous êtes servi de l'Épée pour les invoquer !

— C'est vrai. Les sbires de Lucian ont écrasé mon armée de Damnés, et je n'avais ni le temps ni l'envie d'en créer davantage. Maintenant que je détiens l'Épée Mortelle, je n'ai plus besoin d'eux. J'ai d'autres cordes à mon arc.

Jace revit Clary, couverte de sang, en train d'agoniser dans ses bras. Il porta la main à son front.

— Cette... chose dans l'escalier, celle qui ressemblait à Clary...

— Clary ? répéta Valentin, surpris. C'est ce que tu as vu ?

— Pourquoi, ce n'est pas elle que j'aurais dû voir ? répliqua Jace en s'efforçant de prendre un ton nonchalant.

Il n'était pas coutumier des secrets, qu'il s'agisse des siens ou de ceux des autres : ils le mettaient mal à l'aise. Néanmoins, il ne se sentait capable de vivre avec ses sentiments pour Clary que dans la mesure où il ne se penchait pas trop sur la question.

Or, c'était Valentin qu'il avait en face de lui. Valentin qui n'aimait rien tant que décortiquer, examiner, analyser, de sorte à tourner n'importe quelle situation à son avantage. À cet égard, il lui rappelait la reine de la Cour des Lumières : comme elle, il était froid, dangereux, calculateur.

— La créature que tu as rencontrée dans l'escalier est Agramon, le démon de la peur. Il prend la forme de tes terreurs les plus ancrées. Quand il a fini de se repaître de la peur de sa victime, il la tue. Enfin, si elle est encore vivante à ce stade... La plupart meurent avant. Tu mérites les honneurs pour avoir tenu aussi longtemps.

— Agramon ? répéta Jace avec stupéfaction. C'est un Démon Supérieur. Où l'avez-vous déniché ?

— J'ai payé un jeune sorcier arrogant pour l'invoquer. Il croyait que si le démon restait à l'intérieur de son pentagramme, il serait capable de le contrôler. Malheureusement pour lui, sa plus grande peur était qu'un démon invoqué par ses soins brise les chaînes du pentagramme pour l'attaquer, et c'est exactement ce qui s'est passé lorsque Agramon est apparu.

— Alors, c'est comme ça qu'il est mort...

— Qui ?

— Le sorcier. Il s'appelait Élias. Il avait seize ans. Mais vous savez tout ça, non ? Le Rituel de Conversion Infernale...

— On s'est bien démené, à ce que je vois, lança Valentin en riant. Ainsi, tu sais pourquoi j'ai envoyé ces démons chez Lucian, n'est-ce pas ?

— Vous vouliez Maia, parce que c'est une enfant loup-garou. Vous avez besoin de son sang.

— Les Drevaks étaient censés espionner Lucian. Il a tué l'un d'eux, mais quand les autres m'ont informé de la présence d'une jeune lycanthrope...

— ... vous avez lancé des Raums à ses trousses.

Jace se sentit soudain très las.

— Uniquement parce que Luke l'aime beaucoup, et que vous ne manqueriez pas une occasion de lui faire du mal.

Il s'interrompit avant de reprendre d'un ton plus mesuré :

— Je trouve ça minable, même venant de vous.

Une lueur de colère s'alluma dans les yeux de Valentin. Puis, renversant la tête en arrière, il éclata de rire.

— J'admire ton obstination. En cela, tu me ressembles beaucoup.

Il se leva et tendit la main à Jace.

— Viens, nous allons faire un tour sur le pont. J'ai quelque chose à te montrer.

Jace avait envie de repousser sa main ; cependant il n'était pas certain de pouvoir se mettre debout seul, compte tenu de la douleur qui lui martelait le crâne. En outre, il valait peut-être mieux ne pas exaspérer son père d'emblée : Valentin avait beau faire grand cas du tempérament rebelle de son fils, il n'avait jamais eu beaucoup d'indulgence pour la désobéissance.

La paume de Valentin était froide et sèche, mais, contre toute attente, son contact avait quelque chose de réconfortant. Une fois Jace sur ses pieds, son père sortit une stèle de sa poche.

— Laisse-moi soigner ces blessures.

Après une seconde d'hésitation, Jace recula.

— Je ne veux pas de votre aide.

Valentin rangea la stèle :

— Comme tu voudras.

Il se mit en marche et, un instant plus tard, Jace s'élança pour le rattraper. Il connaissait assez bien son père pour savoir qu'il ne prendrait jamais la peine de se retourner pour s'assurer qu'on le suivait, étant donné qu'il s'attendait toujours à être obéi.

Il avait vu juste. Quand il l'eut rejoint, Valentin bavardait, les mains croisées derrière le dos. Il se mouvait avec une grâce désinvolte, surprenante chez un homme de sa corpulence.

— … Si je me souviens bien, disait-il, *Le Paradis perdu* de Milton n'a pas de secrets pour toi ?

— Vous me l'avez fait lire seulement une douzaine de fois, marmonna Jace. « Mieux vaut régner en enfer que servir au paradis », et ainsi de suite.

— « *Non serviam* », ajouta Valentin. « Je refuse de

servir. » C'est ce que Lucifer a inscrit sur sa bannière lorsque, escorté d'une horde d'anges rebelles, il est parti en guerre contre une autorité corrompue.

— Qu'essayez-vous de dire par là ? Que vous êtes du côté du diable ?

— Certains prétendent que Milton lui-même a rejoint ses rangs. Son Satan est sans nul doute un personnage plus intéressant que son Dieu.

Ils étaient parvenus à la proue du navire. Valentin s'appuya au bastingage ; Jace l'imita.

Ils avaient passé les ponts de l'East River et se dirigeaient vers les eaux de Staten Island et de Manhattan. Les lumières du quartier d'affaires miroitaient sur les flots. Le ciel était saupoudré de poussière scintillante. Le fleuve dissimulait ses secrets sous sa surface noire et luisante, traversée çà et là d'un éclair argenté : un poisson, peut-être, ou la queue d'une sirène. « Ma ville », pensa Jace. Pourtant, jusque-là, ces mots lui évoquaient toujours Alicante et ses tours de cristal, et non les gratte-ciel de Manhattan.

Au bout d'un moment, Valentin demanda :

— Pourquoi es-tu ici, Jonathan ? Après t'avoir vu dans la Cité Silencieuse, j'en étais venu à croire que ta haine à mon égard était incurable. J'avais presque renoncé à toi.

Il parlait d'un ton égal, comme à son habitude. Cependant, derrière ce masque d'indifférence se cachait non pas de la vulnérabilité, mais une curiosité sincère, comme s'il prenait conscience que Jace était capable de le surprendre.

— La reine de la Cour des Lumières voulait que je vous pose une question, dit Jace, les yeux fixés sur l'eau. Elle m'a chargé de vous demander quel est le sang qui coule dans mes veines.

L'étonnement se peignit sur le visage de Valentin.

— Tu as parlé avec la reine ?

Jace ne répondit pas.

— Ce sont bien les manières du Petit Peuple ! Chez eux, chaque mot recèle un double sens. Dis-lui, si elle te repose la question, que dans tes veines coule le sang de l'Ange.

— Comme dans celles de tous les Chasseurs d'Ombres, observa Jace, dépité : il espérait une réponse plus intéressante. Vous ne mentiriez pas à la reine, n'est-ce pas ?

— Non, répliqua Valentin d'un ton cassant. Mais tu n'es pas venu ici dans le seul but de me poser cette question ridicule. Quelle est la véritable raison de ta visite, Jonathan ?

— Il fallait que je parle à quelqu'un.

Jace n'avait pas le même talent que son père pour masquer ses émotions. Il percevait la tristesse dans sa propre voix, comme une blessure profonde.

— Les Lightwood... Je ne leur attire que des ennuis. Luke doit me haïr. L'Inquisitrice veut me voir mort. J'ai blessé Alec sans même savoir pourquoi.

— Et ta sœur ? le pressa Valentin. Et Clarissa ?

Les paroles de Clary lui revinrent en mémoire : « Pourquoi faut-il toujours que tu gâches tout ? »

— Elle a une dent contre moi, elle aussi.

Il hésita.

— Dans la Cité Silencieuse, vous m'avez dit n'avoir jamais eu l'occasion de me révéler la vérité. Je ne vous fais pas confiance, ajouta-t-il. Je veux que vous le sachiez. Mais je devais au moins vous laisser me donner vos raisons.

— Mes raisons ? Tu devrais me demander bien plus que cela, Jonathan. Il y a tant de raisons !

L'attitude de son père prit Jace au dépourvu. Pour la première fois, son arrogance avait laissé place à l'humilité.

— Pourquoi avez-vous tué les Frères Silencieux ? Pourquoi avez-vous dérobé l'Épée Mortelle ? Qu'est-ce que vous manigancez ? Pourquoi la Coupe Mortelle ne vous a-t-elle pas suffi ?

Jace se retint de poursuivre : « Pourquoi m'avoir abandonné une seconde fois ? Pourquoi m'avoir dit que je n'étais plus votre fils, si c'était pour revenir vers moi ? »

— Tu sais ce que je veux, répondit Valentin. L'Enclave est irrémédiablement corrompue. Elle doit être détruite, puis refondée. Idris doit s'émanciper de l'influence néfaste des races dégénérées, et la Terre a besoin d'être protégée de la menace démoniaque.

— En parlant de menace démoniaque...

Jace balaya les alentours du regard, comme s'il s'attendait à voir surgir la silhouette monstrueuse d'Agramon.

— Je croyais que vous haïssiez les démons, et voilà que vous en avez fait vos serviteurs. Le Vorace, les Drevaks, les Raums, Agramon... ils sont à vos ordres, c'est votre garde personnelle. Vous n'auriez pas recruté un majordome et un chef cuisinier parmi eux, tant que vous y étiez ?

Valentin pianota des doigts sur le bastingage avec impatience.

— Je ne suis pas devenu l'ami des démons. J'ai beau penser que le Covenant est inutile et la Loi frauduleuse, je n'en reste pas moins un Nephilim. Un homme n'est pas obligé de soutenir son gouvernement pour être patriote, n'est-ce pas ? Les vrais patriotes sont ceux qui contestent et qui préfèrent leur pays à leur place dans le système social. On m'a mis au pilori à cause de mes choix, on m'a contraint à me cacher, on m'a banni d'Idris. Mais je serai toujours un Nephilim. Je ne pourrais pas renier le sang qui coule dans mes veines même si je le voulais, et je n'en ai pas envie.

« Moi, si. » L'image de Clary s'imprima dans l'esprit de Jace. De nouveau, il contempla les flots noirs, conscient qu'il ne pourrait jamais renoncer à la traque, à l'art de tuer. Il était un guerrier. Il ne serait jamais rien d'autre.

— Et toi, le voudrais-tu ? demanda Valentin.

Jace détourna vivement les yeux. Son père avait-il le don de lire en lui ? Pendant de nombreuses années, ils avaient vécu seuls tous les deux. Il fut un temps où il connaissait mieux le visage de son père que le sien. Valentin était la seule personne avec laquelle il se sentait incapable de tricher. La première, du moins. Car, depuis qu'il connaissait Clary, il avait parfois l'impression d'être transparent comme du verre.

— Non.

— Tu resteras un Chasseur d'Ombres quoi qu'il advienne ?

— Oui, pour toujours. C'est ce que vous avez fait de moi.

— Bien, déclara Valentin. Voilà ce que je voulais entendre.

S'appuyant de nouveau au bastingage, il leva les yeux vers le ciel.

— Nous allons au-devant d'une guerre, reprit-il. La seule question qu'il me faut te poser, c'est : dans quel camp es-tu ?

— Je croyais que nous étions tous du même côté. Je croyais que c'était nous contre les univers démoniaques.

— Si seulement ! Si je pensais que les membres de l'Enclave ont à cœur les intérêts de ce monde, si j'étais certain qu'ils font tout leur possible… par l'Ange, pourquoi m'opposerais-je à eux ? Qu'est-ce que j'y gagne ?

« Le pouvoir », pensa Jace, mais il garda le silence. Il était perturbé et il ne savait plus que croire.

— Si l'Enclave continue sur sa lancée, reprit Valentin, les démons s'apercevront qu'elle est vulnérable, et alors, ils attaqueront. Occupée à courtiser les races dégénérées, elle n'aura pas la capacité de les repousser. Les démons nous détruiront tous ; il ne restera plus rien.

« Les races dégénérées » : quels mots tristement familiers ! Ils rappelaient à Jace son enfance, qui ne charriait pas que des mauvais souvenirs. Quand il pensait à son père et à Idris, il revoyait toujours les mêmes images floues d'un soleil radieux éclairant le terrain verdoyant devant leur maison de campagne, et d'une haute silhouette sombre aux épaules massives qui se penchait pour le soulever et le ramener à l'intérieur. Il devait être très jeune à cette époque, pourtant il n'avait jamais oublié : il se souvenait même de l'odeur de l'herbe fraîchement coupée, du soleil qui nimbait d'un halo blanc la chevelure de son père, et de la sensation d'être en sécurité dans ses bras.

— Luke n'est pas un dégénéré..., bredouilla-t-il.

— Lucian est différent. C'était un Chasseur d'Ombres autrefois, lâcha Valentin d'un ton définitif. Il ne s'agit pas d'une poignée de Créatures Obscures, Jonathan, mais de la survie de tout ce qui peuple cette planète. L'Ange n'a pas choisi les Nephilim sans raison. Nous sommes l'élite de ce monde, et nous avons pour mission de le préserver. Ici-bas, nous sommes les égaux de Dieu, et nous devons nous servir de nos pouvoirs pour sauver la Terre de la destruction, quel que soit le prix à payer.

Jace posa les coudes sur le bastingage. Le vent glacé pénétrait ses vêtements ; ses doigts étaient engourdis. Mais en pensée, il voyait toujours des collines verdoyantes, de l'eau cristalline et les pierres couleur miel du manoir des Wayland.

— Dans l'Ancien Testament, Satan, quand il veut tenter Adam et Ève, leur dit : « Vous serez comme des dieux. » C'est pour cette raison qu'ils ont été chassés du Jardin.

Il y eut un long silence, puis Valentin éclata de rire.

— Tu vois, Jonathan, j'ai besoin de toi à mes côtés. Tu me protèges du péché d'orgueil.

— Il y a toutes sortes de péchés, lança Jace en se redressant pour faire face à son père. Vous n'avez pas répondu à ma question sur les démons, père. Comment justifiez-vous le fait de vous associer avec eux ? Vous projetez de les envoyer se battre contre l'Enclave ?

— Bien entendu, répondit Valentin sans la moindre hésitation.

Il ne prenait même pas la peine de réfléchir à l'opportunité de révéler ses projets à quelqu'un qui était susceptible d'en faire part à ses ennemis. Rien ne pouvait davantage ébranler Jace que de voir à quel point son père était sûr de sa victoire.

— L'Enclave ne se rendra jamais à la raison, seule la force la fera plier. J'ai tenté de bâtir une armée de Damnés. Avec l'aide de la Coupe, je pourrais créer un bataillon de nouveaux Chasseurs d'Ombres, mais cela me prendrait des années. Or, je ne dispose pas de tout ce temps. La race humaine n'a pas l'éternité devant elle. Grâce à l'Épée, je peux me constituer rapidement une armée de démons dociles. Ils seront les instruments de ma victoire, ils m'obéiront au doigt et à l'œil, car ils n'ont pas le choix. Et quand j'en aurai terminé avec eux, je leur ordonnerai de se détruire, et ils s'exécuteront, conclut Valentin, impassible.

Jace agrippa le bastingage.

— Vous ne pouvez pas vous débarrasser de tous les Chasseurs d'Ombres qui s'opposent à vous. C'est du meurtre !

— Ce ne sera pas nécessaire. Lorsque l'Enclave aura pris la mesure des puissances déployées contre elle, elle déposera les armes. Ces gens-là ne sont pas suicidaires. Et il y en a parmi eux qui me soutiennent.

La voix de Valentin ne recelait pas d'arrogance, seulement une certitude tranquille.

— Ils se manifesteront quand le moment sera venu.

— Je crois que vous sous-estimez ceux de l'Enclave,

objecta Jace en s'efforçant de maîtriser sa voix. Vous ne comprenez pas à quel point ils vous haïssent.

— La haine n'est rien face à la survie.

Valentin porta la main à sa ceinture, d'où dépassait le pommeau brillant de l'Épée.

— Mais il ne faut pas toujours me croire sur parole ! Je t'ai dit que je voulais te montrer quelque chose. Regarde.

Il sortit l'Épée de son fourreau et la tendit à Jace. Il avait déjà vu Maellartach à la Cité Silencieuse, suspendue dans le pavillon des Étoiles Diseuses. Il l'avait aussi aperçue qui dépassait du baudrier de Valentin, mais n'avait jamais eu l'occasion de l'examiner de près. *L'Épée de l'Ange.* Elle était lourde, forgée dans un argent noirci, et brillait d'un éclat sombre. Elle renvoyait la clarté des étoiles comme de l'eau. Sur son pommeau s'épanouissait une rose éclatante.

— Très joli, commenta Jace, la bouche sèche.

— Tiens, prends-la.

Valentin tendit l'Épée à son fils comme il le lui avait appris, la poignée vers lui.

Jace hésita.

— Je ne...

— Prends-la, répéta Valentin en lui mettant l'Épée dans les mains.

Au moment où les doigts de Jace se refermaient autour de la poignée, un éclair de lumière illumina l'Épée de la garde à la pointe de la lame. Il jeta un coup d'œil furtif à son père, mais Valentin resta de marbre.

Jace sentit une douleur lancinante lui parcourir le bras, puis gagner sa poitrine. L'Épée n'était pas lourde ; pourtant il avait l'impression d'être écrasé par un poids l'entraînant vers le bas, à travers la carcasse du bateau, les eaux verdâtres de l'océan, et même la croûte terrestre, qui lui semblait soudain fragile comme une coquille de noix. Il était sur le point de s'asphyxier. Il releva la tête et regarda autour de lui...

... Pour s'apercevoir que la nuit avait changé d'aspect. Un réseau scintillant de minces fils d'or tapissait le ciel, et les étoiles brillaient à travers comme des clous étincelants plantés dans du velours noir. Jace entrevit les confins du monde avant qu'ils ne se dérobent à lui, et, l'espace d'un instant, il fut frappé par tant de beauté. Puis le ciel se fissura tel un globe en verre et vola en éclats, qui s'abattirent sur le bateau, suivis d'une horde de créatures voûtées, difformes, sans visage, dont les rugissements inarticulés lui vrillaient le crâne. Un vent glacial lui brûla la figure tandis que des chevaux à six pattes passaient au galop près de lui en martelant le pont de leurs sabots sanglants. Les monstres qui les chevauchaient étaient d'une laideur indescriptible. Au-dessus de sa tête, des créatures ailées tournoyaient dans le ciel en poussant des cris stridents et en crachant leur bave venimeuse.

L'Épée toujours à la main, Jace se pencha pardessus le bastingage pour vomir. En dessous de lui, l'eau bouillonnait de démons tel un ragoût monstrueux. Il distingua des créatures couvertes d'épines, avec de gros yeux injectés de sang, qui luttaient pour ne pas être entraînées vers le fond par un enchevêtrement de tentacules noirs et visqueux. Une sirène prisonnière d'une araignée à dix pattes poussa un cri désespéré au moment où l'énorme prédateur plantait ses crocs dans sa queue en la fixant de ses yeux rouges et brillants comme des perles de sang.

L'Épée glissa de la main de Jace et tomba sur le pont. Aussitôt, la vision cauchemardesque s'évanouit ; le silence revint. Il s'agrippa au bastingage, scruta la mer d'un œil incrédule et ne repéra aucun mouvement, à l'exception des rides que le vent formait à sa surface.

— Qu'est-ce que c'était ? Les démons que vous avez déjà invoqués ? murmura-t-il, la gorge douloureuse comme s'il venait d'avaler des lames de rasoir.

Il jeta un regard effaré à son père, qui s'était baissé pour ramasser l'Épée de Vérité.

— Non, répondit Valentin en glissant Maellartach dans son baudrier. Ce sont les démons qui ont été attirés aux confins de ce monde par le pouvoir de l'Épée. J'ai mené mon bateau jusqu'ici parce que les boucliers ne sont pas très puissants dans le secteur. Ce que tu as vu, c'est l'armée qui m'attend de l'autre côté. Je n'ai qu'à donner le signal. Alors, ajouta-t-il d'un air grave, tu penses toujours que l'Enclave refusera de se rendre ?

Jace ferma les yeux.

— Les Lightwood n'accepteront jamais, eux.

— Tu réussirais peut-être à les convaincre. Si tu rejoins mon camp, je te promets qu'il ne leur sera fait aucun mal.

Derrière Jace, les ténèbres commençaient à se teinter de rouge. Il s'était maintes fois représenté les cendres de l'ancienne demeure de Valentin, les os noircis de ses grands-parents qu'il n'avait jamais connus. À présent, d'autres visages venaient s'ajouter à ces images. Alec. Isabelle. Max. Clary.

— Je leur ai déjà fait assez de mal comme ça, souffla-t-il. S'il leur arrivait quelque chose, j'en mourrais.

— Bien sûr, je comprends.

Et Jace eut l'impression, à sa grande surprise, que Valentin comprenait réellement. Que, contre toute attente, il voyait ce que personne d'autre avant lui n'avait été capable de deviner.

— Tu crois que tout ce qui est arrivé à ta famille et à tes amis, c'est ta faute.

— C'est ma faute, je le sais.

— Oui, tu as raison.

Jace leva un regard stupéfait vers son père. L'étonnement de ne pas être contredit se mêlait à l'horreur et au soulagement.

— Ah bon ?

— Ce n'était pas intentionnel, évidemment. Mais toi et moi sommes pareils : nous détruisons tout ce que nous aimons. Il y a une raison à cela, cependant.

— Laquelle ?

Valentin regarda le ciel.

— Nous sommes promis à de grands desseins. Les distractions de ce monde ne sont justement que cela, des distractions. Si nous les laissons nous détourner de notre quête, nous subissons un châtiment mérité.

— Et ce châtiment doit aussi toucher ceux que nous aimons ? C'est injuste !

— Le destin n'a que faire de la justice. Tu luttes contre un courant bien plus fort que toi, Jonathan : débats-toi, et non seulement tu te noieras, mais tu entraîneras aussi ceux qui essaient de te sauver. Nage avec lui, et tu survivras.

— Clary...

— Rien n'arrivera à ta sœur si tu me rejoins. Je ferai tout ce qui est en mon pouvoir pour la protéger. Je l'emmènerai à Idris, où elle sera en sécurité. Je te le promets.

— Alec. Isabelle. Max...

— Les enfants Lightwood bénéficieront eux aussi de ma protection.

— Luke..., dit Jace tout bas.

Valentin hésita avant de répondre :

— Tous tes amis seront épargnés. Pourquoi refuses-tu de me croire, Jonathan ? C'est ton seul moyen de les sauver, je t'assure.

Jace ne savait que dire. Dans son cœur, le froid de l'automne chassait le souvenir de l'été.

— Tu as pris ta décision ? demanda Valentin.

Si Jace ne distinguait pas ses traits dans l'obscurité, il perçut le caractère sans appel de sa question. Il sentait même de l'impatience dans la voix de son père.

Après un silence, il déclara :

— Oui, père. J'ai pris ma décision.

Troisième partie :

Jour de colère

Jour de colère, ce jour-là
Réduira le monde en poussière,
David l'atteste, et la Sibylle.

Dies Irae

14

Intrépide

Quand Clary s'éveilla, le jour filtrait par les fenêtres. Sa joue gauche était tout endolorie. En se redressant, elle s'aperçut qu'elle s'était endormie sur son carnet de croquis. Elle avait oublié son stylo sur l'édredon, et une grosse tache noire s'était formée sur le tissu. Elle se leva en grommelant, se frotta la joue et décida d'aller prendre une douche.

La salle de bains gardait les traces des événements de la veille : des mouchoirs ensanglantés gisaient au fond de la poubelle, et une tache de sang avait séché dans le lavabo. Avec un frisson, Clary se glissa sous la douche, son flacon de gel au pamplemousse à la main, déterminée à nettoyer jusqu'au souvenir de cette soirée.

Puis, emmitouflée dans le peignoir de Luke, une serviette enroulée autour de ses cheveux humides, elle poussa la porte de la salle de bains et trouva Magnus tapi derrière. Ses cheveux constellés de paillettes avaient pris un mauvais pli pendant son sommeil : sur un côté de sa tête, les épis sculptés au gel étaient tout aplatis.

— Pourquoi les filles passent-elles autant de temps sous la douche ? marmonna-t-il. Mortelles, Chasseuses d'Ombres, sorcières, vous êtes toutes les mêmes ! Et moi, pendant ce temps-là, je ne rajeunis pas.

Clary s'écarta pour le laisser passer.

— Quel âge tu as, au fait ?

Magnus lui fit un clin d'œil.

— J'étais déjà de ce monde quand la mer Morte n'était qu'un lac un peu mal en point.

Il la chassa d'un geste.

— Maintenant, bouge tes petites fesses ! Il faut que je m'enferme là-dedans, ma coiffure est un véritable désastre.

— Ne vide pas mon gel de douche, il coûte les yeux de la tête, lui recommanda Clary avant de se diriger vers la cuisine.

Là, elle se mit en quête de filtres et brancha la cafetière. Le ronronnement familier du percolateur et la bonne odeur de café chaud vinrent à bout de ses idées noires. Tant qu'il y avait encore du café en ce monde, les choses n'allaient pas si mal.

Elle retourna dans la chambre pour s'habiller. Dix minutes plus tard, vêtue d'un jean et d'un pull à rayures bleues et vertes, elle entra dans le salon pour secouer Luke, qui dormait toujours. Il se redressa avec un grognement, les cheveux ébouriffés et le visage bouffi de sommeil.

— Comment tu te sens ? demanda Clary en lui tendant une tasse ébréchée pleine de café fumant.

— Mieux.

Il baissa les yeux sur sa chemise déchirée et tachée de sang.

— Où est Maia ?

— Elle dort dans ta chambre, répondit Clary en s'installant sur l'accoudoir du canapé.

Luke se frotta les yeux.

— Je ne me rappelle pas tous les détails de la nuit dernière. Je me revois sortant pour déplacer la camionnette, et ensuite plus rien.

— Il y avait d'autres démons qui se cachaient dehors. Ils t'ont attaqué. Jace et moi, nous nous sommes occupés d'eux.

— D'autres Drevaks ?

— Non, dit Clary à contrecœur. Des Raums, d'après Jace.

— Des Raums ? répéta Luke en se redressant brusquement. Là, c'est du sérieux. Les Drevaks sont de la vermine dangereuse, mais les Raums…

— C'est réglé. On s'est débarrassés d'eux.

— Comment ça, « on » ? Clary, je ne veux pas que tu…

Elle secoua la tête.

— Ce n'est pas ce que tu crois. Je…

— Et Magnus ? Il n'était pas dans les parages ? Pourquoi n'est-il pas venu avec vous ? l'interrompit Luke, manifestement contrarié.

— J'étais en train de te soigner, voilà pourquoi, déclara Magnus en entrant dans le salon. On ne t'a pas appris la gratitude ?

Il sentait le pamplemousse à dix mètres. Ses cheveux étaient enroulés dans une serviette de toilette, et il portait un survêtement en satin bleu à bandes argentées.

— Je te suis très reconnaissant, Magnus, dit Luke, qui semblait à la fois excédé et au bord du fou rire. Seulement, si quelque chose était arrivé à Clary…

Magnus se laissa tomber dans un fauteuil.

— Tu serais mort si je les avais suivis. Et Clary serait dans tous ses états. Elle et Jace se sont bien débrouillés tout seuls, n'est-ce pas ? ajouta-t-il en se tournant vers la jeune fille.

— Tu vois ? dit celle-ci. Pas la peine d'en faire tout un plat !

— De quoi parlez-vous ? demanda Maia, qui les avait rejoints.

Par-dessus ses vêtements de la veille, elle avait enfilé l'une des amples chemises en flanelle de Luke. Elle traversa la pièce d'un pas un peu raide et s'assit dans un fauteuil.

— C'est du café que je sens ? reprit-elle en humant l'air.

Clary trouvait profondément injuste que Maia soit aussi jolie et bien faite : elle aurait dû être grosse et hirsute, avec des poils lui sortant des oreilles. « Voilà pourquoi je n'ai pas d'amie du même sexe, pensa-t-elle. Pas étonnant que je passe tout mon temps avec Simon. »

— Tu veux que j'aille t'en chercher ? proposa-t-elle en se levant.

— Oui, s'il te plaît, répondit Maia. Lait et sucre ! ajouta-t-elle au moment où Clary quittait la pièce.

Quand elle revint de la cuisine, une tasse fumante à la main, la jeune lycanthrope semblait préoccupée.

— Je ne me souviens pas vraiment de ce qui s'est passé hier soir, disait-elle, mais quelque chose me chiffonne au sujet de Simon...

— Eh bien, tu as failli le tuer, grommela Clary en se rasseyant sur l'accoudoir du canapé. C'est peut-être ça qui te travaille.

Maia pâlit et baissa les yeux sur son café.

— J'avais oublié. C'est un vampire, désormais. Je ne voulais pas lui faire de mal, j'étais juste...

Clary leva les sourcils.

— Oui ? Juste quoi ?

Le visage de Maia s'empourpra. Elle reposa son café sur la table.

— Tu devrais peut-être t'allonger, lui conseilla Magnus. C'est assez utile en cas de prise de conscience douloureuse.

Soudain, les yeux de Maia se remplirent de larmes. Clary échangea un regard gêné avec Magnus, puis avec Luke.

— Fais quelque chose, lui glissa-t-elle.

Magnus était peut-être un sorcier capable de soigner des blessures mortelles avec des étincelles bleues, mais, en matière d'adolescentes perturbées, Luke le battait à plate couture.

Il repoussait ses couvertures pour se lever quand la porte d'entrée s'ouvrit, et Jace entra, suivi d'Alec, qui tenait à la main une boîte en carton. Magnus ôta précipitamment sa serviette et la jeta derrière son fauteuil. Sans gel ni paillettes, ses cheveux noirs et raides lui arrivaient aux épaules.

Comme toujours, le regard de Clary se posa sur Jace ; elle ne pouvait pas s'en empêcher. Heureusement, personne ne parut s'en apercevoir. Jace semblait tendu à l'extrême, mais aussi épuisé, à en croire ses yeux cernés. Il la considéra d'un œil inexpressif avant de découvrir Maia, qui pleurait toujours en silence et ne les avait pas entendus arriver.

— On s'amuse bien ici, à ce que je vois, observa-t-il.

Maia se frotta les yeux.

— Oh non, marmonna-t-elle. Je déteste pleurer devant des Chasseurs d'Ombres.

— Alors, va pleurnicher ailleurs, répliqua Jace d'un ton glacial. On n'a pas besoin de t'entendre renifler pendant qu'on se dispute.

— Jace, intervint Luke d'un ton menaçant.

Mais Maia s'était déjà levée, et elle quitta la pièce au pas de charge.

Clary se tourna vers Jace.

— Se disputer ? On n'était pas en train de se disputer.

— Ça ne saurait tarder.

Il se laissa tomber sur le banc du piano et étira ses longues jambes.

— Mon geôlier meurt d'envie de me passer un savon, pas vrai, Magnus ?

— Oui, grommela ce dernier en détachant ses yeux d'Alec. Où étais-tu passé ? Je croyais avoir été clair : tu n'étais pas censé sortir de la maison.

— Je pensais qu'il n'en avait pas la possibilité, s'étonna Clary. Que ta magie lui interdisait de s'éloigner de toi.

— En temps normal, oui, expliqua Magnus avec mauvaise humeur. Mais, hier soir, après tous les efforts que j'ai dû déployer, ma magie était… épuisée.

— Épuisée ?

— Oui. Même le Grand Sorcier de Brooklyn n'a pas des pouvoirs infinis. Je ne suis qu'un être humain... Enfin, à moitié humain, pour être exact.

— Mais tu as dû t'apercevoir que ta magie était affaiblie, objecta Luke d'un ton diplomate.... Non ?

— Si. C'est pour ça que j'ai fait promettre à ce petit saligaud de rester ici.

Il jeta un regard noir à Jace.

— Maintenant je sais ce que vaut la fameuse parole d'un Chasseur d'Ombres !

— Il fallait me faire prêter serment en bonne et due forme, rétorqua Jace, imperturbable. Tant qu'on ne jure pas sur l'Ange, ça ne sert à rien.

— C'est la vérité, confirma Alec.

C'était la première fois qu'il ouvrait la bouche depuis son arrivée.

— Bien sûr que c'est la vérité.

Jace prit la tasse de Maia, but une gorgée de café et fit la grimace.

— Pouah ! Il est sucré.

— Qu'est-ce que tu as fabriqué toute la nuit, au fait ? demanda Magnus avec aigreur. Tu étais avec Alec ?

— Je n'arrivais pas à dormir, alors je suis allé me balader. En rentrant, je suis tombé sur ce pauvre garçon qui errait comme une âme en peine devant la maison.

D'un geste, il indiqua Alec. Le visage du sorcier s'éclaira.

— C'est vrai, tu es resté ici toute la nuit ?

— Non, répondit Alec. Je suis retourné à l'Institut. Je me suis changé, tu le vois bien.

Tous les yeux se braquèrent sur lui. Alec portait un pull noir et un jean, soit exactement la même tenue que la veille. Clary décida de lui accorder le bénéfice du doute.

— Qu'est-ce qu'il y a dans cette boîte ? demanda-t-elle.

— Oh ! Ah…

Alec considéra la boîte comme si elle lui était sortie de l'esprit, puis l'ouvrit et la posa sur la table.

— Ce sont des beignets. Quelqu'un en veut ?

Il s'avéra que tout le monde en voulait un, excepté Jace, qui en prit deux. Après avoir englouti le sien, Luke sembla un peu ragaillardi. Il repoussa sa couverture d'un coup de pied et s'assit sur le canapé.

— Un détail m'échappe.

— Un seul ? Tu as beaucoup d'avance sur nous, ironisa Jace.

— Vous deux, vous êtes sortis me chercher, voyant que je ne revenais pas.

— Nous trois, intervint Clary. Simon est venu avec nous.

— Bien. Vous trois. Il y avait deux démons, mais, d'après Clary, vous n'en avez tué aucun. Que s'est-il passé ?

— Au moment où j'allais l'avoir, il s'est enfui, expliqua Jace.

— Pourquoi ? s'enquit Alec. Ils étaient deux, vous étiez trois… Ils se sont sentis dépassés, ou quoi ?

— Ne le prenez pas mal, vous autres, mais le seul d'entre vous susceptible de faire impression, c'est

Jace, lança Magnus. Une Chasseuse d'Ombres inexpérimentée et un vampire trouillard...

— Je pense que c'est moi qui les ai fait déguerpir, dit Clary.

Magnus leva les yeux au ciel.

— Qu'est-ce que je viens de d...

— Je ne prétends pas les avoir fait fuir parce que je suis balèze. Je pense que la cause, c'est ça.

Elle leva le bras pour leur montrer la Marque imprimée sur sa peau. Soudain, le silence s'abattit sur la pièce. Jace la fixa un long moment avant de détourner les yeux. Quant à Luke, il semblait stupéfait.

— Je n'ai jamais vu cette Marque auparavant, déclara-t-il enfin. Et vous ?

— Moi non plus, dit Magnus. Et je n'aime pas ça.

— J'ignore ce que c'est et ce que ça signifie, murmura Clary en baissant le bras. Mais une chose est sûre, elle ne provient pas du Grimoire.

— Toutes les runes viennent du Grimoire, objecta Jace.

— Pas celle-là. Je l'ai vue dans un rêve.

— Dans un rêve ? répéta-t-il, l'air aussi excédé que si elle venait de l'insulter. À quoi tu joues, Clary ?

— À rien du tout ! Tu te souviens, à la Cour des Lumières...

Le visage de Jace se décomposa. Clary s'empressa de poursuivre avant qu'il l'interrompe.

— ... La reine nous a révélé que Valentin avait mené des expériences sur nous. Elle m'a dit que je possédais le don des mots qui ne peuvent être prononcés, et que, toi, tu avais celui de l'Ange.

— Les divagations d'une fée !

— Les fées ne mentent pas, Jace. Les mots qui ne peuvent être prononcés… elle parlait des runes.

Elle ignora son regard dubitatif et reprit :

— Tu te souviens, tu m'as demandé comment j'étais entrée dans ta cellule. Je t'ai expliqué que j'avais utilisé une simple rune de descellement…

— C'est tout ? lança Alec avec surprise. On aurait dit que quelqu'un avait arraché la porte de ses gonds !

— Ma rune n'a pas déverrouillé seulement la porte, mais aussi tout ce qui se trouvait dans la cellule. Elle a ouvert les menottes de Jace. À mon avis, les propos de la reine sous-entendaient que je suis capable de dessiner des runes plus puissantes que les runes ordinaires. Et peut-être même que je peux en inventer.

Jace secoua la tête :

— Personne ne peut inventer de nouvelles runes…

— Si ça se trouve, elle a raison, intervint Alec, l'air pensif. Après tout, aucun de nous ne connaît cette Marque qu'elle a sur le bras.

— C'est vrai, dit Luke. Clary, tu veux bien aller chercher ton carnet de croquis ?

Clary lui lança un regard surpris. Malgré la fatigue, ses yeux gris-bleu avaient la même expression résolue que le jour où, vers l'âge de six ans, elle avait voulu monter tout en haut de la cage à poules de l'aire de jeux de Prospect Park. Il avait promis de se poster en dessous pour la rattraper en cas de chute. Et il avait toujours tenu sa promesse depuis.

— D'accord, répondit-elle. Je reviens tout de suite.

Pour aller dans la chambre d'amis, Clary devait passer par la cuisine. Elle y trouva Maia, assise sur un tabouret près du comptoir, l'air malheureux.

— Clary, dit-elle en se levant d'un bond. Je peux te parler une seconde ?

— Je vais juste chercher quelque chose dans ma chambre…

— Écoute, je suis désolée pour ce qui s'est passé avec Simon. J'étais dans un état second.

— Ah oui ? Et cette histoire de loups-garous censés haïr les vampires ?

Maia poussa un soupir exaspéré.

— C'est la vérité, mais… Rien ne m'oblige à précipiter les choses de ce côté-là.

— Ce n'est pas à moi qu'il faut l'expliquer, c'est à Simon.

Maia rougit.

— Je doute qu'il ait envie de me parler.

— Détrompe-toi. Il a le pardon facile.

Maia la dévisagea attentivement.

— Je ne voudrais pas être indiscrète, mais vous sortez ensemble, tous les deux ?

Clary se sentit rougir à son tour et remercia le ciel d'avoir des taches de rousseur : au moins, elles faisaient un peu diversion.

— Pourquoi ça t'intéresse ?

Maia haussa les épaules.

— La première fois que je l'ai rencontré, il m'a dit que tu étais sa meilleure amie, mais la deuxième, il t'a désignée comme sa copine. J'en ai déduit que vous sortiez ensemble de temps en temps.

— Plus ou moins. Au départ, nous étions amis. C'est une longue histoire.

— Je vois.

La gêne de Maia avait disparu, et elle avait retrouvé ses manières narquoises de petite dure.

— Eh bien, tu as de la chance, même si c'est un vampire. En tant que Chasseuse d'Ombres, tu dois être habituée à toutes sortes de trucs bizarres, alors j'imagine que ça ne te pose pas problème.

— Si, répondit Clary d'un ton sec. Je ne suis pas Jace.

Maia sourit.

— Il est unique dans son genre. Et j'ai l'impression qu'il en a conscience.

— Qu'est-ce que tu veux dire ?

— Oh, tu sais bien. Jace me rappelle un ex. Certains garçons, tu vois dans leurs yeux qu'ils ont envie de toi. D'autres te regardent comme si c'était déjà gagné et feignent l'indifférence. Ces types-là nous rendent folles. Tu vois de quoi je parle ?

« Oui », pensa Clary.

— Non, répondit-elle.

— Ça ne m'étonne pas, tu es sa sœur, après tout. Tu dois me croire sur parole.

— Il faut que j'y aille.

Clary allait sortir de la cuisine quand une pensée lui traversa l'esprit. Elle se tourna vers Maia.

— Qu'est-ce qu'il est devenu ?

— Qui ça ?

— Ton ex. Celui qui te rappelle Jace.

— Oh, fit Maia. C'est lui qui m'a transformée en loup-garou.

— Ça y est, je l'ai trouvé, annonça Clary en entrant dans le salon avec son carnet de croquis dans une main et une boîte de crayons de couleurs dans l'autre.

Elle tira une chaise devant la table jonchée de vieilles factures et s'installa, son carnet posé devant elle. Elle avait l'impression de passer un test à l'école : *Dessinez une pomme.*

— Qu'est-ce qu'il faut que je fasse ?

— À ton avis ?

Jace était toujours assis sur le tabouret du piano, les épaules voûtées. Il donnait l'impression de n'avoir pas dormi de la nuit. Alec était adossé au piano près de lui, sans doute parce que c'était l'endroit le plus éloigné de Magnus qu'il ait pu trouver.

— Arrête, Jace.

Luke se tenait bien droit sur le canapé, position qui semblait lui coûter.

— Tu disais que tu étais capable de dessiner de nouvelles runes, Clary ?

— Oui. Enfin, je crois.

— Eh bien, j'aimerais que tu essaies.

— Maintenant ?

Luke eut un petit sourire.

— À moins que tu n'aies autre chose à faire...

Clary ouvrit son carnet sur une page blanche et se concentra. Jamais une feuille de papier ne lui avait semblé aussi vide. La tension dans la pièce était palpable. Tous avaient le regard braqué sur elle : Magnus, avec sa curiosité désinvolte de vieux sage ; Alec, trop préoccupé par ses propres problèmes pour être réellement attentif ; Luke, qui avait une lueur d'espoir dans les yeux ; et Jace, dont le visage n'était qu'un masque d'indifférence. La veille, il avait dit regretter de ne pas pouvoir la haïr ; Clary songea qu'il y parviendrait peut-être un jour...

Elle reposa son crayon.

— Je ne peux pas dessiner comme ça, sur commande. Il me faut une idée.

— Quel genre d'idée ? demanda Luke.

— Je ne connais même pas les runes qui existent déjà ! J'ai besoin d'un mot, d'un thème, avant de me lancer.

— C'est déjà assez compliqué pour nous de mémoriser toutes les runes..., commença Alec.

À l'étonnement de Clary, Jace l'interrompit.

— « Intrépide », par exemple ?

— Intrépide ?

— Il y a des runes de courage. Mais il n'existe aucun moyen d'éradiquer la peur. Si, comme tu le prétends, tu es capable de créer de nouvelles runes...

Il jeta un regard à la ronde, s'attardant sur les visages perplexes de Luke et d'Alec.

— Je me suis juste souvenu qu'il n'en y avait pas, c'est tout. Et ça me paraît inoffensif comme thème.

Clary jeta un coup d'œil à Luke, qui répondit par un haussement d'épaules. Elle prit un crayon gris dans sa boîte et en posa la pointe sur le papier. Elle réfléchit à des formes, des lignes et des courbes ; puis elle songea aux signes immémoriaux du Grimoire, qui incarnaient une langue trop parfaite pour être oralisée. Une voix douce s'insinua dans sa tête : « Qui es-tu donc pour prétendre parler le langage des cieux ? »

Soudain, le crayon s'anima sur la feuille. Elle était pourtant à peu près sûre qu'elle n'avait pas bougé la main ! Il commença à glisser sur le papier, traçant une simple ligne droite. Clary sentit les battements de son cœur s'accélérer. Elle pensa à sa mère, assise devant sa toile, l'air rêveur, créant sa propre vision du monde avec de l'encre et de la peinture à l'huile. « Qui suis-je ? se demanda-t-elle. Je suis la fille de Jocelyne Fray. » Le crayon s'anima de nouveau, et elle se surprit à répéter tout bas : « Intrépide... Intrépide. » Le crayon fit un bond sur la feuille ; à présent c'était elle qui le guidait, et non l'inverse. Quand elle eut fini, elle contempla longuement le résultat d'un œil perplexe.

La rune représentant le mot « intrépide » était constituée d'un enchevêtrement de courbes et avait vaguement la forme d'un aigle. Clary déchira la page et la montra au reste du groupe.

— Voilà.

Luke lui lança un regard interloqué – alors, lui aussi était sceptique ! – et Jace écarquilla les yeux.

— Cool, commenta Alec.

Jace se leva, traversa la pièce et lui arracha la feuille des mains.

— Et tu crois que ça marche ?

Clary se demanda s'il se posait sincèrement la question ou s'il essayait juste d'être méchant.

— Comment savoir si ça fonctionne ? poursuivit-il. Ce n'est qu'un dessin : on ne peut pas éradiquer la peur avec un bout de papier. Il faudrait l'essayer sur l'un d'entre nous pour s'assurer qu'il s'agit d'une véritable rune.

— Je ne suis pas certain que ce soit une bonne idée, intervint Luke.

— Moi, je la trouve excellente, déclara Jace.

Il reposa la feuille sur la table et ôta sa veste.

— J'ai une stèle qui fera très bien l'affaire. Qui veut s'y coller ?

Luke se leva.

— Non, Jace. Tu es déjà une tête brûlée ! Je ne vois pas comment on pourrait savoir si ça fonctionne en l'essayant sur toi.

Alec réprima un ricanement. Jace, lui, se contenta d'esquisser un sourire figé.

— Et toi, Luke ? suggéra Clary. Pourquoi ne pas l'essayer ?

Luke secoua la tête.

— Ça ne sert à rien de marquer les Créatures Obscures, Clary. Le virus démoniaque à l'origine de la lycanthropie annule l'effet des Marques.

— Alors, testez-la sur moi ! lança Alec à la surprise générale. Un peu d'intrépidité ne me ferait pas de mal.

Il ôta sa veste, la jeta sur le tabouret du piano et s'avança vers Jace.

— Allez, marque-moi.

Jace jeta un coup d'œil à Clary par-dessus son épaule.

— Tu ne préfères pas t'en charger ?

Elle secoua la tête.

— Non, pour ça, tu te débrouilles sans doute mieux que moi.

Jace haussa les épaules.

— Remonte ta manche, Alec.

Celui-ci s'exécuta. Une Marque permanente ornait déjà le haut de son bras : une spirale délicate censée améliorer son équilibre. Tous se penchèrent vers lui tandis que Jace s'appliquait à dessiner les contours de la rune juste en dessous de la première Marque. Alec grimaçait de douleur de temps à autre pendant que la stèle traçait un sillon brûlant sur sa peau. Quand Jace eut fini, il remit l'objet dans sa poche et contempla son œuvre pendant quelques instants.

— Bon, au moins elle a fière allure…

Alec effleura sa nouvelle Marque du bout des doigts.

— Alors ? demanda Clary.

— Alors quoi ?

— Eh bien, comment tu te sens ? Quelque chose a changé ?

— Non, je ne crois pas, répondit-il au bout d'un moment.

Jace leva les bras.

— Bon, ça ne marche pas.

— Peut-être qu'il manque simplement quelque chose pour l'activer, objecta Luke. Peut-être qu'il n'y a rien dans cette pièce qui puisse effrayer Alec.

Magnus leva les sourcils et jeta un coup d'œil à l'intéressé.

— Bouh ! fit-il.

— Allons, dit Jace en souriant, tu as forcément une petite phobie ! De quoi as-tu peur ?

Alec réfléchit quelques instants avant de répondre :

— Des araignées.

Clary se tourna vers Luke.

— Tu n'as pas une araignée qui traîne quelque part ?

— Pourquoi, j'ai la tête de quelqu'un qui les collectionne ? lança-t-il, l'air vexé.

— Ne le prends pas mal, dit Jace, mais oui.

— Vous savez quoi ? C'était peut-être une idée stupide, en fin de compte, marmonna Alec.

— Et l'obscurité ? suggéra Clary. On pourrait t'enfermer dans la cave.

— Je suis un chasseur de démons, lâcha Alec d'un ton las. Alors, forcément, je n'ai pas peur du noir.

— Tu aurais pu.

— Mais ce n'est pas le cas !

Clary allait répliquer quand on sonna à la porte. Elle jeta un coup d'œil à Luke, les sourcils levés.

— Simon ?

— Impossible. Il fait jour.

— Oh, c'est vrai. Tu veux que j'y aille ?

— Non, je vais le faire.

Il se leva avec un gémissement de douleur.

— C'est sans doute quelqu'un qui se demande pourquoi la librairie est fermée.

Luke alla ouvrir la porte et se figea de surprise. Une voix féminine, familière, stridente s'éleva. Bousculant Luke, Isabelle et Maryse Lightwood entrèrent, suivies de la silhouette grise et menaçante de l'Inquisitrice. Derrière elle venait un homme grand et robuste, aux cheveux bruns et au teint olivâtre, qui arborait une épaisse barbe noire. La photo que Hodge lui avait montrée n'était plus de la première jeunesse, et pourtant Clary le reconnut immédiatement : c'était Robert Lightwood, le père d'Alec et d'Isabelle.

Magnus baissa la tête ; Jace, pâle comme un linge, demeura impassible. Quant à Alec, son regard se posa tour à tour sur sa sœur, sa mère, son père, puis sur Magnus. Une lueur résolue s'alluma dans ses yeux d'un bleu limpide. Il fit un pas vers ses parents.

En voyant son fils aîné planté au milieu du salon de Luke, Maryse sursauta.

— Alec, qu'est-ce que tu fabriques ici ? Je croyais avoir été claire...

— Mère, l'interrompit Alec d'un ton ferme. Père. J'ai quelque chose à vous annoncer.

Il sourit de toutes ses dents.

— J'ai rencontré quelqu'un.

Robert Lightwood considéra son fils d'un œil exaspéré.

— Alec ! Ce n'est guère le moment.

— Au contraire. Voilà, ce « quelqu'un », ce n'est pas n'importe qui.

Sous le regard médusé de ses parents, Alec ne s'arrêtait plus. Isabelle et Magnus l'observaient avec le même étonnement.

— En fait, c'est une Créature Obscure, un s...

Rapide comme l'éclair, Magnus agita subrepticement les doigts dans la direction d'Alec. L'air autour de lui scintilla et le garçon tomba à la renverse en roulant des yeux.

— Alec ! cria Maryse en portant la main à sa bouche.

Isabelle s'agenouilla à côté de son frère. Alec remua et ouvrit les yeux.

— Qu... qu'est-ce que je fais par terre ?

— Bonne question, répliqua Isabelle en le foudroyant du regard. C'était quoi, ce petit numéro ?

— De quoi tu parles ?

Alec se redressa, une lueur de panique dans le regard.

— Attends... J'ai dit quelque chose avant de tourner de l'œil ?

Jace partit d'un ricanement.

— Tu sais, on se demandait si l'expérience de Clary avait marché. Eh bien, rassure-toi, elle fonctionne à merveille.

Alec parut horrifié.

— Qu'est-ce que j'ai dit ?

— Que tu aurais rencontré quelqu'un, lança son père. Mais tu ne nous as pas expliqué en quoi c'était si important.

— Non, non, ce n'est rien, bredouilla Alec. Je n'ai rencontré personne. Ça n'aurait rien d'extraordinaire si j'avais rencontré quelqu'un, et je n'ai rencontré personne.

Magnus le dévisagea comme s'il avait affaire au dernier des idiots.

— Alec délire. Sans doute un effet secondaire des toxines démoniaques. C'est regrettable, mais il sera bientôt sur pied.

— Des toxines démoniaques ? répéta Maryse d'une voix stridente. Personne n'a signalé d'attaque de démons à l'Institut. Que s'est-il passé ici, Lucian ? C'est ta maison ! Tu sais que dans pareil cas, tu es censé nous prév…

— Luke a été attaqué, lui aussi, intervint Clary. Il s'est évanoui.

— Comme c'est commode ! ironisa l'Inquisitrice. Dans cette maison, tout le monde délire ou s'évanouit.

Le silence s'abattit sur la petite assemblée.

— Tu sais pertinemment que Jonathan Morgenstern n'a rien à faire chez toi, lycanthrope, poursuivit la femme. Il devrait être enfermé chez le sorcier, sous sa surveillance.

— J'ai un nom, vous savez, marmonna Magnus.

Comme l'Inquisitrice lui jetait un regard noir, il s'empressa d'ajouter :

— Remarquez, ça n'a pas beaucoup d'importance. Allez, on laisse tomber.

— Je connais ton nom, Magnus Bane ! tonna l'Inquisitrice. Tu as failli à ton devoir une fois ; tu n'auras pas d'autre chance.

— Moi, j'ai failli à mon devoir ? répéta Magnus en fronçant les sourcils. Dans le contrat que j'ai signé, il n'est pas précisé que je ne peux pas emmener ce garçon avec moi si ça me chante.

— Ce n'est pas ce que l'on te reproche. Le laisser voir son père hier soir, ça, c'était une faute.

Un silence stupéfait s'ensuivit. Alec se releva tant bien que mal et chercha le regard de Jace, qui ne lui jeta même pas un coup d'œil. Son visage était un masque d'impassibilité.

— C'est ridicule ! s'exclama Luke.

Clary lui avait rarement vu l'air aussi furieux.

— Jace ne sait même pas où se trouve Valentin ! Cessez de vous acharner sur lui.

— Je ne fais que mon travail, lycanthrope.

L'Inquisitrice se tourna vers Jace.

— Maintenant, dis-moi la vérité, mon garçon. Ce sera bien plus facile pour tout le monde.

Jace releva le menton.

— Je n'ai rien à vous dire.

— Si tu es innocent, pourquoi n'essaies-tu pas de te disculper ? Raconte-nous où tu étais cette nuit. Parle-nous du petit bateau de plaisance de Valentin.

Clary regarda Jace, abasourdie. « Je suis allé me balader », avait-il prétendu. Mais cela ne signifiait rien. Peut-être était-il vraiment allé faire un tour. Pourtant, son cœur se serra. Les paroles de Simon lui revinrent en mémoire : « Tu sais ce que c'est, le pire ? C'est de ne pas faire confiance à la personne qu'on aime le plus au monde. »

Comme Jace ne répondait pas, Robert Lightwood lança de sa voix de basse :

— Imogène, vous prétendez que Valentin...

— ... se cache sur un bateau au milieu de l'East River. Oui, c'est exact.

— C'est pour ça que je n'arrivais pas à le localiser, pensa Magnus tout haut. Le fleuve faisait obstacle à mes enchantements.

— Que fait Valentin sur l'East River ? s'étonna Luke.

— Demande donc à Jonathan, lâcha l'Inquisitrice. Il a emprunté une moto au chef du clan des vampires pour se rendre là-bas. N'est-ce pas, Jonathan ?

Jace garda le silence, le visage indéchiffrable. L'Inquisitrice, quant à elle, avait un air féroce, comme si elle se repaissait de la tension qui régnait dans la pièce.

— Va prendre dans ta veste la chose que tu traînes partout avec toi depuis que tu as quitté l'Institut.

Jace obéit. Comme il sortait sa main de sa poche, Clary reconnut l'objet scintillant qu'il tenait entre ses doigts. C'était le débris du Portail.

— Donne-le-moi, ordonna l'Inquisitrice en tendant la main.

Jace fit la grimace : il venait de se couper avec le bout de miroir, et du sang perlait au creux de sa paume. Maryse poussa un gémissement étouffé, mais ne bougea pas.

— J'étais sûre que tu retournerais à l'Institut pour le récupérer, lança l'Inquisitrice, qui jubilait. Tu es trop sentimental pour t'en séparer.

— Qu'est-ce que c'est ? s'enquit Robert Lightwood.

— Un morceau du Portail. Après sa destruction, l'image de sa dernière destination a subsisté. En l'occurrence, il s'agit de la maison de campagne des Wayland.

Elle retourna l'éclat de miroir dans ses longs doigts. Clary distingua un pan de ciel bleu toujours prisonnier du verre. Il ne pleuvait donc jamais à Idris ?

D'un geste brutal qui contrastait avec le ton posé de sa voix, l'Inquisitrice jeta le bout de miroir, qui se brisa sur le sol. Jace étouffa une exclamation indignée, mais il resta immobile. La femme enfila une paire de gants gris et s'agenouilla parmi les débris du miroir, qu'elle passa en revue jusqu'à trouver ce qu'elle cherchait, une feuille de papier fin. Elle se releva en brandissant la feuille afin que tout le monde puisse voir la rune tracée dessus à l'encre noire.

— J'ai marqué ce bout de papier avec une rune de filature et je l'ai collé sous le verre avant de le remettre dans la chambre de ce jeune homme. Ne te reproche pas de ne pas t'en être aperçu, dit-elle à Jace. L'Enclave en a roulé de plus vieux et de plus sages que toi.

— Vous m'avez espionné ! s'écria Jace, la voix tremblant de rage. Ce sont les méthodes de l'Enclave, de violer l'intimité de ses Chasseurs d'Ombres pour…

— Prends garde à tes paroles. Tu n'es pas le seul à avoir enfreint la Loi, ici.

L'Inquisitrice parcourut la pièce d'un regard glacial.

— En te libérant de ta cellule de la Cité Obscure et en te soustrayant à la vigilance du sorcier, tes amis ont fait de même.

— Jace n'est pas notre ami ! s'écria Isabelle. C'est notre frère.

— À ta place, Isabelle Lightwood, je tournerais sept fois ma langue dans ma bouche avant de parler. Je pourrais t'accuser de complicité.

— Complicité ?

À la surprise générale, c'était Robert Lightwood qui venait d'intervenir.

— Ma fille essayait seulement de vous empêcher de détruire notre famille, poursuivit-il. Pour l'amour du ciel, Imogène, ce ne sont que des enfants…

— Des enfants ? répéta l'Inquisitrice en tournant ses yeux de glace vers Robert. Vous aussi, vous étiez des enfants lorsque le Cercle projetait de détruire l'Enclave, non ? Et mon fils n'était qu'un enfant quand il…

Elle s'interrompit brusquement, reprenant le contrôle d'elle-même.

— Alors, tout ça, c'est à cause de Stephen, en fin de compte, lâcha Luke d'un ton compatissant. Imogène…

Une grimace déforma le visage de l'Inquisitrice.

— Stephen n'a rien à voir là-dedans ! Je me contente de faire respecter la Loi !

— Et Jace ? gémit Maryse en se tordant les mains. Que va-t-il lui arriver ?

— Dès demain, il rentrera à Idris avec moi. Vous n'en saurez pas plus.

— Vous ne pouvez pas le ramener là-bas ! s'indigna Clary.

— Clary, tais-toi, dit Jace d'un ton implorant.

Mais Clary s'entêta.

— Le problème, ce n'est pas Jace ! C'est Valentin !

— Arrête, Clary ! cria Jace. Pour ton propre bien, laisse tomber.

Clary tressaillit : il n'avait jamais élevé la voix contre elle, pas même le jour où elle l'avait traîné dans la chambre d'hôpital de leur mère. Elle allait répondre quand elle sentit la main de Luke sur son épaule. D'un ton aussi solennel que le soir où il lui avait raconté son histoire, il déclara :

— S'il est vraiment allé voir Valentin, sachant quel genre de père il est, c'est parce que nous avons manqué à nos devoirs envers lui, et non le contraire.

— Épargne-nous tes sophismes, Lucian ! cracha l'Inquisitrice. Tu t'es ramolli comme un Terrestre, ma parole !

— Elle a raison, déclara Alec.

Il était assis au bord du canapé, les bras croisés, le visage fermé.

— Jace nous a menti. Il n'y a pas d'excuse à ça.

Jace le considéra bouche bée. Il avait toujours compté sur la loyauté d'Alec, Clary n'aurait jamais mis cela en doute. Même Isabelle regardait son frère d'un air horrifié.

— Alec, comment tu peux dire une chose pareille ?

— La Loi, c'est la Loi, Isabelle, répliqua-t-il sans lever les yeux. On ne peut pas la contourner.

À ces mots, Isabelle laissa échapper un petit cri de rage et sortit comme une furie de la maison en laissant grande ouverte la porte d'entrée. Maryse fit mine de la suivre ; Robert la retint par le bras et lui murmura quelque chose à l'oreille.

Magnus se leva.

— Je crois que c'est mon tour de tirer ma révérence.

Clary s'aperçut qu'il évitait le regard d'Alec.

— J'aimerais pouvoir dire que c'était un plaisir de vous rencontrer, mais je mentirais. C'était un vrai cauchemar et, honnêtement, j'espère ne pas vous croiser de sitôt, tous autant que vous êtes.

Alec contempla ses chaussures tandis que Magnus s'avançait vers la porte, qu'il prit soin de claquer.

— Et de deux, commenta Jace d'un ton faussement amusé. Qui sera le prochain ?

— Ça suffit, déclara l'Inquisitrice. Donne-moi tes mains.

Jace obtempéra ; l'Inquisitrice sortit une stèle de sa poche et traça une Marque autour de ses poignets. Quand elle eut terminé, les poignets de Jace, croisés l'un sur l'autre, étaient emprisonnés dans un cercle de feu.

— Qu'est-ce que vous faites ? s'écria Clary. Vous allez le blesser…

— Je vais bien, petite sœur, lança Jace d'un ton parfaitement calme, mais Clary voyait bien qu'il évitait de croiser son regard. Ces flammes ne me brûleront pas tant que je n'essaierai pas de m'échapper.

— Quant à toi... reprit l'Inquisitrice en s'adressant à Clary.

La jeune fille lui jeta un regard ébahi : jusque-là, c'était tout juste si cette femme semblait s'apercevoir de sa présence.

— Tu as de la chance d'avoir été élevée par Jocelyne, loin de l'influence de ton père. Mais cela ne m'empêchera pas de te tenir à l'œil.

La main de Luke se resserra autour de l'épaule de Clary.

— C'est une menace ?

— L'Enclave ne menace personne, Lucian Graymark. L'Enclave fait des promesses, et elle les tient, rétorqua l'Inquisitrice d'un ton presque guilleret.

Elle était bien la seule à se réjouir : tous les autres étaient sous le choc, excepté Jace. Il ressemblait à un lion pris au piège.

— Viens, Jonathan, poursuivit l'Inquisitrice. Marche devant moi. Si tu tentes de t'enfuir, je te plante mon poignard entre les omoplates.

Jace eut du mal à tourner la poignée avec ses mains liées. Clary serra les dents pour éviter de crier. La porte s'ouvrit enfin et Jace sortit, suivi de l'Inquisitrice. Les Lightwood leur emboîtèrent le pas en file indienne, Alec les yeux toujours rivés au sol. Quand le battant se referma derrière eux, Clary et Luke, restés seuls dans le salon, échangèrent un regard incrédule.

15

Le crochet du serpent

— Luke, dit Clary, qu'est-ce qu'on va faire ?

Il se prit la tête à pleines mains comme pour l'empêcher de s'ouvrir en deux.

— Il me faut du café, déclara-t-il.

— Je t'en ai apporté.

Il baissa les bras avec un soupir.

— Il m'en faut encore.

Clary le suivit dans la cuisine. Là, il se servit une autre tasse et s'assit à la table en passant distraitement la main dans ses cheveux.

— Ça sent mauvais, soupira-t-il. Très mauvais.

— Tu crois ?

Clary n'avait aucune envie de café : elle avait déjà les nerfs en pelote.

— Que se passera-t-il si elle l'emmène à Idris ?

— Il sera jugé devant l'Enclave, et sans doute reconnu coupable. Il est jeune, aussi se contenteront-ils peut-être de lui ôter ses Marques sans lui jeter de malédiction.

— Qu'est-ce que ça signifie, exactement ?

— Qu'il ne sera plus un Chasseur d'Ombres, répondit Luke en évitant son regard, et qu'on le bannira de l'Enclave. Il deviendra un Terrestre comme les autres.

— Mais… il en mourra !

— Tu crois que je ne le sais pas ?

Luke fixa sa tasse vide d'un air morose avant de la reposer.

— Ça ne fera aucune différence pour l'Enclave, en revanche. S'ils ne peuvent pas mettre la main sur Valentin, ils puniront son fils.

— Et moi ? Je suis sa fille, après tout !

— Tu n'es pas de leur monde, contrairement à Jace. Je te suggère néanmoins de te faire oublier quelque temps. J'aimerais qu'on parte pour la ferme…

— On ne peut pas laisser Jace entre leurs mains ! s'écria Clary, affolée. Je n'irai nulle part.

— Je sais bien, dit Luke en écartant d'un geste ses protestations. J'ai dit « j'aimerais », or, je sais pertinemment que c'est impossible. Reste à savoir ce qu'Imogène manigance, maintenant qu'elle sait où se cache Valentin. On risque de se retrouver au beau milieu d'une guerre.

— Peu m'importe qu'elle projette de tuer Valentin. Grand bien lui fasse. Moi, je veux seulement retrouver Jace.

— Ce ne sera pas facile, étant donné que, dans ce cas précis, il est coupable de ce dont on l'accuse.

— Quoi, tu crois qu'il a tué les Frères Silencieux ? Tu…

— Non, je ne le pense pas. En revanche, comme le lui reproche Imogène, il est allé voir son père.

— Maintenant que ça me revient, qu'est-ce que tu

voulais dire par : « Nous avons manqué à nos devoirs envers lui » ? Tu crois qu'il n'est pas responsable ?

— Oui et non, répondit Luke d'un air las. Il a commis une grosse bêtise en allant voir Valentin. On ne peut pas se fier à cet homme-là. Mais les Lightwood lui ont tourné le dos, alors il ne faut pas s'en étonner. Ce n'est qu'un enfant, il a encore besoin de ses parents. S'ils ne veulent pas de lui, il ira se chercher une figure paternelle ailleurs.

— Je pensais que, peut-être, il se tournerait vers toi.

— Moi aussi, Clary, dit Luke avec tristesse. Moi aussi.

Maia tendit l'oreille : les cris dans le salon s'étaient tus. Elle entendait vaguement des bruits de voix en provenance de la cuisine. Il était temps de s'éclipser. Elle plia le mot qu'elle avait griffonné à la hâte, le déposa sur le lit de Luke et s'avança vers la fenêtre. Un vent froid s'engouffrait dans la pièce : c'était l'une de ces journées de début d'automne où le ciel d'un bleu irréel semble plus lointain que jamais, et où une odeur imperceptible de fumée flotte dans l'air.

Elle se hissa sur le rebord et jeta un coup d'œil en bas. Avant sa transformation, elle aurait réfléchi à deux fois avant de sauter ; là, elle n'eut qu'une seconde d'hésitation, du fait de son épaule blessée, avant de se lancer. Elle atterrit à quatre pattes sur le ciment craquelé de l'arrière-cour. En se redressant, elle jeta un coup d'œil derrière elle : personne n'ouvrit la porte ni ne lui cria de rentrer.

Elle éprouva un pincement au cœur : ils ne lui avaient pas prêté grande attention quand elle était là-bas, alors pourquoi auraient-ils remarqué son absence ? Comme toujours, elle était la dernière roue du carrosse. Le seul qui l'avait traitée avec un peu de considération, c'était Simon.

Cette pensée la fit tressaillir tandis qu'elle se laissait tomber de l'autre côté du grillage. Elle remonta en courant la ruelle jusqu'à Kent Avenue. Lorsqu'elle avait juré à Clary qu'elle ne se souvenait pas de la nuit précédente, elle avait menti. Elle se rappelait nettement l'expression de Simon quand elle avait reculé d'horreur, comme si cette image s'était imprimée sous ses paupières. Le plus drôle, c'est qu'à cet instant-là, il lui avait semblé plus humain que jamais.

Elle traversa la rue pour éviter de passer devant les fenêtres de Luke. Il n'y avait personne dehors : on était dimanche, les habitants de Brooklyn devaient faire la grasse matinée. Elle se dirigea vers la station de métro de Bedford Avenue, l'esprit encore tourné vers Simon. Elle avait un nœud au creux de l'estomac quand elle pensait à lui. Il était le premier à qui elle ait eu envie de faire confiance depuis des années, et il avait fait en sorte que ce soit impossible.

« Si c'est impossible, alors pourquoi tu t'es mis en tête d'aller le voir ? » chuchota la voix de Daniel dans un recoin de son cerveau. « La ferme, répliqua-t-elle. Même si on ne peut pas être amis, je lui dois au moins une excuse. »

Un éclat de rire lui parvint. Le bruit se répercuta sur les murs de la grande usine désaffectée à sa gauche. Prise d'une panique inexplicable, Maia fit volte-face :

la rue derrière elle était déserte. Une vieille dame promenait ses chiens le long de la berge, mais Maia doutait qu'elle soit à portée de voix.

Néanmoins, elle décida d'accélérer le pas, se rappelant qu'elle pouvait facilement semer la plupart des humains. Même dans son état actuel, avec son bras douloureux comme si elle avait reçu un coup de marteau sur l'épaule, elle n'avait rien à craindre d'un agresseur éventuel. Une nuit qu'elle traversait Central Park, peu après son arrivée en ville, deux adolescents armés de couteaux s'en étaient pris à elle et seule l'intervention de Bat l'avait empêchée de les tuer.

Alors, pourquoi avait-elle aussi peur ?

Elle jeta un coup d'œil dans son dos. La vieille dame avait disparu ; l'avenue était entièrement vide. L'ancienne fabrique de confiseries Domino, désormais abandonnée, s'éleva devant elle. Mue par le besoin irrépressible de quitter la rue, elle s'engouffra dans une ruelle attenante, et se retrouva dans un espace étroit entre deux immeubles, jonché d'ordures et de débris de verre. Des rats fuyaient à son approche. Les toits au-dessus de sa tête, qui se touchaient presque, bloquaient la lumière du soleil, lui donnant l'impression de s'être engagée dans un tunnel. Les murs en brique étaient percés de minuscules fenêtres incrustées de crasse. À travers les carreaux cassés, elle voyait le sol de l'usine désaffectée, et plusieurs rangées de cuves et de fourneaux. Elle s'adossa à l'un des murs et s'efforça de calmer les battements affolés de son cœur. Elle était sur le point d'y parvenir quand une voix familière s'éleva dans les ténèbres.

— Maia ?

Elle se retourna brusquement. Il se tenait immobile à l'entrée de la ruelle, son beau visage et sa chevelure nimbés d'un halo de lumière pâle. Ses yeux noirs bordés de longs cils l'observaient avec curiosité. Il portait un jean et un tee-shirt à manches courtes, en dépit du froid. Il avait gardé le visage de ses quinze ans.

— Daniel, murmura-t-elle.

Il s'avança vers elle à pas de loup.

— Ça fait longtemps, petite sœur.

Maia avait envie de fuir, mais ses jambes ne la portaient plus. Elle se colla de nouveau au mur comme si elle cherchait à disparaître à l'intérieur.

— Mais... tu es mort !

— Et tu n'as pas pleuré à mon enterrement, hein, Maia ? Pas une seule larme pour ton grand frère !

— Tu es un monstre, chuchota-t-elle. Tu as essayé de me tuer...

— J'aurais dû insister un peu plus...

Il tenait à la main un long objet pointu qui étincelait dans la pénombre. Les sens brouillés par la peur, Maia n'aurait su dire avec certitude ce que c'était. Elle se laissa glisser sur le sol au moment où il la rejoignait.

Daniel s'agenouilla près d'elle, et elle vit ce qu'il avait à la main : un bout de verre tranchant aux bords déchiquetés, provenant d'une des fenêtres cassées. La terreur la submergea comme une vague ; cependant ce n'était pas tant l'arme de son frère qui l'effrayait que son regard vide, qui ne reflétait que les ténèbres.

— Tu te souviens quand j'ai dit que je te couperais la langue pour t'empêcher de cafter auprès de papa et maman ?

Paralysée d'effroi, Maia ne pouvait que le regarder, impuissante. Elle sentait déjà le verre lui transpercer la peau, le goût répugnant du sang dans sa bouche, et elle regretta de ne pas être déjà morte : tout sauf cette horreur absolue, cette peur sans nom…

— Ça suffit, Agramon.

La voix qui perça le brouillard à l'intérieur de son crâne n'était pas celle de Daniel. C'était une voix douce et distinguée, indéniablement humaine. Elle lui rappelait quelqu'un, mais qui ?

— À vos ordres, seigneur Valentin, murmura Daniel, comme à regret, et soudain son visage devint flou.

Il disparut en quelques instants, et avec lui la terreur qui oppressait Maia. Elle prit avidement une bouffée d'air.

— Bon, elle respire, déclara l'homme d'un ton agacé. Vraiment, Agramon ! Quelques secondes de plus, et elle mourait.

Maia leva les yeux. L'homme qui se dressait au-dessus d'elle était très grand et entièrement vêtu de noir, de ses gants de cuir jusqu'à ses bottes aux semelles épaisses. De la pointe du pied, il la força à relever le menton et demanda froidement :

— Quel âge as-tu ?

Il avait le visage étroit, pâle, anguleux, des yeux noirs et des cheveux si blancs qu'ils évoquaient le négatif d'une photographie. Sur la peau blême de son cou, juste au-dessus du col de son manteau, était visible une Marque noire en forme de spirale.

— Vous êtes Valentin ? murmura-t-elle. Mais je croyais que…

La botte de l'homme vint s'écraser sur sa main. Elle poussa un hurlement.

— Je t'ai posé une question. Quel âge as-tu ?

— Quel âge ?

La douleur dans sa main, mêlée à la puanteur âcre des ordures qui l'entouraient, lui souleva l'estomac.

— Allez vous faire voir !

Un objet étincela dans la main de l'homme. Rapide comme l'éclair, il lui lacéra le visage. Elle n'eut même pas le temps de reculer. Elle porta la main à sa joue et sentit le sang couler sur ses doigts.

— Bon, dit Valentin du même ton imperturbable. Quel âge as-tu ?

— Quinze ans ! J'ai quinze ans.

Valentin sourit.

— Parfait.

De retour à l'Institut, l'Inquisitrice escorta Jace à l'étage, dans la salle d'armes, loin des Lightwood. En apercevant son reflet dans les grands miroirs fixés aux murs, il se figea. Ses yeux étaient cernés, sa chemise tachée de sang séché et de boue provenant de l'East River. Il avait l'air épuisé et abattu.

La voix de l'Inquisitrice l'arracha à sa contemplation.

— Alors, tu t'admires devant la glace ? Tu feras moins le beau quand l'Enclave en aura terminé avec toi.

— Vous semblez obsédée par mon apparence, lança Jace en se détournant du miroir avec soulagement. Je vais finir par croire que la raison de tout ce cirque, c'est que vous êtes attirée par moi.

— Quelle horreur ! Tu pourrais être mon fils.

D'un petit sac gris accroché à sa ceinture, l'Inquisitrice avait sorti quatre tiges en métal : des poignards séraphiques.

— Stephen. C'est comme ça qu'il s'appelait, n'est-ce pas ?

L'Inquisitrice se tourna brusquement vers lui. Sa main qui tenait les poignards tremblait de rage.

— Je t'interdis de prononcer son nom !

Pendant quelques instants, Jace crut qu'elle allait le tuer.

Elle pointa l'un des poignards dans sa direction :

— Va te poster au milieu de la pièce !

Jace obéit. Bien qu'il s'efforçât de ne pas regarder les miroirs, il voyait du coin de l'œil son reflet et celui de l'Inquisitrice ; les glaces se renvoyaient à l'infini l'image de leurs deux silhouettes.

Il baissa les yeux sur ses mains entravées. Ses poignets et ses épaules lui faisaient un mal de chien. L'Inquisitrice examina l'un des poignards. Après avoir invoqué le nom de Jophiel, elle le planta dans le plancher ciré à ses pieds. Jace attendit en vain : rien ne se produisit.

— Boum ? fit-il au bout d'un long moment. Quelque chose était censé se passer ?

— Tais-toi et reste où tu es, ordonna l'Inquisitrice d'un ton sans appel.

Immobile, Jace l'observa avec intérêt alors qu'elle se plaçait de l'autre côté, invoquait un autre ange, Harahel, et plantait un deuxième couteau dans le plancher.

Avec la troisième lame – Sandalphon –, il comprit ce qu'elle était en train de faire : elle marquait les quatre points cardinaux. Il tenta en vain de se rappeler la signification de ce qui était manifestement un rituel propre à l'Enclave, différent de tous les enseignements qu'il avait reçus. Quand elle planta le dernier poignard, Taharial, il avait les paumes moites et irritées à force de les frotter l'une contre l'autre.

L'Inquisitrice se redressa, l'air satisfait.

— Voilà.

— Voilà quoi ? grommela Jace.

Elle le fit taire d'un geste.

— Attends un peu, Jonathan. Il reste un détail à régler.

Elle s'agenouilla devant le poignard indiquant le sud, puis, d'un mouvement vif, sortit une stèle de son manteau et traça une rune dans le sol juste à côté. Quand elle se releva, un carillon aigu, dont le son évoquait le tintement délicat d'une petite horloge, résonna dans la pièce, et des flots de lumière aveuglante jaillirent des quatre poignards séraphiques. Jace détourna le visage, les yeux fermés. Quand il regarda de nouveau, quelques instants plus tard, il s'aperçut qu'il était prisonnier d'une cage dont les parois semblaient avoir été tissées avec des filaments de lumière mouvante, tel un rideau de pluie.

L'Inquisitrice n'était plus qu'une silhouette indistincte derrière ce mur brillant. Jace l'appela, et sa propre voix lui sembla hésitante et caverneuse, comme s'il avait parlé sous l'eau.

— Qu'est-ce que c'est que ça ? Qu'avez-vous fait ?

Pour toute réponse, l'Inquisitrice éclata de rire.

Jace fit un pas vers elle, furieux, et frôla de son épaule le mur de lumière. Une onde de choc lui traversa le corps, le projetant en arrière avec la force d'une barrière électrifiée. Il s'affaissa lourdement sur le sol sans pouvoir se servir de ses mains pour freiner la chute.

L'Inquisitrice rit de nouveau.

— Si tu essaies de franchir ce mur, je ne donne pas cher de ta peau ! L'Enclave a attribué à ce châtiment très particulier le nom de Configuration de Malachie. Ces parois ne peuvent être détruites tant que les poignards séraphiques restent fichés dans le sol. À ta place, ajouta-t-elle en s'agenouillant et en faisant mine d'effleurer le poignard le plus proche, je ne toucherais pas ces lames. Dans le cas contraire, tu mourras.

— Vous, vous pouvez les toucher ! cracha Jace, incapable de contenir la haine qui perçait dans sa voix.

— Oui, mais je n'en ferai rien.

— Et vous allez me laisser là sans eau ni nourriture ?

— Chaque chose en son temps, Jonathan.

Jace se releva péniblement. À travers les parois mouvantes, il la vit se détourner comme pour partir.

— Mes mains…

Il baissa les yeux vers ses poignets. Le cercle brûlant lui rongeait la peau comme de l'acide. Du sang perlait autour des menottes magiques.

— Tu aurais dû réfléchir avant d'aller retrouver Valentin.

— Vous ne m'incitez pas vraiment à craindre la vengeance du Conseil. Ces gens-là ne peuvent pas être pires que vous !

— Oh, tu ne passeras pas devant le Conseil, lâcha

l'Inquisitrice d'un ton tranquille qui ne présageait rien de bon.

— Comment ça ? Je croyais que vous étiez censée m'emmener à Idris demain ?

— J'ai l'intention de te rendre à ton père.

Le choc causé par ces paroles le fit sursauter.

— Mon père ?

— Oui, ton père. J'ai prévu de t'échanger contre les Instruments Mortels.

Jace lui jeta un regard incrédule.

— Vous plaisantez !

— Pas du tout. C'est beaucoup plus simple qu'un procès. Évidemment, tu seras banni de l'Enclave, ajouta-t-elle au bout de quelques instants, mais ça, j'imagine que tu t'y attendais.

Il secoua la tête.

— Vous avez misé sur le mauvais cheval. J'espère que vous vous en rendez compte.

Une ombre d'irritation passa sur le visage de l'Inquisitrice.

— Épargne-moi tes protestations d'innocence, Jonathan.

— Je ne parlais pas de moi, mais de mon père.

Pour la première fois depuis leur rencontre, elle parut troublée :

— Je ne comprends rien à ce que tu me chantes.

— Mon père n'acceptera jamais de vous remettre les Instruments Mortels en échange de ma petite personne, expliqua Jace, impassible. Il vous laisserait m'égorger sous ses yeux plutôt que de vous rendre la Coupe ou l'Épée.

— Tu ne comprends pas, dit la femme avec une pointe de tristesse dans la voix. Les enfants ne peuvent pas comprendre. Rien n'égale l'attachement d'un parent pour sa progéniture. Il n'y a pas d'amour plus dévorant. Aucun père – pas même Valentin – ne sacrifierait son fils pour un vulgaire bout de fer, si puissant soit-il.

— Vous ne connaissez pas le mien ! Il vous rira au nez et vous offrira l'argent nécessaire pour rapatrier mon corps à Idris.

— Ne sois pas bête…

— Oui, vous avez raison, reprit Jace. Tout compte fait, il vous fera probablement payer les frais de rapatriement par bateau.

— Je vois que tu n'es pas le fils de Valentin pour rien. Tu ne veux pas qu'il rende les Instruments Mortels, ce serait également une défaite pour toi. Tu n'as pas envie de vivre la vie d'un fils de criminel tombé en disgrâce, et tu dirais n'importe quoi pour me faire flancher. Mais tu ne m'auras pas comme ça.

— Écoutez !

Le cœur de Jace battait à tout rompre, mais il s'efforça de maîtriser sa voix : il lui fallait absolument la convaincre.

— Je sais que vous me haïssez et que vous me prenez pour un menteur, comme mon père. Mais je vous dis la vérité. Il croit dur comme fer en ce qu'il fait. Vous croyez qu'il est le mal incarné, alors qu'il est simplement persuadé d'être dans son bon droit. Il pense accomplir l'œuvre de Dieu, et il n'y renoncera pas pour moi. Vous qui m'avez suivi jusque là-bas, vous avez dû entendre ce qu'il a dit…

— Je t'ai vu lui parler. Je n'ai rien entendu.

Jace jura dans sa barbe.

— Je prêterai n'importe quel serment pour vous prouver que je ne mens pas. Il se sert de l'Épée et de la Coupe pour invoquer des démons et les contrôler. Pendant que vous perdez votre temps avec moi, il se constitue une armée. D'ici à ce que vous ayez compris qu'il n'acceptera jamais votre marché, vous n'aurez plus aucune chance de le vaincre.

L'Inquisitrice recula avec une exclamation de dégoût.

— Ça suffit ! J'en ai assez de tes mensonges !

Jace poussa un soupir excédé alors qu'elle lui tournait le dos et se dirigeait vers la sortie au pas de charge.

— Je vous en prie !

Arrivée devant la porte, elle lui jeta un coup d'œil par-dessus son épaule. À travers le mur de lumière, Jace ne distinguait que les contours anguleux de son visage et son menton pointu. Ses vêtements gris se fondaient dans la pénombre de la pièce, si bien qu'il avait l'impression de regarder une tête sans corps suspendue dans les airs.

— Ne va pas t'imaginer que cela m'enchante de te rendre vivant à ton père, dit-elle. Valentin Morgenstern mérite de tenir le cadavre de son fils dans ses bras et de contempler son visage en sachant que rien ne le ramènera : aucun charme, aucune incantation, aucun pacte avec le diable...

Sa voix se brisa, puis elle reprit dans un murmure : « Il mériterait de savoir », et poussa la porte, qui se referma derrière elle avec un bruit mat. Jace se retrouva seul, les yeux perdus dans le vague.

Clary raccrocha le téléphone, l'air préoccupé.

— Pas de réponse.

— Qui essaies-tu de joindre ? Simon ?

Luke en était à sa cinquième tasse de café, et elle commençait à s'inquiéter pour lui : les empoisonnements à la caféine, ça devait bien exister, non ? Il ne semblait pas vraiment au bord de la syncope ; cependant elle débrancha subrepticement la cafetière, au cas où, avant de revenir s'asseoir à la table.

— Non, ça me gêne de le réveiller au beau milieu de la journée, même s'il m'a dit que ça ne le dérange pas, tant qu'il ne voit pas la lumière du jour.

— Qui, alors ?

— Isabelle. Je veux savoir ce qui se passe avec Jace.

— Elle ne répond pas ?

— Non.

L'estomac de Clary se mit à gargouiller. Elle ouvrit le réfrigérateur, en sortit un yaourt à la pêche, qu'elle se mit à avaler mécaniquement, sans le savourer. Elle avait vidé la moitié du pot lorsqu'une pensée lui traversa l'esprit.

— On devrait peut-être s'assurer que Maia va bien. J'y vais ! ajouta-t-elle en posant son yaourt.

— Non, c'est moi son chef de meute, dit Luke. Elle me fait confiance. Je saurai la calmer si elle est fâchée. Je reviens tout de suite.

— Ne dis pas ça, gémit Clary. Je déteste quand les gens disent ça.

Luke lui adressa un sourire malicieux et s'éloigna

dans le couloir. Quelques minutes plus tard, il était de retour, l'air étonné.

— Elle a disparu.

— Comment ça, disparu ?

— Elle est sortie en douce de la maison. Elle a laissé ça.

Il jeta un bout de papier sur la table. Clary déchiffra les mots griffonnés à la va-vite en fronçant les sourcils :

Encore désolée. Je suis partie me faire pardonner. Merci pour tout. Maia.

— « Me faire pardonner » ? Qu'est-ce que ça veut dire ?

— Je comptais sur toi pour me l'expliquer, répondit Luke avec un soupir.

— Tu es inquiet ?

— Les Raums sont des rabatteurs. Ils trouvent leur proie et la ramènent à celui qui les a invoqués. Ce démon est peut-être encore en train de la chercher.

— Oh, fit Clary d'une petite voix. À mon avis, elle est allée voir Simon.

— Est-ce qu'elle sait où il habite ? demanda Luke, surpris.

— Aucune idée. Ils m'ont paru assez proches, alors peut-être qu'elle sait, oui.

Elle sortit son téléphone.

— Je vais l'appeler.

Simon décrocha au bout de trois sonneries. Il semblait groggy.

— Allô ?

— C'est moi.

Clary se détourna de Luke tandis qu'elle parlait, plus par habitude que par souci de discrétion.

— Tu oublies que je suis plutôt de la nuit, maintenant ! grogna Simon. Ce qui sous-entend que je dors la journée.

— Tu es chez toi ?

— Oui, où veux-tu que je sois ?

Puis, d'un ton moins cassant, il ajouta :

— Qu'est-ce qui se passe, Clary ? Il y a un problème ?

— Maia s'est enfuie. Elle a laissé un mot disant qu'elle avait l'intention d'aller te voir.

Un silence perplexe lui répondit.

— Eh bien, elle n'est pas venue, finit par dire Simon. Ou, si elle en avait l'intention, elle n'est pas encore là.

— Il y a quelqu'un d'autre chez toi ?

— Non, ma mère est au travail, et Rebecca a cours aujourd'hui. Pourquoi ? Tu penses vraiment que Maia va débarquer ici ?

— Appelle-nous si jamais elle…

Simon l'interrompit.

— Attends une seconde, Clary. Je crois que quelqu'un essaie d'entrer.

Le temps s'étirait à l'infini dans sa prison. Allongé sur le dos, Jace regardait tomber la pluie argentée autour de lui avec un intérêt détaché. Ses doigts commençaient à s'engourdir, ce qui était sans doute mauvais signe ; mais il n'y prêtait pas attention. Il se demanda si les Lightwood savaient qu'il était enfermé ici, ou si quelqu'un entrant dans la salle d'armes aurait la mauvaise surprise de le trouver là. Cependant l'Inquisitrice n'était pas du genre à négliger les détails. Elle leur avait sûrement dit que la pièce était interdite d'accès jusqu'à ce qu'elle ait pris les dispositions nécessaires au sujet de son prisonnier. Il aurait dû être en colère, voire effrayé ; or, il n'éprouvait que de l'indifférence. Plus rien ne semblait réel : ni l'Enclave, ni le Covenant, ni la Loi, ni même son père.

Un bruit de pas légers l'avertit de la présence de quelqu'un. Il se redressa, parcourut la pièce du regard et distingua une forme sombre au-delà de la paroi scintillante : sans doute l'Inquisitrice, revenue le narguer. Il se préparait à une autre confrontation lorsqu'il reconnut, avec un sursaut de surprise, un visage et des cheveux noirs familiers.

Peut-être qu'il existait encore en ce bas monde des choses dont il souciait, après tout...

— Alec ?

— Oui, c'est moi.

Alec s'agenouilla de l'autre côté du mur de lumière. Jace avait l'impression de le regarder à travers une eau transparente agitée par un courant. Il le voyait distinctement à présent, même si, de temps à autre, ses traits devenaient flous et se dissolvaient dans la pluie incessante. « De quoi donner le mal de mer », songea Jace.

— Par l'Ange, qu'est-ce que c'est que ça ? souffla Alec en tendant la main pour toucher la mystérieuse paroi.

— Non ! Ce mur envoie une décharge électrique dans le corps, et peut te tuer si tu essaies de le franchir.

Alec siffla entre ses dents.

— Elle ne plaisante pas, l'Inquisitrice !

— Qu'est-ce que tu crois ? Je suis un criminel dangereux, tu ne savais pas ? répliqua Jace d'un ton acide.

Alec tressaillit et, l'espace d'un instant, Jace s'en réjouit.

— Elle ne t'a pas traité de criminel à proprement parler…

— Non, je suis juste un très vilain garçon. Je commets toutes sortes de mauvaises actions : je frappe de pauvres chatons sans défense, je fais des gestes obscènes aux religieuses.

— Arrête tes bêtises ! C'est une affaire sérieuse, grommela Alec en lui jetant un regard noir. Qu'est-ce qui t'a pris d'aller voir Valentin ? Franchement, qu'est-ce qui t'est passé par la tête ?

Un certain nombre de reparties cinglantes traversèrent l'esprit de Jace, mais il renonça à les servir à Alec : il était trop fatigué.

— Ce qui m'est passé par la tête ? Valentin est mon père.

Alec eut l'air de compter mentalement jusqu'à dix pour garder patience.

— Jace…

— Et si c'était ton père, hein ? Qu'est-ce que tu ferais, toi ?

— Mon père ne se comporterait jamais comme Valentin…

Jace releva brusquement la tête.

— Ton père s'est comporté exactement pareil ! Il faisait partie du Cercle avec le mien. Ta mère aussi. Nos parents ont commis les mêmes fautes. La seule différence, c'est que les tiens se sont fait prendre, et qu'ils ont été punis !

Le visage d'Alec se ferma.

— La seule différence ?

Jace examina ses mains : du sang perlait sur sa peau à vif.

— Je voulais juste dire, reprit Alec, que je ne comprends pas pourquoi tu es allé le voir après ce qu'il t'a fait.

Jace ne répondit rien.

— Pendant toutes ces années, il t'a laissé croire qu'il était mort. Peut-être que tu ne t'en souviens pas, mais, moi, je me rappelle comment c'était quand tu avais dix ans. Une personne qui prétend t'aimer ne peut pas t'infliger ça !

De minces filets de sang coulaient maintenant le long des mains de Jace.

— Valentin m'a promis que, si je le soutenais contre l'Enclave, il veillerait à ce que tous mes proches soient épargnés : toi, Isabelle, Max, Clary, tes parents...

— Quoi ? fit Alec d'un ton lourd de sarcasme. Il voulait dire par là qu'il ne s'en chargerait pas lui-même. C'est gentil de sa part.

— J'ai vu de quoi il est capable, Alec, et le genre de forces démoniaques qu'il peut invoquer. S'il lève son armée de monstres contre l'Enclave, il y aura une guerre. Et dans une guerre, il y a des morts et des blessés.

Jace hésita avant de reprendre :

— Si tu avais l'opportunité de sauver ceux que tu aimes...

— Quelle opportunité ? La parole de Valentin ne vaut rien !

— S'il jure sur l'Ange, il tiendra sa promesse ; je le connais.

— À condition que tu te ranges à ses côtés dans sa lutte contre l'Enclave.

Jace hocha la tête.

— Il a dû l'avoir sacrément mauvaise quand tu as refusé, observa Alec.

Jace leva les yeux de ses poignets ensanglantés, l'air interloqué.

— Quoi ?

— J'ai dit...

— J'ai entendu. Qu'est-ce qui te fait croire que j'ai refusé ?

— C'est le cas, non ?

Jace acquiesça lentement.

— Je te connais, déclara Alec avec conviction. Tu as parlé à l'Inquisitrice de Valentin et de ses projets, pas vrai ? Et elle s'en moque, je parie ?

— Disons plutôt qu'elle ne m'a pas cru. Elle s'est mis dans la tête qu'elle aura le dessus sur Valentin. Seulement voilà, son plan est nul.

— Tu m'expliqueras ça plus tard. Pour l'instant, il faut te sortir de là.

— Quoi ? fit Jace. Je croyais que tu étais d'accord pour me coller directement en prison sans passer par la case Départ. « La Loi, c'est la Loi, Isabelle », c'est bien ce que tu disais, non ?

Alec le regarda, estomaqué.

— Tu ne m'as pas pris au sérieux, tout de même ? Je voulais juste que l'Inquisitrice me fasse confiance, histoire de ne pas l'avoir sur le dos en permanence, comme Isabelle et Max. Elle sait qu'ils sont de ton côté.

— Et toi ? Tu es de mon côté ? demanda Jace d'un ton brusque, en s'étonnant que la réponse d'Alec ait autant d'importance à ses yeux.

— Quelle question ! Tu peux compter sur moi quoi qu'il arrive. Je respecte la Loi ; seulement, les agissements de l'Inquisitrice n'ont rien de légal. J'ignore ce qui se passe au juste, mais elle te hait, et elle en a fait une affaire personnelle. Ça n'a plus rien à voir avec l'Enclave.

— Il faut dire que je l'ai cherchée… C'est plus fort que moi, les bureaucrates vicieux, ça me tape sur les nerfs.

Alec secoua la tête.

— Non, c'est autre chose. Une haine ancienne, je le sens.

Jace était sur le point de répondre quand les cloches de la cathédrale se mirent à sonner. Sous les toits, le bruit était assourdissant. Il leva les yeux : il s'attendait encore à voir Hugo décrire de lents cercles au-dessus de sa tête. Les poutres sous la voûte de pierre avaient toujours été un refuge de prédilection pour le corbeau. À l'époque, Jace croyait qu'il aimait planter ses serres dans le bois tendre ; aujourd'hui, il était persuadé que ces poutres étaient un perchoir idéal pour espionner les alentours.

Une idée encore vague et obscure commençait à prendre forme dans son esprit. Il se contenta toutefois d'expliquer :

— Luke a mentionné un certain Stephen, qui serait

le fils de l'Inquisitrice. Si je comprends bien, elle essaie de le venger. Quand je l'ai questionnée à ce sujet, elle s'est mise dans une rage folle : ça doit avoir un lien avec sa haine envers moi.

Les cloches s'étaient tues.

— Peut-être, dit Alec. Je pourrais toujours interroger mes parents, mais ça m'étonnerait qu'ils acceptent de m'en parler.

— Demande plutôt à Luke.

— Tu veux que je retourne à Brooklyn ? Je n'arriverai jamais à sortir en douce de l'Institut...

— Sers-toi du téléphone d'Isabelle. Envoie un texto à Clary. Dis-lui de poser la question à Luke.

— D'accord.

Alec se tut un instant avant de demander :

— Tu veux que je transmette un message de ta part à Clary ?

— Non. Je n'ai rien à lui dire.

— Simon !

Sans lâcher le téléphone, Clary se tourna vers Luke.

— Il prétend que quelqu'un essaie d'entrer chez lui.

— Dis-lui de sortir immédiatement.

— Je ne peux pas, déclara Simon. Sauf si j'ai envie de me transformer en torche.

Luke fouillait déjà dans ses poches en quête de ses clés de voiture.

— Préviens-le qu'on arrive ! En attendant, qu'il reste dans sa chambre.

— Tu as entendu ? Enferme-toi à double tour.

— Oui, je ne suis pas sourd, marmonna Simon d'une voix tendue.

Clary entendit un frottement, suivi d'un bruit mat.

— Simon !

— Ça va. J'empile des trucs contre la porte.

— Quel genre de trucs ?

Le téléphone collé à l'oreille, Clary suivit Luke à l'extérieur.

— Un bureau. Et mon lit.

— Ton lit ?

Elle monta dans la camionnette derrière Luke, et s'acharna d'une main sur sa ceinture de sécurité pendant que Luke débouchait de l'allée dans Kent Avenue. Il se pencha et boucla sa ceinture pour elle.

— Comment tu as réussi à soulever ton lit ?

— Tu oublies mes super pouvoirs de vampire.

— Demande-lui ce qu'il entend, dit Luke.

Ils descendaient l'avenue à toute allure, ce qui n'aurait guère posé problème si les berges de Brooklyn avaient été bien entretenues. Clary retenait son souffle à chaque fois qu'ils roulaient sur un nid-de-poule.

— Décris-moi les bruits autour de toi.

— D'abord, j'ai entendu quelqu'un ouvrir la porte d'entrée d'un coup de pied. Puis Yossarian est venu se réfugier sous mon lit. C'est là que j'ai su que je n'étais pas seul dans la maison.

— Et là ?

— Là, je n'entends plus rien.

— C'est bon signe, non ?

Clary se tourna vers Luke.

— Il dit qu'il n'entend plus rien. Peut-être qu'ils sont partis.

— Peut-être, oui, répondit Luke d'un ton dubitatif.

Ils s'étaient engagés sur la voie express et filaient en direction du quartier de Simon.

— Reste quand même en ligne avec lui, ajouta Luke.

— Qu'est-ce que tu fais, Simon ?

— Rien. J'ai poussé tout le contenu de ma chambre contre ma porte. Et là, j'essaie de déloger Yossarian de la conduite d'aération.

— Laisse-le où il est.

— Comment je vais expliquer ça à ma mère ? grommela Simon.

Soudain, la communication fut coupée.

— Non !

Clary pianota sur son portable d'une main tremblante. Simon décrocha immédiatement.

— Désolé. Yossarian m'a griffé, et j'ai fait tomber le combiné.

Clary lâcha un soupir de soulagement.

— Ce n'est rien, tant que tu vas bien et...

Un bruit semblable à un raz-de-marée résonna dans le téléphone, et la voix de Simon fut noyée dans le vacarme. Clary éloigna le portable de son oreille : l'écran lui signala qu'elle était toujours en ligne.

— Simon ! cria-t-elle. Simon, tu m'entends ?

Le vacarme cessa momentanément ; puis elle entendit un grand remue-ménage, suivi d'un miaulement aigu, irréel... Et, pour finir, le bruit d'un objet lourd qui heurte le sol.

— Simon ?

Il y eut un déclic dans l'appareil, et une voix traînante aux inflexions moqueuses lui répondit :

— Clarissa. J'aurais dû me douter que c'était toi !

Clary ferma les yeux et sentit son estomac se soulever comme dans des montagnes russes.

— Valentin.

— Père, tu veux dire ! rectifia-t-il d'un ton agacé. Je déplore cet usage moderne qui consiste à appeler ses parents par leur prénom.

— J'ai bien pire que votre prénom en réserve ! rétorqua-t-elle. Où est Simon ?

— Tu parles du vampire ? Il n'est pas très fréquentable pour une jeune Chasseuse d'Ombres de bonne famille, tu ne trouves pas ? Désormais, j'aurai mon mot à dire sur le choix de tes amis.

— Qu'est-ce que vous lui avez fait ?

— Rien, répondit Valentin, amusé. Pour le moment.

Et il raccrocha.

Quand Alec revint dans la salle d'armes, Jace, étendu sur le sol, s'efforçait de s'imaginer une ribambelle de danseuses dénudées pour oublier la douleur dans ses poignets. Ce n'était guère efficace.

— Qu'est-ce que tu fais ? s'enquit Alec en s'agenouillant aussi près que possible du mur scintillant qui emprisonnait son ami.

— J'ai pensé que m'allonger par terre et me tordre de douleur me détendrait un peu, grommela-t-il.

— Et ça marche ? Oh… tu rigoles. C'est bon signe, remarque ! Assieds-toi si tu peux. Je vais essayer de glisser quelque chose à travers le mur.

Jace se redressa si brusquement qu'il vit trente-six chandelles.

— Alec, non…

Mais ce dernier avait déjà poussé un objet vers lui, comme on lance une balle à un enfant. L'objet en question, rouge et de forme sphérique, traversa le mur de lumière et roula jusqu'à Jace avant de s'arrêter contre son genou.

— Une pomme, dit le prisonnier en ramassant le fruit d'un geste las. C'est tout ce qui me manquait !

— Je me suis dit que tu avais peut-être faim.

— Bien vu.

Jace croqua dans la pomme ; un peu de jus coula sur ses mains en faisant siffler les flammes bleues qui entravaient ses poignets.

— Tu as réussi à envoyer un message à Clary ?

— Non. Isabelle refuse de m'ouvrir. Elle hurle, jette des trucs contre la porte et jure qu'elle sautera par la fenêtre si j'entre dans sa chambre. Elle en est bien capable.

— Oui, probablement.

— Elle ne m'a pas pardonné de t'avoir trahi, déclara Alec en souriant.

— Ça, c'est une fille bien, lança Jace avec gratitude.

— Je ne t'ai pas trahi, idiot.

— C'est l'intention qui compte.

— Tant mieux, parce que je t'ai apporté autre chose. Je ne sais pas si ça marchera, mais on peut toujours essayer.

Il glissa à Jace un petit objet métallique. C'était un disque en métal argenté, de la taille d'une pièce de monnaie. Jace mit la pomme de côté et le ramassa pour l'examiner d'un air intrigué.

— Qu'est-ce que c'est que ça ?

— Je l'ai trouvé sur le bureau de la bibliothèque.

J'ai vu mes parents s'en servir pour ôter des liens. Je crois que c'est comme une rune de descellement. Ça vaut la peine de...

Il s'interrompit au moment où Jace approchait le disque de ses poignets en le maintenant maladroitement entre deux doigts. À la seconde où il entra en contact avec les flammes bleues, elles disparurent.

— Merci.

Jace frotta ses poignets cerclés d'une bande de chair à vif.

— Ce n'est pas top comme le coup de la lime à ongles cachée dans le gâteau, mais si ça peut m'éviter une amputation des mains...

Alec le fixa à travers la paroi : les fils tremblotants de lumière lui allongeaient le visage, lui donnant l'air inquiet. À moins qu'il ne le soit réellement.

— Tu sais, une idée m'est venue quand je parlais avec Isabelle. Je lui disais qu'elle risquait de se rompre le cou en sautant par la fenêtre.

Jace hocha la tête.

— Le conseil avisé d'un grand frère.

— Puis je me suis demandé si c'était pareil pour toi. C'est vrai, il y a des fois où je t'ai vu tomber de trois étages et atterrir comme un chat, ou sauter sur un toit...

— C'est très gratifiant, d'entendre la liste de mes exploits, mais je ne vois pas où tu veux en venir, Alec.

— Mon argument, c'est qu'il y a quatre parois dans cette prison, pas cinq.

Jace lui lança un regard perplexe.

— Alors, Hodge avait raison quand il prétendait que la géométrie nous sert tous les jours. Tu as tapé dans le mille, Alec : cette cage a quatre parois. Et si l'Inquisitrice en ôtait une, je pourrais peut-être…

— Jace ! s'écria Alec, à bout de patience. Ce que je veux dire, c'est qu'il n'y a pas de plafond !

Jace leva la tête et regarda les poutres qui se perdaient dans l'obscurité.

— Tu es fou !

— Peut-être, répliqua Alec. Ou peut-être que je sais que tu en es capable.

Il haussa les épaules.

— Tu pourrais au moins essayer.

Jace observa Alec, son visage honnête, ouvert, ses yeux bleus qui ne cillaient pas. « Il est fou ! » songea-t-il. Et pourtant, Alec disait vrai : dans le feu de l'action, il avait accompli de petits miracles… Il réfléchit : d'accord, du sang de Chasseur d'Ombres coulait dans ses veines, et il avait suivi un entraînement pendant des années… Néanmoins, il ne pouvait pas faire un bond de plusieurs mètres !

« Comment sais-tu que tu n'en es pas capable si tu n'as jamais essayé ? » fit une petite voix dans sa tête.

C'était la voix de Clary. Il songea à sa sœur et aux runes, à la Cité Silencieuse, et à ses menottes, qui s'étaient ouvertes comme si elles avaient cédé sous une pression énorme. Clary et lui partageaient le même sang. Si Clary était capable de l'impossible…

Il se leva à contrecœur et parcourut la pièce du regard. Il se baissa pour ramasser la pomme à moitié mangée, l'examina d'un air pensif ; puis, prenant son élan, il la lança. Le fruit franchit le mur scintillant et se consuma en une gerbe de flammes bleues.

Alec poussa une exclamation horrifiée. Ainsi, l'Inquisitrice n'avait pas exagéré : si Jace se jetait contre l'une des parois de sa prison, il en mourrait.

Il se leva d'un bond.

— Jace, je ne suis pas sûr…

— La ferme, Alec. Et regarde de l'autre côté, tu veux ? Tu ne m'aides pas, là.

Quelle que fût la réponse de son ami, Jace ne l'entendit pas. Il tourna lentement sur lui-même, les yeux fixés sur les poutres. Les runes améliorant sa vue de loin s'acquittaient à merveille de leur fonction : les poutres lui apparaissaient avec une grande netteté. Il discernait les aspérités, les nœuds du bois, les taches noirâtres dues à l'âge. Elles étaient pourtant d'une solidité à toute épreuve : elles soutenaient le toit de l'Institut depuis plusieurs siècles… et, par conséquent, elles supporteraient le poids d'un adolescent. Il plia et déplia les doigts, régula sa respiration en inspirant longuement, comme son père le lui avait appris. Dans un recoin de son cerveau, il se visualisa en train de bondir dans les airs, de se rattraper à une poutre d'un geste sûr et de se balancer dans le vide. « Je suis léger », songeait-il. Léger, rapide comme une flèche que rien ne pourrait arrêter. « C'est simple, se répétait-il. Simple comme bonjour. »

— Je suis la flèche de Valentin, murmura Jace. Qu'il le sache ou non.

Et, à ces mots, il s'élança.

16

Une pierre à la place du cœur

Clary s'acharna sur les touches de son portable pour rappeler Simon, mais elle tomba directement sur sa messagerie. Des larmes lui brûlèrent les joues ; elle jeta son téléphone sur le tableau de bord du pick-up.

— On y est presque, la rassura Luke.

Elle ne s'était pas aperçue qu'ils venaient de quitter la voie express. Luke freina devant la maison de Simon, une vaste demeure à la façade rouge vif. Clary descendit de la camionnette et courut dans l'allée avant même qu'il ait enclenché le frein à main. Elle l'entendit l'appeler tandis qu'elle montait les marches du perron quatre à quatre. Elle se mit à tambouriner contre la porte.

— Simon ! cria-t-elle. Simon !

— Clary, ça suffit ! lança Luke, qui l'avait rejointe sous le porche. Les voisins…

— Qu'ils aillent se faire voir !

Elle chercha son trousseau de clés à sa ceinture, trouva la bonne et la glissa dans la serrure. Elle poussa le battant et s'avança prudemment dans le vestibule, Luke sur les talons. Ils jetèrent un coup d'œil par la porte entrouverte de la cuisine, la première à leur gauche. Tout semblait parfaitement en ordre, du comptoir d'une propreté méticuleuse aux aimants sur le frigo, en passant par l'évier près duquel Simon l'avait embrassée quelques jours plus tôt. Le soleil par la fenêtre nimbait la pièce d'une clarté jaune pâle. Clary songea qu'à présent cette lumière à elle seule pouvait transformer son ami en un tas de cendres.

La chambre de Simon était située au bout du couloir. Par la porte entrebâillée, on ne distinguait rien.

Clary sortit sa stèle et la serra dans la main. Si elle avait conscience qu'il ne s'agissait pas d'une arme, son contact la rassurait. La pièce était plongée dans l'obscurité : un rideau noir masquait la fenêtre, et la seule clarté provenait d'une pendule numérique posée sur la table de nuit. Luke passait devant elle pour allumer la lumière quand une créature jaillit de la pénombre et se jeta sur lui en sifflant, crachant et grognant comme un démon.

Clary poussa un cri. Luke la saisit par les épaules et l'écarta sans ménagement. Elle trébucha et manqua tomber. En se redressant, elle vit un Luke médusé tenir à bout de bras un chat blanc qui se débattait en miaulant, le poil hérissé. On aurait dit une grosse boule de coton avec des griffes.

— Yossarian ! s'exclama-t-elle.

Luke laissa tomber le chat qui, sans demander son reste, se faufila entre ses jambes et disparut dans le couloir.

— Sale bête ! grommela Clary.

— Ce n'est pas sa faute. Je n'ai pas la cote avec les félins…

Luke appuya sur l'interrupteur, et Clary se figea d'étonnement. La pièce était en ordre : aucun objet n'avait été déplacé, pas même le tapis ni le couvre-lit, soigneusement plié.

— C'est un charme ?

— Probablement pas. De la simple magie, je dirais.

Luke s'avança au milieu de la pièce et jeta un regard pensif autour de lui. Alors qu'il s'apprêtait à tirer les rideaux, Clary vit quelque chose briller sur le tapis à ses pieds.

— Attends, Luke.

Elle s'agenouilla pour ramasser l'objet. C'était le portable de Simon : il était dans un piteux état. Le cœur battant, elle souleva le clapet. Sur l'écran fissuré, on pouvait encore lire : *Maintenant, je les ai tous.*

Clary se laissa tomber sur le lit, stupéfaite. Luke lui ôta le téléphone des mains et lut le message à son tour. Il poussa un soupir.

— Qu'est-ce que ça veut dire ? demanda-t-elle.

Il posa le téléphone sur le bureau et se passa la main sur le visage.

— Qu'il détient désormais Simon. Et aussi Maia, à l'évidence. Ça signifie également qu'il a tout ce qu'il lui faut pour procéder au Rituel de Conversion.

Clary lui jeta un regard hébété.

— Tu veux dire que tout ça, ce n'est pas seulement pour nous atteindre, toi et moi ?

— Je suis certain que pour Valentin, c'est la cerise sur le gâteau. Mais son principal objectif, c'est d'inverser les propriétés de l'Épée de Vérité. Et pour ça, il a besoin…

— … du sang de Créatures Obscures. Seulement,

je croyais qu'il lui fallait des enfants : Maia et Simon sont des ados.

— À l'époque de la création du sort visant à convertir l'Épée de Vérité aux ténèbres, le mot « ado » n'existait même pas. Chez les Chasseurs d'Ombres, on devient adulte à l'âge de dix-huit ans. Avant, on est un enfant. Valentin détient déjà le sang d'un elfe et celui d'un sorcier. Il ne lui manquait plus que celui d'un loup-garou et celui d'un vampire.

Clary avait l'impression de suffoquer.

— Et pourquoi on n'a rien fait ? Comment ça se fait qu'on n'a pas pensé à les protéger ?

— Jusqu'ici, Valentin agissait de façon pragmatique. Ses victimes n'avaient été choisies que parce qu'elles se trouvaient dans les parages. Ça n'a pas été difficile de dénicher un enfant sorcier : il lui suffisait d'en recruter un sous prétexte d'invoquer un démon. De même, il est assez simple de repérer les fées dans le parc si l'on sait où chercher. Et le Hunter's Moon est l'endroit idéal pour tomber sur un loup-garou. Prendre des risques exagérés dans le seul but de nous atteindre alors que rien n'a changé…

— Jace, dit Clary.

— Quoi, Jace ?

— Je crois que c'est Jace qu'il essaie d'atteindre. Jace a dû le mettre très en colère la nuit dernière, sur le bateau. Suffisamment, en tout cas, pour qu'il renonce à son plan de départ.

Luke parut désarçonné.

— Pourquoi le changement de plan de Valentin aurait quelque chose à voir avec ton frère ?

— Parce que, répondit Clary avec conviction, seul Jace est capable d'énerver quelqu'un à ce point.

— Isabelle ! cria Alec en tambourinant à la porte. Ouvre ! Je sais que tu es là.

La porte s'entrouvrit. Alec jeta un œil à l'intérieur, mais ne vit personne.

— Elle ne veut pas te parler, lança une voix familière.

Alec baissa les yeux et vit une paire d'yeux gris qui le fixaient durement derrière des lunettes aux branches tordues.

— Max ! Allez, petit frère, laisse-moi entrer.

— Moi non plus, je n'ai pas envie de te parler.

Max allait refermer la porte quand Alec, rapide comme le fouet d'Isabelle, glissa son pied dans l'embrasure.

— Ne m'oblige pas à te pousser, Max.

— Tu n'oserais pas ! s'écria le garçonnet en s'appuyant de tout son poids contre la porte.

— Non, mais je pourrais aller chercher les parents, et je doute que ça plaise à Isabelle. Je me trompe, Isa ? demanda-t-il en élevant la voix pour que sa sœur l'entende.

— Oh ! fit Isabelle, furieuse. C'est bon, Max. Il peut entrer.

Max s'écarta pour laisser passer Alec, puis referma la porte derrière lui. Isabelle était agenouillée sur le rebord de la fenêtre, son fouet d'or enroulé autour du bras gauche. Elle portait ses vêtements de guerrière : un pantalon noir épais et un tee-shirt ajusté, les deux imprimés d'un motif de runes argentées à peine visible. Des bottes lacées jusqu'au genou complétaient la panoplie ; sa chevelure noire flottait au vent qui s'engouffrait par la fenêtre ouverte. Elle lui jeta un regard noir et, l'espace d'un instant, il repensa à Hugo, le corbeau de Hodge.

— Qu'est-ce que tu fabriques ? Tu vas te rompre le cou ! s'exclama-t-il en se précipitant vers elle.

Le fouet d'Isabelle claqua et alla s'enrouler autour des chevilles de son frère. Alec s'arrêta net, sachant que d'un seul mouvement du poignet Isabelle pouvait le déséquilibrer et le faire tomber sur le plancher, ficelé comme un saucisson.

— Ne m'approche pas, Alexander Lightwood ! cracha-t-elle. Je ne me sens pas d'humeur très charitable à ton égard en ce moment.

— Isabelle…

— Comment tu as pu trahir Jace ? Après tout ce qu'il a traversé ! Vous aviez pourtant juré de veiller l'un sur l'autre…

— Pas si ça impliquait d'enfreindre la Loi, lui rappela-t-il.

— La Loi ! s'écria Isabelle avec dégoût. Il existe une loi supérieure à celle de l'Enclave : la loi de la famille. Et Jace est ta famille, Alec.

— La loi de la famille ? Jamais entendu parler, répliqua-t-il avec brusquerie.

Il savait qu'il aurait dû se défendre, mais il avait du mal à renoncer à son habitude bien enracinée de reprendre ses cadets quand ils avaient tort.

— C'est peut-être parce que tu l'as inventée ? reprit-il.

Isabelle bougea imperceptiblement la main, et Alec sentit ses pieds se dérober sous lui. Au dernier moment, il se tourna pour amortir sa chute avec les mains. Il atterrit sans trop de dégâts, roula sur le dos et, levant les yeux, vit Max et Isabelle plantés au-dessus de lui.

— Qu'est-ce que tu en dis, Maxwell ? On le laisse ligoté ici jusqu'à ce que les parents le trouvent ?

Un léger gloussement mit fin à la dispute.

— C'est bon, c'est bon, vous l'avez assez torturé. Je suis là.

Isabelle écarquilla les yeux.

— Jace !

— Le seul et l'unique.

Jace entra dans la pièce et referma la porte.

Il grimaça de douleur au moment où Max se jetait sur lui en criant.

— Doucement, dit-il en écartant l'enfant avec bienveillance. Je ne suis pas trop en forme.

— Je vois ça, observa Isabelle, qui l'examinait d'un air anxieux.

Ses poignets étaient couverts de sang, la sueur collait ses cheveux blonds sur son front, et il avait le visage et les mains tachés d'ichor.

— L'Inquisitrice t'a fait passer un sale quart d'heure, on dirait.

— J'ai vu pire.

Son regard rencontra celui d'Alec.

— Elle m'a enfermé dans la salle d'armes. Alec m'a aidé à m'échapper.

Isabelle en laissa tomber son fouet.

— C'est vrai, Alec ?

— Oui, répondit ce dernier en époussetant ses vêtements d'un geste nonchalant. Tu vois ? ne put-il s'empêcher d'ajouter.

— Tu aurais pu me le dire !

— Et toi, tu aurais pu me faire confiance...

— Ça suffit, intervint Jace. On n'a pas le temps de se chamailler. Isabelle, est-ce que tu as des pansements ?

— Des pansements ?

Isabelle sortit sa stèle d'un tiroir.

— Je peux te soigner avec une *iratze*...

— Une *iratze*, ça vaut pour les bleus. Tu ne pourras pas guérir ça, dit Jace en montrant ses poignets. Ces brûlures proviennent de runes.

Dans la lumière qui inondait la chambre, les blessures de Jace étaient encore plus impressionnantes : les plaies avaient noirci et se craquelaient par endroits en libérant un mélange de sang et de liquide clair. Isabelle pâlit.

— J'aurai aussi besoin d'armes avant de...

— D'abord, les pansements. Ensuite, les armes, décréta-t-elle en entraînant Jace vers la salle de bains où était rangé tout un attirail d'onguents, de compresses et de bandages.

Alec les surveilla par la porte entrouverte tandis que Jace, appuyé contre le lavabo, laissait Isabelle nettoyer ses blessures et les envelopper dans de la gaze.

— Bon, maintenant, enlève ton tee-shirt, ordonna-t-elle.

— Je savais que tu pouvais quelque chose pour moi de ce côté-là !

Jace ôta sa veste et son tee-shirt en grimaçant. Ses muscles saillaient sous sa peau d'un or pâle et des

Marques noires comme de l'encre s'entrelaçaient sur ses bras fins. Un Terrestre aurait peut-être jugé que les cicatrices blanches – des vestiges d'anciennes runes – qui mouchetaient la peau de Jace entachaient sa perfection physique, mais Alec n'était pas de cet avis. Ils avaient tous les mêmes cicatrices, et pour eux c'étaient des insignes honorifiques.

S'apercevant qu'Alec était là, Jace demanda :

— Alec, tu peux aller me chercher le téléphone ?

— Il est sur la commode, dit Isabelle sans lever les yeux.

Elle et Jace se mirent à parler à voix basse ; Alec les soupçonnait de baisser le ton pour ne pas effrayer Max.

— Il n'y est pas, lança-t-il après avoir vérifié.

Isabelle, qui était occupée à tracer une *iratze* sur le dos de Jace, poussa un juron.

— Je l'ai oublié dans la cuisine. Si je vais le chercher, je risque de tomber sur l'Inquisitrice.

— Moi, je peux y aller, proposa Max. Elle ne s'intéresse pas à moi, je suis trop jeune.

— Oui, peut-être, marmonna Isabelle, l'air dubitatif. Pourquoi il te faut ce téléphone, Alec ?

— On en a besoin, répliqua-t-il avec impatience. Isa...

— Si c'est juste pour envoyer à Magnus un texto du style « Je te kif grav », je te trucide.

— Qui c'est, Magnus ? s'enquit Max.

— Un sorcier, répondit Alec.

— Un sorcier très, très sexy, renchérit Isabelle en ignorant le regard assassin de son frère aîné.

— Mais les sorciers sont méchants ! protesta Max, déconcerté.

— Exact.

— Je n'y comprends rien ! Bon, je vais quand même aller le chercher, ce téléphone. Je reviens tout de suite.

Il se glissa dans le couloir au moment où Jace se rhabillait. De retour dans la chambre, il chercha des armes parmi les affaires d'Isabelle qui jonchaient le sol. Cette dernière le suivait en secouant la tête.

— Et maintenant, qu'est-ce qu'on fait ? On y va tous ? L'Inquisitrice sera folle de rage quand elle s'apercevra de ta disparition !

— Crois-moi, pas autant que lorsque Valentin aura refusé son offre.

Jace leur exposa brièvement le plan de l'Inquisitrice.

— Le seul hic, c'est qu'il n'acceptera jamais de se plier à sa volonté.

— Le... le seul hic ?

Isabelle était si furieuse qu'elle en bégayait presque, ce qui ne lui était pas arrivé depuis l'âge de six ans.

— Elle n'a pas le droit de faire ça ! Elle ne peut pas traiter avec un psychopathe en t'utilisant comme monnaie d'échange ! Tu fais partie de l'Enclave ! Tu es notre frère !

— L'Inquisitrice n'est pas de cet avis.

— Je me fiche de ce qu'elle pense ! Cette femme est une horrible mégère, il faut l'arrêter.

— Une fois qu'elle aura compris que son plan est complètement nul, on parviendra peut-être à la raisonner. Cela dit, je ne vais pas m'attarder pour autant. Il faut que je sorte d'ici.

— Ça ne va pas être facile, observa Alec. Elle a bloqué toutes les issues. Tu sais qu'il y a des gardes postés un peu partout en bas ? Elle a mobilisé la moitié de la Force.

— Elle doit avoir une haute opinion de moi, dit Jace en poussant du pied une pile de magazines.

— Peut-être qu'elle n'a pas tort, déclara Isabelle, qui l'examinait d'un air pensif. Tu as vraiment réussi à t'échapper d'une Configuration de Malachie en faisant un saut de plusieurs mètres ? Tu y étais, toi, Alec ?

— Oui, confirma son frère. Je n'ai jamais rien vu de pareil.

— Moi non plus, je n'en vois pas souvent, des choses comme ça, ironisa Jace en ramassant une dague longue d'une vingtaine de centimètres qui traînait par terre.

Un soutien-gorge rose pendait au bout de la lame. Isabelle attrapa le sous-vêtement d'un geste rageur.

— Tu n'as pas répondu à ma question. Comment tu as fait ?

— J'ai sauté, voilà tout, lâcha Jace en extrayant de dessous le lit deux disques en métal aux bords effilés comme des rasoirs, couverts de poils de chat.

— Des *chakhrams*. Cool.

Il souffla dessus pour les nettoyer.

— On ne sait jamais, je pourrais tomber sur un démon allergique.

Isabelle le fouetta avec son soutien-gorge.

— Tu ne m'as toujours pas répondu !

— C'est parce que je n'en sais rien, Isa. La reine de la Cour des Lumières avait peut-être raison : je dois posséder des pouvoirs dont je ne soupçonne pas l'existence, vu que je ne les ai pas encore testés. Contrairement à Clary.

Isabelle fronça les sourcils.

— Clary ?

Le visage d'Alec s'éclaira subitement.

— Jace... Est-ce que ta moto vampire est toujours sur le toit ?

— C'est possible. Mais tant qu'il fait jour, elle ne nous sert pas à grand-chose.

— Et puis, ajouta Isabelle, on ne tiendra pas tous dessus.

Jace glissa les *chakhrams* et la dague à sa ceinture. Plusieurs poignards séraphiques, qu'il fourra dans les poches de sa veste, vinrent compléter son arsenal.

— Ça, ce n'est pas grave puisque vous ne venez pas avec moi.

— Comment ça, on ne..., balbutia Isabelle.

Elle s'interrompit au moment où Max entrait, hors d'haleine, le téléphone rose cabossé de sa sœur à la main.

— Max, tu es un héros !

Elle lui arracha le portable des mains et jeta un regard noir à Jace.

— Je n'en ai pas fini avec toi. Bon, qui est-ce qu'on appelle ? Clary ?

— Je m'en char..., commença Alec.

— Non.

Isabelle chassa d'une tape la main tendue de son frère.

— Elle me préfère à toi.

Elle pianota sur le clavier de son téléphone et le porta à son oreille en tirant la langue à l'intention d'Alec.

— Clary ? C'est Isabelle. Je... Quoi ?

Le visage d'Isabelle changea de couleur et, les yeux perdus dans le vague, elle demanda :

— Comment est-ce possible ? Mais pourquoi...

Jace la rejoignit en deux enjambées.

— Quoi ? Isabelle, qu'est-ce qui se passe ? Est-ce que Clary...

Isabelle éloigna l'appareil de son oreille.

— C'est Valentin. Il a enlevé Simon et Maia. Il va se servir d'eux pour accomplir le rituel.

Jace lui arracha le portable des mains.

— Roulez jusqu'à l'Institut, ordonna-t-il. N'entrez pas. Attendez-moi, je vous retrouve dehors.

Il éteignit le téléphone et le tendit à Alec.

— Appelle Magnus. Donne-lui rendez-vous sur les quais de Brooklyn. Il peut choisir l'endroit, à condition qu'il soit désert. Nous aurons besoin de son aide pour nous rendre sur le bateau de Valentin.

Les yeux d'Isabelle brillèrent.

— Nous ?

— Magnus, Luke et moi, expliqua Jace. Vous deux, vous restez ici pour vous occuper de l'Inquisitrice. Quand Valentin aura refusé son offre, ce sera à vous de la convaincre de lancer contre lui tous les renforts dont dispose la Force.

— Une chose m'échappe, dit Alec. Comment tu comptes t'y prendre pour sortir d'ici ?

Jace sourit de toutes ses dents.

— Regarde, lança-t-il, avant de sauter sur le rebord de la fenêtre.

Isabelle poussa un cri, mais Jace était déjà de l'autre côté. Pendant quelques instants, il resta en équilibre... puis il disparut.

Alec courut jeter un œil au-dehors : il n'y avait rien à voir, excepté le jardin désert de l'Institut en contrebas, et l'étroite allée qui menait à l'entrée principale de l'édifice. Pas un seul piéton affolé dans la Quatre-vingt-seizième Rue, pas une voiture arrêtée devant un corps inerte étendu par terre. C'était comme si Jace s'était volatilisé.

Ce fut un bruit qui le tira de sa torpeur, le clapotis incessant de l'eau : il avait l'impression de reposer au fond d'une piscine qui se vidait, et puis se remplissait à toute allure. Un goût métallique s'attardait dans sa bouche ; une odeur de fer flottait dans l'air. Sa main gauche le faisait souffrir sans répit. Avec un grognement, Simon ouvrit les yeux.

Il gisait sur un sol dur et inégal en tôle peinte d'une nuance horrible de vert-de-gris. Les murs autour de lui étaient de la même couleur et de la même matière. Un unique hublot percé en hauteur laissait entrer un peu de soleil, ce qui avait suffi à brûler ses doigts, désormais rouges et enflés. Avec un autre grognement, il s'écarta et se redressa.

Il s'aperçut aussitôt qu'il n'était pas seul dans la pièce plongée dans la pénombre. Face à lui se trouvait Maia, les mains enchaînées à un gros tuyau fixé au mur. Ses vêtements étaient déchirés et un énorme bleu s'épanouissait sur sa joue gauche. Il constata que ses tresses avaient été arrachées sur un côté de sa tête, et que ses cheveux étaient poissés de sang. Au moment où il bougea, elle éclata en sanglots.

— Je croyais que tu étais mort, hoqueta-t-elle.

— Je suis déjà mort, grommela Simon.

Il examina sa main : sous ses yeux, les cloques se résorbèrent peu à peu, la douleur reflua et la peau retrouva sa pâleur habituelle.

— Je sais, je voulais dire… vraiment mort.

Maia sécha ses larmes de ses mains liées. Simon tenta de se rapprocher d'elle, mais il fut coupé net dans son élan : une menotte enserrant sa cheville était fixée à une chaîne épaisse qui s'enfonçait dans le sol. Valentin ne prenait aucun risque !

— Ne pleure pas, je vais bien, murmura-t-il.

Il regretta immédiatement ses mots : la situation justifiait la crise de larmes de Maia.

— Oui, pour l'instant, répliqua-t-elle en s'essuyant le visage avec la manche. L'homme aux cheveux blancs, il s'appelle bien Valentin ?

— Tu l'as vu ? Moi non. Ma porte a volé en éclats, et une masse noire s'est jetée sur moi.

— C'est le Valentin dont tout le monde parle, n'est-ce pas ? Celui qui a causé l'Insurrection ?

— Il paraît que c'est le père de Jace et de Clary. Je n'en sais pas plus à son sujet.

— Je me disais bien que sa voix m'était familière ! Jace a la même. Pas étonnant que ce garçon soit une telle tête à claques, ajouta-t-elle tristement.

Simon ne put qu'acquiescer.

— Écoute, reprit-elle, je sais que ma question peut te sembler bizarre, mais quand Valentin est venu te chercher, il y avait quelqu'un avec lui ? Une sorte de fantôme ?

Simon secoua la tête, désarçonné.

— Non, pourquoi ?

Maia hésita.

— J'ai vu mon frère. Enfin, son fantôme. J'ai dû avoir une hallucination. C'est sans doute un coup de Valentin.

— En tout cas, moi, il ne me l'a pas fait. J'étais au téléphone avec Clary. Je me souviens de l'avoir fait tomber quand cette chose s'est jetée sur moi.

Il haussa les épaules.

— C'est tout.

— Avec Clary ? répéta Maia, presque ragaillardie. Alors, il y a une chance qu'ils nous retrouvent ! Qui sait, ils sont peut-être déjà en route ?

— Peut-être, concéda Simon. On est où, au fait ?

— Sur un bateau. J'étais encore consciente quand il m'a amenée ici. C'est une énorme épave en fer noir. Il n'y a pas de lumière, et ça grouille de... choses. L'une d'elles a bondi sur moi et j'ai hurlé. C'est à ce moment-là qu'elle m'a prise par les cheveux pour me cogner la tête contre le mur. Après, je suis restée quelque temps dans les vapes.

— C'est quoi, ces « choses » ?

— Des démons, répondit-elle en frissonnant. Il y a toutes sortes de créatures sur ce bateau. Des grosses, des petites, des volantes. Elles lui obéissent au doigt et à l'œil.

— Mais Valentin est un Chasseur d'Ombres ! Et, d'après ce que j'ai entendu dire, il déteste les démons.

— Apparemment, ils ne sont pas au courant... Ce

qui m'échappe, c'est la raison pour laquelle il nous a enlevés. Je sais qu'il hait les Créatures Obscures, mais je trouve que c'est beaucoup d'énergie déployée pour n'en tuer que deux.

Elle s'était mise à trembler et à claquer des dents, tels ces jouets mécaniques qu'on trouvait dans les bazars de la ville.

— Il veut sans doute obtenir quelque chose des Chasseurs d'Ombres ou de Luke, reprit-elle.

« Moi, je sais ce qu'il veut », songea Simon, qui se garda bien d'en informer Maia : elle était déjà assez effrayée comme ça. Il ôta sa veste.

— Tiens, dit-il en la jetant dans sa direction.

Malgré ses menottes, elle parvint à la mettre maladroitement sur ses épaules.

Elle le gratifia d'un pâle sourire.

— Toi, tu n'as pas froid ?

Simon secoua la tête.

— Je ne ressens plus le froid.

Maia ouvrit la bouche pour dire quelque chose, puis se ravisa. Une bataille semblait se livrer à l'intérieur de son crâne.

— Je te demande pardon pour ma réaction d'hier. Les vampires me terrifient, murmura-t-elle. Quand je suis arrivée en ville, les premiers temps, j'avais l'habitude de traîner avec Bat et deux autres garçons, Steve et Greg. Un jour, dans le parc, on est tombés sur des vampires qui suçaient des poches de sang sous un pont. Une bagarre terrible a éclaté. Je revois l'un d'eux soulever Greg comme un pantin et l'ouvrir en deux...

Sa voix monta subitement dans les aigus ; elle porta la main à sa bouche. Elle tremblait violemment.

— Ses entrailles se sont déversées par terre, reprit-elle à voix basse. Et ils ont commencé à les manger.

Simon sentit une vague de nausée le submerger. Pourtant, il se réjouit presque que l'histoire de Maia lui noue l'estomac. Cela valait mieux que d'avoir faim.

— Je ne suis pas comme eux. Moi, je n'ai rien contre les loups-garous. J'aime beaucoup Luke.

— Je sais. Le jour où je t'ai rencontré, tu paraissais tellement humain ! Tu me rappelais comment j'étais avant.

— Maia, tu es toujours humaine.

— Non, c'est fini.

— Dans le sens où je l'entends, tu l'es. Comme moi.

Maia s'efforça de sourire. Simon voyait bien qu'elle ne le croyait pas, et il ne pouvait pas lui en vouloir. Lui-même avait de plus en plus de mal à s'en convaincre.

Le ciel, teinté de bronze, s'était couvert de lourds nuages. L'Institut se détachait sur la lumière grisâtre tel le flanc d'une montagne. Son toit en ardoise luisait comme de l'argent terni. Clary crut déceler du mouvement dans la pénombre sous le porche, mais elle n'en aurait pas juré. Difficile d'en avoir le cœur net : ils s'étaient garés à un pâté de maisons de là, et surveillaient les parages à travers les vitres sales de la camionnette de Luke.

— Ça fait combien de temps ? demanda-t-elle pour la énième fois.

— Tu m'as posé la même question il y a cinq minutes, répondit Luke.

Adossé à son siège, la tête rejetée en arrière, il semblait au bord de l'épuisement. La barbe de quelques jours qui lui mangeait la mâchoire et les joues tirait sur le gris, et il avait de gros cernes sous les yeux. « Toutes ces nuits à l'hôpital, l'attaque des démons, et maintenant ça », songea Clary avec inquiétude. Elle comprenait désormais pourquoi sa mère et lui avaient si longtemps vécu cachés. Elle-même avait envie de se terrer dans un trou.

— Tu veux qu'on y aille ? reprit-il.

— Non, Jace a dit de l'attendre dehors.

Elle se tourna de nouveau vers la vitre. À présent, elle était certaine d'avoir vu des silhouettes encapuchonnées sur le seuil de la cathédrale. Au moment où l'une d'elles avait bougé, elle entrevit ses cheveux argentés.

— Regarde ! s'exclama Luke en se redressant sur son siège et en baissant sa vitre en hâte.

Clary scruta l'édifice. Rien n'avait changé, en apparence.

— Tu parles des gens qui font le guet devant l'Institut ?

— Non, ils sont là depuis un bout de temps. Regarde sur le toit ! dit-il en tendant le doigt.

Clary colla son visage à la vitre. Le toit en pente de la cathédrale exhibait quantité d'arcs, de tourelles, de flèches gothiques et d'anges sculptés dans la pierre. Elle était sur le point de dire qu'elle n'avait rien remarqué d'autre que quelques gargouilles en mauvais état quand son regard fut attiré par du mouvement. Une mince silhouette se déplaçait lestement entre les tourelles, bondissant, puis rampant sur la pente terriblement abrupte. Clary aperçut l'éclat d'une chevelure blond pâle qui se détachait comme du cuivre sur l'ardoise…

« Jace. »

Sans réfléchir, elle sortit de la camionnette et courut vers l'église malgré les protestations de Luke. L'énorme édifice, haut de plusieurs dizaines de mètres, se dressait devant elle telle une falaise. Jace se tenait au bord du toit, les yeux fixés sur le sol. Clary songea : « C'est impossible, il ne ferait jamais ça ! Pas lui ! » Soudain, il sauta dans le vide, aussi tranquillement que s'il s'engageait dans un escalier. Clary poussa un hurlement quand il chuta comme une pierre…

Et atterrit sain et sauf sur ses pieds juste à côté d'elle. Elle l'observa bouche bée tandis qu'il se redressait avec un grand sourire.

— C'est ce qui s'appelle tomber à pic, hein ?

— C… comment tu as fait ? souffla Clary, qui se sentait à deux doigts de vomir.

Luke était sorti de la camionnette et regardait derrière elle. En se retournant, elle vit les deux gardes qui surveillaient la porte foncer droit sur eux. L'un était Malik, l'autre la femme aux cheveux gris.

Jace la saisit par la main et l'entraîna vers le pick-up. Ils s'engouffrèrent à l'intérieur tandis que Luke démarrait, la portière du passager encore ouverte. Jace tendit le bras devant Clary pour la refermer d'un coup sec. La camionnette évita de justesse Malik, qui avait dégainé un couteau et visait l'un des pneus. Jurant dans sa barbe, Jace chercha une arme quelconque dans sa poche au moment où le Chasseur d'Ombres prenait son élan. La lame brilla dans sa main, mais la femme aux cheveux gris se jeta sur lui pour retenir son bras. Le souffle coupé, Clary le regarda se débattre dans le rétroviseur, tandis que la camionnette filait au coin de la rue et se perdait dans la circulation de York Avenue.

Maia somnolait par intermittence appuyée contre le tuyau, la veste de Simon autour des épaules. Simon regardait le rai de lumière filtrant par le hublot se déplacer dans la pièce et s'efforçait en vain de compter les heures. Il fouilla dans ses poches à la recherche de son téléphone, et dut se rendre à l'évidence : il l'avait probablement laissé tomber quand Valentin avait fait irruption dans sa chambre.

Cependant, il avait d'autres soucis en tête. Sa gorge le brûlait et il avait la bouche sèche : il souffrait d'une soif atroce, comme si toutes les faims, toutes les soifs qu'il avait éprouvées jusqu'alors avaient fusionné en une espèce de torture sans nom. Et ce n'était que le début.

Il lui fallait du sang. Il pensa aux poches qu'il avait stockées dans le réfrigérateur de sa chambre, et ses veines s'embrasèrent sous sa peau tels des fils de fer chauffés à blanc.

— Simon ? dit Maia en relevant la tête, l'air groggy.

Le tuyau avait imprimé des marques blanches sur sa joue. Simon vit son visage reprendre des couleurs à mesure que le sang affluait de nouveau.

« Le sang. » Il passa sa langue sur ses lèvres sèches.

— Oui ?

— Combien de temps j'ai dormi ?

— Trois heures. Quatre, peut-être. Ce doit être l'après-midi.

— Oh. Merci d'avoir monté la garde.

Ce n'était pas le cas. Il se sentit un peu honteux de répondre :

— Pas de quoi.

— Simon...

— Oui ?

— Je suis désolée que tu aies échoué ici, et en même temps je suis contente que tu sois avec moi. Tu ne m'en veux pas ?

Simon parvint à esquisser un sourire et sentit sa lèvre inférieure se craqueler ; il goûta son propre sang sur sa langue et son estomac se mit à gargouiller.

— Merci.

Maia se pencha vers lui. Ses yeux étaient gris clair, avec des reflets d'ambre changeants.

— Tu peux me toucher ? demanda-t-elle en tendant la main.

Simon tendit le bras à son tour ; la chaîne qui emprisonnait sa cheville cliqueta. Leurs doigts s'effleurèrent et Maia sourit...

— Comme c'est attendrissant !

Simon recula d'un bond et scruta la pénombre. La voix qui venait de s'élever dans leur cachot était froide, distinguée ; elle avait un vague accent étranger qu'il n'arrivait pas à identifier. Maia se tourna et pâlit en apercevant l'homme qui se tenait sur le seuil. Ils ne l'avaient pas entendu entrer.

— Les Enfants de la Lune et les Enfants de la Nuit enfin réconciliés !

— Valentin, murmura Maia.

Simon garda le silence sans lâcher des yeux le nouveau venu. C'était donc lui, le père de Jace et de Clary ! Avec son casque de cheveux blancs et ses yeux noirs et perçants, il ne leur ressemblait guère, bien qu'il y ait un peu de Clary dans ses traits anguleux et la forme de ses yeux, et un soupçon de Jace dans ses gestes assurés et nonchalants. C'était un homme robuste aux épaules larges, dont la corpulence ne rappelait en rien celle de ses enfants. Il s'avança dans la pièce, silencieux comme un chat malgré l'arsenal impressionnant qu'il transportait sur lui. Une grosse épée en argent dépassait de son baudrier, dont les épaisses sangles de cuir noir étaient croisées sur son torse. Autour de sa taille, une ceinture retenait tout un attirail de boucher : couteaux, dagues et des lames extrêmement fines pareilles à d'énormes aiguilles.

— Debout ! dit-il à Simon. Dos au mur.

Simon releva la tête d'un air de défi. Du coin de l'œil, il vit que Maia l'observait, blême et terrifiée, et il éprouva un besoin violent de la protéger. Il empêcherait Valentin de lui faire du mal, même s'il devait y laisser la vie.

— Alors, c'est vous le père de Clary, lança-t-il. Ne le prenez pas mal, mais je commence à comprendre pourquoi elle vous hait autant.

Valentin ne cilla pas. Ses lèvres remuèrent à peine lorsqu'il répondit :

— Ah oui, et pourquoi ?

— Parce que, à l'évidence, vous êtes un psychopathe.

Valentin sourit imperceptiblement et leva le poing. Simon crut qu'il allait le frapper, mais Valentin se contenta d'ouvrir la main pour lui montrer, au creux de sa paume, un petit tas de poudre scintillante qui ressemblait à des paillettes. Puis, se tournant vers Maia, il souffla la poudre dans sa direction en parodiant le geste d'un amoureux qui envoie un baiser. Le nuage de poudre s'abattit sur elle tel un essaim d'abeilles argentées.

La jeune fille poussa un hurlement, puis s'agita dans tous les sens en griffant l'air de ses doigts, comme pour chasser un ennemi invisible. Bientôt, ses cris laissèrent place à des sanglots.

Simon bondit.

— Qu'est-ce que vous lui avez fait ?

Il fit mine de se jeter sur Valentin, mais sa chaîne le retint au dernier moment. L'autre sourit de nouveau.

— C'est de la poudre d'argent qui brûle les lycanthropes.

Maia avait cessé de se tortiller : recroquevillée par terre en position fœtale, elle pleurait en silence. De vilaines plaies sanguinolentes étaient apparues sur ses mains et ses bras. Le ventre de Simon se remit à gargouiller, et il s'affaissa contre le mur, dégoûté de lui-même.

— Espèce de salaud ! marmonna-t-il tandis que, d'un geste nonchalant, Valentin secouait les doigts pour se débarrasser des dernières paillettes. Ce n'est qu'une fille sans défense, elle n'était pas une menace pour vous. Elle est attachée, bon D…

Il s'étrangla, la gorge en feu. Valentin éclata de rire.

— Bon Dieu ? C'est bien ce que tu allais dire ?

Simon se mura dans le silence. Valentin dégaina

son épée. La lumière jouait sur la lame comme de l'eau s'écoulant le long d'une surface en argent pur. Ébloui, Simon cligna des yeux.

— L'Épée de l'Ange te brûle, et le nom de Dieu t'étrangle, lâcha Valentin d'un ton tranchant comme du verre. Il paraît que ceux qu'elle transperce gagnent l'entrée au paradis. C'est une belle faveur que je t'accorde, revenant !

Il appuya la pointe de la lame sur la gorge de Simon. Ses yeux noirs ne trahissaient ni colère ni compassion, ni même haine. Ils étaient aussi vides qu'une fosse fraîchement creusée.

— Un dernier mot ?

Simon savait ce qu'il était censé dire : *Sh'ma Yisrael, adonai elohanu, adonai echod.* Écoute, Israël, le Seigneur est notre Dieu, le Seigneur est un. Mais au moment où il s'apprêtait à réciter la prière, une douleur terrible lui déchira la gorge, et il murmura : « Clary. »

L'agacement se peignit sur le visage de Valentin : peut-être n'appréciait-il pas d'entendre le nom de sa fille dans la bouche d'un vampire. Il fit tourner l'Épée dans sa main et, d'un geste gracieux, il trancha la gorge de Simon.

17

À l'est d'Eden

— Comment tu as fait ? demanda Clary tandis que la camionnette filait vers le nord de la ville.

— Tu veux savoir comment j'ai réussi à monter sur le toit ?

Jace s'adossa au siège, les yeux mi-clos. Ses poignets étaient enveloppés dans des bandages, et son front était moucheté de sang séché.

— D'abord, j'ai escaladé le mur depuis la fenêtre d'Isabelle. Il y a tout un tas de gargouilles ornementales qui peuvent servir d'appui. Une fois sur le toit, j'ai constaté que ma moto n'était plus à l'endroit où je l'avais laissée. Je parie que l'Inquisitrice s'est fait une petite virée avec.

— Ce que je veux savoir, reprit Clary, c'est comment tu as fait pour sauter du toit de la cathédrale sans te rompre le cou.

— Aucune idée ! Et toi, comment tu as fait pour inventer cette rune ?

— Je l'ignore. La reine de la Cour des Lumières avait raison, hein ? Valentin... Il… il nous a fait quelque chose.

Elle jeta un coup d'œil à Luke, qui feignait de se concentrer sur la route.

— Ce n'est pas le moment de discuter de ça, dit-il. Jace, tu as une destination en tête, ou tu cherches juste à mettre de la distance entre toi et l'Institut ?

— Valentin a emmené Maia et Simon sur le bateau pour accomplir le Rituel. Il peut passer à l'acte d'un instant à l'autre. Il faut que j'aille là-bas pour l'en empêcher.

— Non, dit Luke d'un ton sans appel.

— D'accord, j'aurais dû dire « nous ».

— Jace, je refuse que tu retournes sur ce bateau. C'est trop dangereux.

— Tu as vu ce que je viens de faire, et tu t'inquiètes à mon sujet ?

— Oui, je m'inquiète.

— On n'a pas le temps pour ça. Quand mon père aura tué vos amis, il sera en mesure d'invoquer une armée de démons dont vous n'imaginez même pas la puissance. Ensuite, plus rien ne pourra l'arrêter.

— Mais l'Enclave…

— L'Inquisitrice ne bougera pas le petit doigt. Elle a interdit aux Lightwood de communiquer avec l'Enclave. Elle a refusé d'appeler des renforts, même après que je lui ai dévoilé les projets de Valentin. Elle est obsédée par son plan insensé.

— Quel plan ? demanda Clary.

— Elle voulait m'échanger contre les Instruments Mortels, répondit Jace avec amertume. Je lui ai expliqué que Valentin n'accepterait jamais son marché, mais elle ne m'a pas cru. Isabelle et Alec vont l'informer de ce qui est arrivé à Simon et à Maia. Je ne suis pas optimiste pour autant. Elle ne va pas chambouler son plan génial pour sauver deux Créatures Obscures.

— De toute façon, on ne peut pas les attendre, décréta Clary. Il faut qu'on retrouve ce bateau au plus vite. Si tu peux nous y emmener…

— Désolé de vous le rappeler, mais il faut un bateau pour rejoindre un autre bateau, objecta Luke. Même Jace ne peut pas marcher sur l'eau, il me semble.

À cet instant, le téléphone de Clary se mit à vibrer. C'était un texto d'Isabelle. Elle fronça les sourcils.

— Elle m'envoie une adresse sur les quais.

Jace jeta un coup d'œil sur le message.

— C'est là qu'on est censés retrouver Magnus.

Il lut l'adresse à Luke, qui exécuta un demi-tour brutal et se dirigea vers le sud.

— C'est lui qui nous mènera au bateau, poursuivit Jace. Il est protégé par des sortilèges. Si j'ai pu monter à bord la première fois, c'est parce que mon père le voulait bien. Cette fois-ci, il ne me laissera pas faire. Nous aurons besoin de Magnus pour venir à bout de ces charmes.

— Je n'aime pas ça, grogna Luke en pianotant nerveusement sur le volant. Je ferais mieux d'y aller seul pendant que vous deux, vous resterez avec Magnus.

Les yeux de Jace étincelèrent.

— Non, c'est à moi d'y aller.

— Pourquoi ? demanda Clary.

— Parce que Valentin a un démon très dangereux à sa solde. C'est grâce à lui qu'il a pu se débarrasser des Frères Silencieux. C'est lui qui a tué l'enfant-sorcier, le loup-garou dans la ruelle du Hunter's

Moon, et sans doute aussi le jeune elfe dans le parc. C'est pour ça que les Frères Silencieux avaient ce regard terrifié : ils sont littéralement morts de peur.

— Mais le sang…

— Valentin les a vidés de leur sang après, sauf le petit loup-garou, car il a été interrompu par l'un des clients du bar. Il n'a donc pas eu le temps d'en recueillir assez pour le Rituel, et c'est pourquoi il lui fallait Maia et Simon.

Jace se passa la main dans les cheveux.

— Personne ne peut vaincre ce démon. Il s'insinue dans la tête de ses victimes et leur détruit l'esprit.

— Agramon, dit Luke après un silence, les yeux fixés sur le pare-brise, le visage pâle et tendu.

— Oui, c'est comme ça que Valentin l'appelait.

— Le Démon de la Peur. Comment Valentin s'est-il débrouillé pour se faire obéir de lui ? Même un sorcier aurait toutes les peines du monde à mater un Démon Supérieur, et à l'extérieur du pentagramme…

Luke s'interrompit.

— C'est comme ça que l'enfant-sorcier a perdu la vie, n'est-ce pas ? En invoquant Agramon ?

Jace hocha la tête, puis exposa brièvement le vilain tour que Valentin avait joué à Élias.

— La Coupe Mortelle lui permet de contrôler Agramon, conclut-il. Grâce à elle, n'importe qui peut exercer une emprise sur les démons. Mais ce n'est rien à côté de l'Épée.

— Maintenant, je suis encore moins disposé à te laisser aller là-bas, marmonna Luke. C'est un Démon Supérieur, Jace. Il faudrait autant de Chasseurs d'Ombres qu'il y a d'habitants dans cette ville pour en venir à bout.

— Je sais. Mais son arme, c'est la peur. Si Clary utilise sa rune sur moi, j'ai des chances de l'emporter. Je peux au moins essayer.

— Non ! protesta Clary. Je ne veux pas que ta vie dépende de cette saleté de rune. Et si ça ne marchait pas ?

— Ça a marché une fois, lui rappela Jace tandis qu'ils quittaient le pont et prenaient la direction de Brooklyn.

Ils roulaient à présent dans Van Brunt Street, une rue étroite bordée d'usines : les fenêtres condamnées et les portes cadenassées percées dans les façades en brique ne donnaient pas le moindre indice de ce qui se cachait derrière ces murs. Le fleuve étincelait entre les immeubles.

— Et si cette fois, je rate mon coup ?

Jace se tourna vers Clary, et leurs regards se croisèrent.

— Ça n'arrivera pas, répondit-il.

— Tu es sûr que c'est la bonne adresse ? demanda Luke en stoppant la camionnette. Magnus n'est pas là.

Clary jeta un regard à la ronde. Ils se trouvaient devant une usine qui avait l'air d'avoir essuyé un terrible incendie. Les murs étaient toujours debout, mais de grosses poutres en acier, tordues et noircies, dépassaient çà et là. Au loin, on voyait les tours du quartier financier de Manhattan, et la bosse noire de Governors Island au large.

— Il viendra. S'il l'a promis à Alec, il viendra.

Ils sortirent du véhicule. La rue était particulièrement calme, même pour un dimanche. Seuls une brise froide soufflant du fleuve et les cris des mouettes troublaient le silence. Clary rabattit la capuche de son blouson et remonta la fermeture Éclair en frissonnant.

Luke claqua la portière de la camionnette et resserra sa veste en flanelle autour de lui. Sans un mot, il tendit à Clary une paire de gants en laine épaisse, qu'elle enfila sur-le-champ. Ils étaient trop grands pour elle, si bien qu'elle avait l'impression de porter des moufles. Elle jeta un coup d'œil autour d'elle.

— Attends... Où est passé Jace ?

Luke tendit le bras : Jace s'était agenouillé sur la grève. Ses cheveux clairs, seule touche de couleur dans le paysage, contrastaient avec le gris du ciel et les eaux brunes du fleuve.

— Il a besoin d'un moment de solitude ?

— Dans cette situation, c'est un luxe qu'on ne peut pas s'offrir.

Luke descendit la rue, Clary sur les talons. L'usine, qui s'étendait jusqu'à la berge, était séparée de l'eau par une plage de graviers. Des vaguelettes venaient lécher les rochers envahis par les mauvaises herbes. Des rondins avaient été disposés en carré autour d'un trou, dans lequel on distinguait les restes d'un feu. Des bouteilles et des boîtes de conserve mangées par la rouille traînaient un peu partout. Jace avait ôté sa veste. Au moment où Clary et Luke le rejoignaient, il jeta quelque chose dans l'eau.

— Qu'est-ce que tu fabriques ?

Il leva les yeux vers eux ; le vent lui rabattait les cheveux dans la figure.

— J'envoie un message.

Derrière lui, Clary crut voir émerger des eaux grises un tentacule brillant - ou un bout d'algue ? - étreignant un petit objet blanc. Un instant plus tard, il disparut sous ses yeux ébahis.

— Un message à qui ?

— À personne, grommela Jace.

Il retourna sur la plage de graviers, où il avait laissé sa veste ; dessus étaient posés trois poignards. Des disques en acier brillaient à sa ceinture.

Il caressa les lames des poignards, très plates et d'un gris tirant sur le blanc.

— Je n'ai pas pu m'approcher de l'armurerie, alors c'est tout ce que nous avons. On ferait mieux de se préparer avant l'arrivée de Magnus.

Il leva le premier poignard.

— Abrariel !

Quand il prononça son nom, le poignard étincela puis changea de couleur. Il le tendit à Luke.

— J'ai ce qu'il me faut, dit ce dernier en écartant les pans de sa veste pour montrer la *kindjal* qui pendait à sa ceinture.

Jace tendit Abrariel à Clary, qui prit l'arme sans un mot. Elle était chaude dans sa main, comme animée d'une vie secrète.

— Camael, reprit Jace, et le deuxième poignard s'illumina. Telantes, dit-il au troisième.

— Vous n'invoquez jamais le nom de Raziel ? demanda Clary tandis que Jace glissait les couteaux dans sa ceinture et remettait sa veste.

— Non, jamais, répondit Luke. Ça ne se fait pas.

Il scruta la route derrière Clary, cherchant Magnus des yeux, l'air inquiet. Avant qu'elle ait pu le rassurer, son téléphone vibra. Elle ouvrit le clapet et tendit l'appareil à Jace, qui lut le message, les sourcils froncés.

— Apparemment, l'Inquisitrice a donné à Valentin jusqu'au coucher du soleil pour décider qui, de moi ou des Instruments Mortels, a sa préférence. Comme elle et Maryse se disputent depuis des heures, elle n'a toujours pas remarqué mon absence.

Lorsqu'il rendit son téléphone à Clary, leurs doigts s'effleurèrent. Elle recula vivement sa main. Elle vit une ombre passer sur le visage de Jace ; cependant il ne fit aucune remarque et se tourna vers Luke.

— Le fils de l'Inquisitrice est mort, n'est-ce pas ? demanda-t-il. C'est pour ça qu'elle a ce comportement ?

Luke poussa un soupir et enfouit les mains dans les poches de sa veste.

— Comment tu as deviné ?

— À sa réaction quand on prononce le nom de son fils. Je crois que c'est la seule fois où je l'ai vue montrer un peu d'humanité.

Luke remonta ses lunettes sur son nez. Le vent cinglant qui soufflait du fleuve le fit plisser les yeux.

— L'attitude de l'Inquisitrice a plusieurs causes. Stephen est l'une d'elles.

— C'est bizarre… Elle n'a pas l'air du genre à aimer les enfants.

— Pas ceux des autres. C'était différent avec le sien. Stephen était son fils adoré. En fait, tout le monde l'aimait. Il était brillant, gentil sans être ennuyeux, beau sans susciter les jalousies. Bon, peut-être qu'on était un peu jaloux…

— Il allait à l'école avec toi ? s'enquit Clary. Et avec ma mère… et Valentin ? C'est comme ça que tu l'as connu ?

— Les Herondale dirigeaient l'Institut de Londres, et Stephen était scolarisé là-bas. Je l'ai côtoyé davantage après l'obtention de nos diplômes, quand il est rentré à Alicante. Il fut un temps où je le voyais très souvent, en effet. C'était après son mariage.

Les yeux de Luke, du même gris que le fleuve, fixaient l'horizon.

— Alors, il faisait partie du Cercle, lui aussi ?

— Pas à cette époque. Il a rejoint le Cercle après que je… après ce qui m'est arrivé. Valentin avait besoin d'un nouveau second, et il voulait Stephen. Imogène, qui était d'une loyauté indéfectible envers l'Enclave, était folle de rage : elle supplia Stephen de refuser, mais il demeurait inflexible. Il était complètement subjugué par Valentin. Il le suivait partout comme une ombre.

Luke marqua une pause.

— Le problème, c'est que Valentin trouvait la femme de Stephen indigne d'un futur second. Elle avait dans sa famille quelques éléments… indésirables.

Le chagrin qui perçait dans la voix de Luke surprit Clary. Ces gens avaient-ils donc réellement compté pour lui ?

— Valentin contraignit Stephen à divorcer d'Amatis et à se remarier. Sa seconde épouse, une fille très jeune, âgée de dix-huit ans à peine, s'appelait Céline. Elle aussi était sous l'emprise de Valentin : elle lui obéissait au doigt et à l'œil, quels que soient ses caprices. Un jour, Stephen fut tué lors d'un raid du Cercle chez un clan de vampires. Céline, qui était enceinte de huit mois, se suicida en l'apprenant. Le père de Stephen est mort de chagrin. C'était la seule famille d'Imogène, et ils ont tous disparu, les uns après les autres. Elle n'a même pas pu enterrer les cendres de sa belle-fille et de son petit-fils dans la Cité des Os, car Céline était coupable de suicide. Elle repose au bord d'une route, à un croisement près d'Alicante. Depuis, Imogène est devenue impitoyable. Après la mort de son prédécesseur pendant l'Insurrection, on lui a offert son poste. Elle a quitté Londres pour Idris et, d'après ce que j'en sais, elle n'a plus reparlé de Stephen. Maintenant, vous comprenez pourquoi elle déteste autant Valentin.

— Parce que mon père pourrit tout ce qu'il touche ? lança Jace avec amertume.

— Parce que ton père, malgré tous ses péchés, a toujours un fils, contrairement à elle. Et parce qu'elle le tient pour responsable de la mort de Stephen.

— Elle a raison. C'est sa faute.

— Pas entièrement. Il lui avait donné le choix, et Stephen a choisi. Quels que soient ses torts, Valentin n'a jamais exercé de chantage ni menacé quelqu'un pour qu'il rejoigne le Cercle. Il ne voulait que des disciples volontaires. Stephen avait pris sa décision tout seul.

— Oui, c'est ce qu'on appelle le libre arbitre, commenta Clary.

— Il n'y a aucun libre arbitre là-dedans, objecta Jace. Valentin...

— Il t'a donné le choix, non ? l'interrompit Luke. Quand tu es allé le trouver, il t'a proposé de rester, n'est-ce pas ? Il voulait que tu te battes à ses côtés ?

— Oui, c'est vrai.

Jace tourna son regard vers Governors Island. Clary voyait le fleuve se refléter dans ses yeux ; ils avaient pris une nuance acier, comme si les eaux grises avaient absorbé tout l'or de ses iris.

— Et tu as dit non.

Jace jeta un regard noir à Luke.

— J'aimerais bien que les gens arrêtent avec leurs certitudes. J'ai l'impression d'être prévisible.

Luke se détourna pour dissimuler un sourire, et se figea.

— Quelqu'un arrive.

En effet, une haute silhouette s'avançait vers eux. Ses longs cheveux noirs dansaient au vent.

— C'est Magnus, dit Clary. Mais il a l'air... différent.

À mesure qu'il approchait, elle s'aperçut que sa chevelure, d'ordinaire coiffée en épis et constellée de paillettes comme une boule de disco, était sagement lissée et ramenée derrière ses oreilles. Le pantalon en cuir avait laissé place à un costume classique impeccablement coupé et à une redingote noire fermée par des boutons d'argent. Ses yeux de chat brillaient d'une multitude de nuances d'ambre et de vert.

— Vous avez l'air surpris de me voir, lança-t-il.

Jace jeta un œil sur sa montre.

— On commençait à se demander si tu viendrais.

— J'ai dit que je viendrais, et je suis là. J'avais juste besoin de temps pour me préparer. Là, il ne s'agit pas de sortir un lapin d'un chapeau, Chasseur d'Ombres. C'est de magie sérieuse qu'il est question.

Il se tourna vers Luke.

— Comment va ce bras ?

— Bien, merci, répondit Luke, qui ne se départait jamais de sa politesse.

— C'est ta camionnette qui est garée près de l'usine ? C'est bon pour les gros durs, ces engins, pas pour les libraires.

— Oh, tu sais, à force de porter des cartons de livres d'une tonne, de les empiler, de ranger tout ça par ordre alphabétique…

Magnus rit.

— Tu veux bien me l'ouvrir ? Enfin, j'aurais pu m'en charger moi-même, déclara-t-il en agitant les doigts, mais ça me semblait grossier.

— Bien sûr, dit Luke en haussant les épaules, et ils s'éloignèrent en direction du pick-up.

Clary fit mine de les suivre, mais Jace la retint par le bras.

— Attends. Il faut que je te parle.

Elle regarda Magnus et Luke. Ils formaient un couple étrange, le grand sorcier avec son long manteau noir, le lycanthrope, plus petit et plus massif, vêtu d'un simple jean. Pourtant, ils étaient tous deux des Créatures Obscures, piégées dans le même espace entre les mondes terrestre et surnaturel.

— Clary ! La Terre appelle Clary !

Elle se tourna vers Jace. Le soleil se couchait sur le

fleuve derrière lui, nimbant sa chevelure d'un halo doré.

— Désolée.

— Pas de quoi.

Il effleura son visage du dos de sa main.

— C'est drôle, cette manie que tu as de te réfugier dans ton monde, reprit-il. J'aimerais bien t'accompagner.

« Mais tu m'accompagnes, eut-elle envie de répondre. Tu ne quittes jamais mes pensées. »

— Qu'est-ce que tu avais à me dire ?

— Je voudrais que tu essaies ta rune d'intrépidité sur moi avant le retour de Luke.

— Pourquoi avant le retour de Luke ?

— Parce qu'il va penser que c'est une mauvaise idée. Or, c'est notre seule chance de vaincre Agramon. Luke ne l'a pas... rencontré, il ignore à qui on a affaire. Moi, je sais.

Clary le fixa dans les yeux.

— Et qu'est-ce qui se passe quand on tombe sur lui ?

Jace lui lança un regard indéchiffrable.

— On voit sa plus grande peur.

— Je ne sais même pas ce que c'est.

— Crois-moi, ça vaut mieux. Tu as ta stèle ?

Clary enleva le gant de sa main droite et fouilla dans sa poche. Ses doigts tremblaient un peu quand elle en sortit la stèle de sa mère.

— Où veux-tu que je te marque ?

— Le plus près possible du cœur, c'est plus efficace.

Lui tournant le dos, il ôta sa veste, la laissa tomber par terre et remonta son tee-shirt.

— Sur l'omoplate, par exemple.

Clary posa la main sur l'épaule de Jace : à cet endroit, sa peau était plus claire que celle de son visage, et parfaitement lisse, dépourvue de la moindre cicatrice. Quand elle appliqua la pointe de la stèle dessus, elle le sentit tressaillir, puis contracter involontairement les muscles.

— N'appuie pas trop fort...

— Pardon.

Clary se détendit, laissa la rune s'imprimer dans son esprit puis guider son bras. Le tracé noir ressemblait à une ligne de cendre sur la peau de Jace.

— Voilà, j'ai terminé.

— Merci, dit-il en baissant son tee-shirt.

Le soleil qui se couchait à l'horizon embrasait le ciel. Il transformait les bords du fleuve en or liquide et atténuait la laideur du paysage urbain.

— Et toi ?

— Quoi, moi ?

Jace fit un pas dans sa direction.

— Remonte tes manches, je vais te marquer.

Clary tendit son bras nu. La pointe de la stèle sur sa peau lui évoquait le picotement d'une aiguille. Elle regarda les lignes noires apparaître avec une certaine fascination. La Marque de son rêve était encore visible ; elle s'était juste un peu estompée sur les bords.

— « L'Éternel lui dit : "Si quelqu'un tuait Caïn, Caïn serait vengé sept fois." Et l'Éternel mit un signe sur Caïn pour que quiconque le trouverait ne le tuât point. »

Clary se retourna : Magnus était là, en train de les observer, un petit sourire sur les lèvres. Le vent venant du fleuve faisait gonfler les pans de son manteau.

— Tu peux citer la Bible de mémoire ? demanda Jace en se baissant pour ramasser sa veste.

— Je suis né à une époque très religieuse, mon garçon, répondit Magnus. J'ai toujours pensé que Caïn était le premier homme à avoir reçu une Marque. Elle servait sans doute à le protéger.

— Mais c'était loin d'être un ange, objecta Clary. Il a tué son frère !

— Et nous, on a bien prévu de tuer notre père, non ? lança Jace.

— Ce n'est pas la même chose ! s'exclama Clary.

Elle n'eut pas le temps d'entrer dans les détails, car à cet instant, la camionnette de Luke déboula sur la plage et freina dans un jet de gravillons. Il les appela par la vitre ouverte.

— Allez, en voiture !

— Je croyais qu'on allait sur le bateau, s'étonna Clary.

— Quel bateau ? gloussa Magnus en s'installant sur le siège passager à côté de Luke. Vous deux, vous montez derrière.

Jace grimpa sur la plate-forme du pick-up et aida Clary à se hisser à son tour. En s'adossant à la roue de secours, elle vit un pentagramme entouré d'un cercle peint en noir sur le plancher. Les branches du pentagramme étaient ornées de symboles tarabiscotés. Ce n'étaient pas les runes qu'elle connaissait, pourtant elles lui étaient vaguement familières : essayer de les déchiffrer, c'était un peu comme tenter de comprendre une personne qui parlait un langage proche de l'anglais.

Luke se pencha par la vitre.

— Voilà ce qu'on va faire, cria-t-il. Clary, tu resteras dans le pick-up avec Magnus pendant que Jace et moi, on montera à bord. C'est compris ?

Clary hocha la tête et se blottit dans un coin de la plate-forme. Jace s'assit à côté d'elle, les bras noués autour des genoux.

— Ça promet d'être intéressant ! dit-il.

— Qu'est-ce que..., commença Clary, mais le véhicule démarra dans un crissement de pneus, la faisant taire.

Ils fonçaient droit sur le fleuve. Luke avait-il prévu de tous les noyer ? Clary fut projetée contre la vitre arrière de la cabine. En se retournant, elle s'aperçut que des colonnes de lumière bleutée ondulaient comme des serpents dans l'habitacle. Il lui sembla que la camionnette venait de heurter quelque chose, comme si elle avait roulé sur un rondin de bois, puis elle reprit sa course, et Clary eut l'impression qu'ils glissaient sur le sol.

Elle se redressa pour jeter un coup d'œil à l'extérieur : ils avançaient sur l'eau ! Les roues touchaient à peine la surface noire du fleuve en y dessinant de minuscules rides. Tout devint calme, soudain, on entendait juste le ronronnement ténu du moteur et les cris des mouettes dans le ciel. Clary se tourna vers Jace : il souriait de toutes ses dents.

— Voilà qui va en boucher un coin à Valentin !

— Je n'en suis pas sûre, marmonna-t-elle. Les

super héros ont des super équipements et des super pouvoirs. Nous, qu'est-ce qu'on a ? L'aquamionnette !

La voix de Magnus lui parvint faiblement.

— Si ça ne te plaît pas, Nephilim, tu peux toujours essayer de marcher sur l'eau.

— Je crois qu'on devrait entrer, chuchota Isabelle, l'oreille collée contre la porte de la bibliothèque.

Elle fit signe à Alec de se rapprocher.

— Tu entends quelque chose ?

Alec imita sa sœur, en prenant garde à ne pas faire tomber le téléphone qu'il tenait à la main : Magnus avait promis d'appeler s'il y avait du nouveau. Jusque-là, il ne s'était pas manifesté.

— Non.

— Voilà. Ils ont arrêté de se crier dessus. Ils attendent la réponse de Valentin.

Alec s'écarta de la porte et se dirigea vers la fenêtre la plus proche. Dehors, le ciel charbonneux s'illuminait par endroits de braises incandescentes.

— Le soleil se couche.

Isabelle posa la main sur la poignée.

— Allons-y.

— Isabelle, attends…

— Je veux l'empêcher de maquiller la vérité. Et puis, moi, j'ai envie de le voir, le père de Jace ! Pas toi ?

— Si, mais ce n'est pas une bonne idée…

Isabelle poussa le battant et, après avoir jeté un regard un peu amusé par-dessus son épaule, elle entra. Alec lui emboîta le pas en jurant dans sa barbe.

Maryse et l'Inquisitrice se faisaient face, debout des

deux côtés du bureau monumental, tels des boxeurs s'affrontant sur un ring. Maryse avait les joues rouges et les cheveux ébouriffés. Isabelle regarda Alec, qui semblait dire : « On aurait mieux fait de s'abstenir... Maman a l'air furieux ! »

Si Maryse paraissait exaspérée, l'Inquisitrice, elle, était littéralement folle de rage. Elle fit volte-face, la bouche déformée par une grimace de colère.

— Qu'est-ce que vous faites ici ? glapit-elle.

— Imogène ! s'indigna Maryse.

— Maryse ! J'en ai plus qu'assez de vous et de ces petits délinquants...

— Imogène, répéta Maryse.

Le ton pressant de sa voix contraignit l'Inquisitrice à se retourner.

Près de l'énorme globe en cuivre, l'air s'était mis à miroiter comme de l'eau. La forme d'un homme se dessina peu à peu dans la lumière. L'image vacillait trop pour qu'Alec puisse distinguer autre chose qu'une silhouette de haute taille avec des épaules larges et une masse de cheveux blancs. Il trouva à l'Inquisitrice l'air un peu sonné pour quelqu'un qui s'attendait à la venue de Valentin.

L'air miroita avec une intensité redoublée. Isabelle retint son souffle tandis que l'homme traversait le rideau scintillant comme on remonte à la surface d'un lac. Le père de Jace avait une carrure impressionnante et devait mesurer plus d'un mètre quatre-vingt-cinq. Il avait un torse et des bras puissants aux muscles noueux, et un visage presque triangulaire au menton pointu et sévère. Si on pouvait le qualifier de bel homme, il ne rappelait en rien Jace, sa blondeur et ses traits délicats. Le pommeau d'une épée dépassait derrière son épaule gauche. Il n'avait pas besoin d'être armé, puisqu'il n'était pas présent physiquement dans la pièce ; Alec le soupçonnait d'exhiber l'Épée Mortelle dans le seul but d'agacer l'Inquisitrice.

— Imogène ! lança Valentin, l'air narquois.

« Ce regard ! On dirait Jace », pensa Alec.

— Et Maryse, reprit l'homme. Ma petite Maryse ! Cela fait bien longtemps.

Cette dernière avala péniblement sa salive avant de répondre :

— Je ne suis pas ta Maryse, Valentin.

— Et ces jeunes gens doivent être tes enfants, poursuivit-il comme si de rien n'était. Ils te ressemblent beaucoup.

Son regard s'attarda quelques instants sur Alec et Isabelle. Alec sentit un frisson lui parcourir le dos. La façon de s'exprimer du père de Jace était parfaitement banale, voire polie ; et pourtant il y avait dans ses yeux fixes une lueur cruelle qui donnait à Alec l'envie de s'interposer entre lui et sa sœur pour la soustraire à son emprise.

— Laisse mes enfants en dehors de ça, répliqua Maryse en s'efforçant de maîtriser le tremblement de sa voix.

— Je te trouve injuste, étant donné que, toi, tu n'as pas tenu mon fils à l'écart de cette affaire.

Puis, s'adressant à l'Inquisitrice, Valentin déclara :

— J'ai bien reçu votre message. Je dois dire que j'attendais beaucoup mieux de vous.

L'Inquisitrice, qui n'avait pas bougé jusque-là, cligna lentement des yeux comme un lézard.

— J'ose espérer que les termes du marché sont assez clairs, dit-elle.

— Mon fils en échange des Instruments Mortels, c'est bien cela ? Sans quoi, vous l'éliminerez.

— Quoi ? s'écria Isabelle. Maman !

— Tais-toi, Isabelle, lança sèchement Maryse.

Plissant les yeux, l'Inquisitrice gratifia les deux adolescents d'un regard venimeux.

— C'est exact, Morgenstern, dit-elle enfin.

— Alors, ma réponse est non.

— Non ?

Le visage de la femme se décomposa comme si la terre se dérobait sous ses pieds.

— Je ne bluffe pas, Valentin. Je mettrai ma menace à exécution.

— Oh, je n'ai aucun doute à ce sujet, Imogène. Vous avez toujours été une femme tenace et impitoyable. Je reconnais en vous ces qualités, car je les possède moi-même.

— Je n'ai rien à voir avec vous. Moi, je respecte la Loi...

— Même lorsqu'elle vous commande de tuer un garçon encore mineur afin de punir son père ? Cela n'a rien à voir avec la Loi, Imogène. Vous me haïssez, voilà tout. Vous me tenez responsable de la mort de votre fils, et c'est votre façon de me le faire payer. Cela n'y change rien : je ne renoncerai pas aux Instruments Mortels, même pour Jonathan.

L'Inquisitrice le considéra d'un air hébété.

— Mais... c'est votre fils ! La chair de votre chair !

— Les enfants font leurs propres choix. Cela, vous ne l'avez jamais compris. J'ai offert à Jonathan la sécurité s'il restait avec moi ; il a préféré retourner vers vous, et vous vous vengerez sur lui comme je le lui avais prédit. Vous êtes tellement prévisible, Imogène !

Elle ne releva pas l'insulte.

— L'Enclave veillera à ce qu'il soit exécuté si vous ne me remettez pas les Instruments Mortels, dit-elle d'une voix blanche, comme quelqu'un qui a l'impression d'être prisonnier d'un mauvais rêve. Je n'aurai pas le pouvoir de m'y opposer.

— J'en ai conscience, déclara Valentin. Cependant je ne peux rien faire. Je lui ai offert une chance, il ne l'a pas saisie.

— Salaud ! cria Isabelle en se ruant sur lui.

Alec la tira en arrière.

— C'est un pourri, siffla-t-elle.

Elle se tourna vers Valentin.

— Vous êtes un...

Alec la fit taire en plaquant la main sur sa bouche.

— Isabelle !

Valentin leur jeta un coup d'œil amusé.

— Vous lui... avez offert la sécurité... et il a refusé ? lâcha l'Inquisitrice.

On aurait dit un robot dont les circuits commençaient à se détériorer.

Elle secoua la tête.

— Mais il est votre espion...

— C'est ce que vous avez cru ? demanda Valentin avec une surprise sincère. Je ne m'intéresse guère aux secrets de l'Enclave, alors pourquoi vous espionner ? Seule sa destruction m'importe, et pour cela j'ai à ma disposition des armes bien plus puissantes qu'un garçon.

— Mais...

— Je me fiche de votre avis, Imogène Herondale. Vous êtes juste la marionnette d'un régime qui sera bientôt balayé. Vous n'avez rien que je puisse convoiter.

— Valentin !

L'Inquisitrice se jeta sur lui pour l'agripper par le col, mais ses mains se refermèrent sur le vide. Avec un regard de mépris suprême, l'homme recula et disparut.

Les dernières lueurs du jour disparaissaient à l'horizon ; les eaux du fleuve avaient pris la couleur du fer. Clary resserra sa veste autour d'elle en frissonnant.

— Tu as froid ? demanda Jace, qui, debout à l'arrière de la plate-forme, contemplait les deux lignes blanches d'écume laissées par le véhicule.

Il revint s'asseoir à côté d'elle, le dos contre la vitre arrière de la cabine, laquelle était presque entièrement remplie d'une fumée bleuâtre.

— Pas toi ?

— Non.

Il ôta sa veste et la lui tendit. Elle l'enfila en s'émerveillant de la douceur du cuir sous ses doigts. Trop grande pour Clary, elle n'en était que plus confortable.

— Tu comptes rester dans la camionnette, comme Luke te l'a demandé ?

— Est-ce que j'ai le choix ?

— Pas au sens littéral, non.

Clary retira son gant et tendit la main à Jace. Il la prit et la serra fort. Elle examina leurs doigts entrelacés : les siens paraissaient si petits, si potelés, dans ceux, longs et fins, de Jace !

— Tu retrouveras Simon, j'en suis sûre, murmura-t-elle.

— Clary. Il est peut-être...

— Non, affirma-t-elle sans l'ombre d'un doute dans la voix. Il va s'en tirer. Il ne peut pas en être autrement.

Jace poussa un soupir. Des vagues bleu sombre semblaient danser dans ses iris. « On dirait des larmes », songea Clary, mais c'étaient seulement des reflets qui jouaient dans ses yeux.

— J'ai une question à te poser, annonça-t-il. Avant, j'avais peur de le faire. Désormais, je ne crains plus rien.

Il lui caressa la joue. Sa paume était chaude, et Clary s'aperçut que sa propre peur s'était envolée, comme s'il lui avait transmis le pouvoir de la rune d'intrépidité rien qu'en la touchant. Elle releva la tête et entrouvrit les lèvres. Il effleura sa bouche de la sienne – c'était doux, comme le frôlement d'une plume, le souvenir d'un baiser. Soudain, il recula, les yeux écarquillés de stupeur. Clary vit une ombre noire se refléter dans son regard et masquer l'or de ses pupilles : c'était le bateau.

Jace poussa une exclamation étouffée et se leva d'un bond. Clary l'imita maladroitement : la veste, trop lourde pour elle, lui faisait perdre l'équilibre. À la lumière des étincelles bleues jaillissant de la cabine, elle vit le flanc du monstre, en tôle noire, et une petite échelle menant au pont. Des créatures pareilles à d'énormes oiseaux difformes étaient perchées sur le bastingage. Des vagues de froid semblaient émaner du navire ; on aurait dit de l'air glacé se dégageant d'un iceberg. Jace cria quelque chose en soufflant de petits nuages de buée, mais ses mots furent noyés par les rugissements du moteur du navire.

Clary fronça les sourcils.

— Quoi ? Qu'est-ce que tu as dit ?

Jace glissa une main sous sa veste en effleurant au passage sa peau nue ; elle lâcha un hoquet de surprise. Il tira de sa ceinture le poignard séraphique qu'il lui avait donné et le lui mit dans la main.

— Je disais, cria-t-il, que tu ferais mieux de dégainer Abrariel. Ils arrivent !

— Qui ça, « ils » ?

— Les démons.

Il tendit le doigt vers le ciel. D'abord, Clary ne vit rien ; puis elle distingua les gros oiseaux qui s'élançaient les uns après les autres du bastingage, se laissaient tomber comme des pierres, puis s'élevaient brusquement et fondaient sur la camionnette malmenée par les vagues. À mesure qu'ils se rapprochaient, elle constata que ce n'étaient pas des oiseaux, mais d'horribles créatures volantes semblables à des ptérodactyles, avec de larges ailes, épaisses comme du cuir, et une tête osseuse et triangulaire. Leur bouche était hérissée de plusieurs rangées de dents acérées ; leurs serres brillaient comme des lames de rasoir.

D'un bond, Jace monta sur le toit de la cabine, Telantes à la main. Au moment où la première des créatures arrivait à leur niveau, il lança son poignard, qui frappa le démon de plein fouet et lui trancha le sommet du crâne telle l'extrémité d'un œuf à la coque.

La bête tomba avec un hurlement aigu en battant spasmodiquement des ailes. Quand elle toucha la surface du fleuve, l'eau se mit à bouillonner.

Le deuxième démon percuta le toit de la camionnette. Avec ses serres, il traça de longs sillons dans la carrosserie puis se jeta sur le pare-brise. Le verre se fendilla, mais ne céda pas. Clary cria le nom de Luke au moment où une troisième créature fondait sur elle comme une flèche. Elle remonta vivement la manche de la veste de Jace pour exhiber sa rune de protection. Le démon freina de toutes ses forces : trop tard. En lui enfonçant Abrariel dans les entrailles, Clary eut le temps de s'apercevoir qu'il avait, en guise d'yeux, deux fentes de chaque côté du crâne. La bête explosa littéralement en laissant derrière elle un petit nuage de fumée noire.

— Joli coup ! commenta Jace, qui venait de sauter de son perchoir pour repousser un autre monstre volant.

Il tenait à la main une dague, dont le manche était poissé de sang noir.

— Qu'est-ce que c'est que ces horreurs ? souffla Clary en transperçant la cage thoracique d'un autre démon.

Il croassa de douleur et lui donna un coup de son aile tranchante comme une lame. Il accrocha au passage la veste de Jace, dont il déchira la manche.

— Saleté de démon ! C'est ma veste préférée ! s'écria Jace, furieux, avant d'achever la créature d'un coup de poignard au moment où elle revenait à l'attaque.

Elle poussa un hurlement et disparut.

Clary fit volte-face en entendant un vacarme assourdissant dans son dos. Deux démons volants avaient arraché le toit de la cabine. L'air résonnait du crissement de leurs serres sur le métal. Luke, debout sur le capot, s'efforçait de chasser les monstres en lacérant l'air de sa *kindjal*. L'un d'eux tomba de la camionnette et se désintégra avant de toucher l'eau. L'autre s'envola en direction du bateau avec un croassement de triomphe, le toit de la cabine entre ses serres.

Pour l'instant, le ciel était vide, la menace écartée. Clary se précipita pour jeter un œil dans l'habitacle. Magnus, avachi sur son siège, avait le visage cendreux. Dans l'obscurité, il était difficile de s'assurer qu'il n'était pas blessé.

— Magnus ! cria-t-elle. Tu vas bien ?

— Non, répondit-il en se redressant, avant de se laisser retomber contre le dossier de son siège. Je suis épuisé. Les sortilèges de protection du navire sont très puissants. J'ai du mal à les neutraliser.

Il se tut, puis reprit d'une voix faible :

— Si je n'y arrive pas, tous ceux qui poseront le pied sur ce bateau mourront.

— Tu devrais peut-être venir avec nous, suggéra Luke.

— Je ne peux pas m'occuper de ces sortilèges si je monte à bord. Je dois le faire d'ici. C'est comme ça que ça marche. De plus, ajouta-t-il avec un pâle sourire, je ne vaux rien au combat. Mes talents sont ailleurs.

Clary, toujours penchée au-dessus de la cabine, demanda :

— Et si on a besoin…

Luke cria son nom, mais il était trop tard. Aucun d'eux n'avait vu le démon volant qui s'agrippait au flanc de la camionnette. D'un puissant coup d'ailes, il s'éleva dans les airs en tenant entre ses serres la veste de Clary, et s'éloigna avec un hurlement de triomphe tandis que la jeune fille se débattait vainement pour se dégager.

— Clary ! cria Luke en s'avançant au bord du capot.

Là, il se figea et, l'air éperdu, suivit des yeux la créature ailée qui regagnait le bateau avec sa proie.

— Il ne la tuera pas, dit Jace en le rejoignant. Il l'amène à Valentin.

Quelque chose dans le ton de sa voix effraya Luke.

— Mais...

Il n'eut pas le temps d'achever sa phrase : Jace avait déjà plongé d'un mouvement gracieux, et nageait vers le navire en soulevant de grosses gerbes d'écume.

Luke se tourna vers Magnus, dont le visage livide, à peine visible derrière le pare-brise fissuré, se détachait sur les ténèbres. Il leva la main, crut voir le sorcier hocher la tête. Puis, après avoir rengainé sa *kindjal*, il sauta dans le fleuve.

Alec relâcha son étreinte et grimaça, s'attendant qu'Isabelle se mette à crier dès l'instant où il ôterait sa main de sa bouche. Pourtant, elle n'en fit rien, se contentant d'observer en silence l'Inquisitrice, qui était pâle comme un linge et avait du mal à tenir sur ses jambes.

— Imogène, dit Maryse d'une voix dépourvue d'émotion.

L'Inquisitrice ne parut pas l'entendre. Elle se laissa tomber mollement dans le vieux fauteuil de Hodge, les traits figés en une expression ahurie.

— Mon Dieu, qu'ai-je fait ? murmura-t-elle.

Maryse jeta un coup d'œil à Isabelle par-dessus son épaule.

— Va chercher ton père.

Isabelle, qu'Alec n'avait jamais vue aussi effrayée, hocha la tête et se glissa hors de la pièce. Maryse s'avança d'un pas décidé vers l'Inquisitrice.

— Vous avez donné la victoire à Valentin sur un plateau. Voilà ce que vous avez fait !

— Non, souffla la femme.

— Vous saviez précisément ce que Valentin avait en tête quand vous avez décidé d'enfermer Jace. Vous refusiez qu'on prévienne l'Enclave pour qu'elle ne mette pas son nez dans vos grands projets. Vous vouliez que Valentin souffre autant qu'il vous avait fait souffrir. Vous vouliez lui montrer que vous aviez le pouvoir d'éliminer son fils, puisqu'il avait tué le vôtre. Vous vouliez l'humilier.

— Oui…

— Seulement, Valentin n'est pas homme à se laisser rabaisser. J'aurais pu vous l'apprendre. Vous n'avez jamais eu le dessus sur lui. Il a feint de réfléchir à votre marché pour s'assurer que nous n'aurions pas le temps de demander des renforts. Et maintenant, il est trop tard.

L'Inquisitrice leva les yeux : ils brillaient d'un éclat fiévreux. Des mèches folles s'échappaient de son chignon défait et lui retombaient sur la figure. C'était la première fois qu'Alec la voyait vulnérable ; cependant il n'en retirait aucune satisfaction. Les mots de sa mère l'avaient glacé d'horreur : il était trop tard.

— Non, Maryse ! s'écria l'Inquisitrice. Nous pouvons encore...

— Quoi ? s'emporta Maryse, la voix brisée par l'émotion. Appeler l'Enclave ? Nous n'avons plus le temps d'attendre leur arrivée. Si nous devons affronter Valentin, et Dieu sait que nous n'avons plus le choix...

— Il faut se mettre en route immédiatement ! lança une voix grave.

Robert Lightwood entra dans la pièce, le visage fermé. Alec considéra son père avec surprise. Cela faisait des années qu'il ne l'avait pas vu en tenue de combat : il partageait son temps entre ses tâches administratives, le commandement de la Force et la gestion des problèmes liés aux Créatures Obscures. En le découvrant vêtu de noir et armé de pied en cap, Alec crut retomber en enfance, à l'époque où il était encore à ses yeux l'homme le plus grand, le plus fort et le plus terrifiant du monde. Il n'avait d'ailleurs rien perdu de sa superbe. Alec tenta d'attirer son regard, mais Robert avait les yeux fixés sur Maryse.

— La Force est prête à agir, annonça-t-il. Les bateaux nous attendent sur les quais.

— Ce n'est pas prudent, protesta l'Inquisitrice en agitant frénétiquement les mains. Nous ne sommes pas assez nombreux... Nous ne pourrons jamais...

Sans lui prêter la moindre attention, Robert poursuivit, les yeux toujours rivés sur Maryse :

— Nous devons partir au plus vite.

— Mais… l'Enclave, balbutia l'Inquisitrice. Il faut les prévenir !

D'un geste brusque, Maryse poussa vers elle le téléphone.

— Allez-y ! Racontez-leur ce que vous avez fait. C'est votre travail, après tout.

L'Inquisitrice fixa l'appareil sans mot dire, une main plaquée sur sa bouche.

À cet instant, la porte s'ouvrit et Isabelle entra dans sa tenue de Chasseuse d'Ombres, son long fouet d'or dans une main et une *naginata* dans l'autre. Elle fronça les sourcils en apercevant son frère.

— Va te préparer ! On embarque immédiatement à la poursuite du bateau de Valentin.

Alec sourit malgré lui : Isabelle était toujours si déterminée !

— C'est pour moi ? demanda-t-il en montrant la *naginata*.

— Et quoi encore ! Tu n'as qu'à aller t'en chercher une !

Il se dirigeait vers la porte quand une main se posa sur son épaule.

Surpris, il leva les yeux sur son père, qui l'observait d'un air grave. La fierté se lisait sur son visage fatigué et vieilli.

— S'il te faut une arme, Alexander, ma guisarme est dans le vestibule. Tu peux la prendre.

Alec avala péniblement sa salive et hocha la tête, mais avant qu'il ait pu remercier son père, il entendit Isabelle dire :

— Tiens, maman.

Elle tendit la *naginata* à Maryse, qui la fit tournoyer dans sa main d'un geste expert.

— Merci, Isabelle.

Avec une rapidité qui n'avait rien à envier à celle de sa fille, elle appuya la lame de son arme contre la poitrine de l'Inquisitrice, à l'endroit du cœur. Imogène posa sur elle le regard vide d'une statue.

— Vous avez l'intention de me tuer, Maryse ?

— Sûrement pas, siffla cette dernière. Nous avons besoin de tous les Chasseurs d'Ombres présents dans cette ville et, pour l'instant, vous êtes encore l'une des nôtres. Levez-vous, Imogène, et préparez-vous à vous battre. Dorénavant, c'est moi qui donne les ordres ici. Et vous allez commencer par libérer mon fils de cette maudite Configuration de Malachie.

« Quel panache ! » songea Alec, gonflé d'orgueil. Sa mère la Chasseuse d'Ombres, en digne guerrière, s'abandonnait tout entière à une fureur légitime.

Il s'en voulait de devoir gâcher ce beau moment ; cependant ils ne tarderaient pas à découvrir tout seuls que Jace avait disparu. Mieux valait que quelqu'un se charge d'amortir le choc. Il s'éclaircit la voix avant de lancer :

— Au fait, j'ai oublié de vous prévenir…

18

Les ténèbres lumineuses

Clary avait toujours détesté les montagnes russes, à cause de la sensation horrible qu'on éprouvait quand le manège dévalait une pente et que l'estomac remontait dans la gorge. Or être soulevée du sol et transportée dans les airs comme une vulgaire souris prisonnière des serres d'un aigle, c'était dix fois pire. Elle poussa un hurlement lorsque ses pieds décollèrent du sol et son corps s'éleva d'un seul coup. Elle se débattit quelques instants, puis risqua un œil en bas et s'immobilisa : elle n'osait pas imaginer ce qui arriverait si le démon desserrait ses griffes…

Vu d'en haut, le pick-up ressemblait à un jouet ballotté par le courant. La ville s'étendait au-dessous d'elle, étincelante. Si elle n'avait pas été aussi terrifiée, elle aurait trouvé le panorama magnifique. Le démon vira brusquement et piqua vers le bas à une vitesse vertigineuse. Clary crut un instant que la créature l'avait lâchée. Elle serra les paupières, persuadée qu'elle serait engloutie par les eaux sombres et glacées de l'East River ; mais tomber dans le noir lui parut bien pire. Quand, rouvrant les yeux, elle vit le pont noir du navire qui se rapprochait à toute allure, elle poussa un cri déchirant tandis que le démon s'engouffrait dans une trappe menant aux entrailles du bateau.

La créature ralentit ; ils se trouvaient maintenant au cœur du navire et survolaient des coursives en fer. Clary eut le temps d'apercevoir la salle des machines, qui paraissait désaffectée. S'il y avait eu l'éclairage électrique à cet endroit, il ne marchait plus, et pourtant les lieux baignaient dans une faible clarté. Quel qu'ait été le moyen de faire avancer le bateau par le passé, Valentin en avait trouvé un autre.

Clary frissonna : une force inconnue semblait avoir absorbé toute la chaleur des lieux. Un air glacé lui fouetta le visage quand le démon atteignit le fond du navire et s'engagea dans un long corridor mal éclairé. Il ne la ménageait pas beaucoup : son genou heurta une conduite au moment où il amorçait un virage ; la douleur se répercuta dans toute sa jambe. Elle poussa un cri et crut entendre le monstre ricaner. Soudain, il ouvrit les serres. Clary s'efforça d'amortir le choc, réussit à atterrir sur les mains et les genoux, puis roula sur le côté.

Elle gisait sur une surface dure en métal dans une semi-obscurité, le corps meurtri. La pièce où elle se trouvait avait dû servir de réserve, car les murs lisses ne comportaient aucune ouverture, à l'exception d'un petit hublot au-dessus de sa tête, par lequel pénétrait la clarté des étoiles.

— Clary ? chuchota une voix vaguement familière.

Elle se redressa avec une grimace de douleur : une silhouette indistincte était agenouillée auprès d'elle. À mesure que ses yeux s'accoutumaient à la pénombre, elle distingua un petit corps plantureux, des cheveux tressés, de grands yeux marron… Maia !

— Clary, c'est bien toi ?

— Maia ! Maia, oh, mon Dieu !

Elle fixa quelques instants la jeune lycanthrope, puis parcourut la pièce d'un regard affolé. Elles étaient seules.

— Maia, où est-il ? Où est Simon ?

Maia se mordit la lèvre. Ses poignets étaient couverts de sang ; ses joues tuméfiées portaient la trace de larmes séchées.

— Clary, je suis vraiment désolée, dit-elle de sa voix rauque et douce. Simon est mort.

Gelé et trempé jusqu'aux os, Jace s'effondra sur le pont du bateau. Levant les yeux vers le ciel nocturne encombré de nuages, il s'efforça de reprendre son souffle. Cela n'avait pas été chose facile de grimper à l'échelle en fer mal fixée au flanc du navire : ses mains glissaient, ses vêtements mouillés freinaient son ascension.

Il songea que, sans la rune d'intrépidité, il aurait sans doute eu peur que l'un des démons volants ne l'arrache à l'échelle, comme un oiseau gobe un insecte sur une branche de vigne. Par bonheur, ils avaient selon toute apparence regagné le bateau une fois Clary faite prisonnière. Jace ne comprenait pas la raison de ce repli, mais il avait cessé depuis longtemps de chercher à s'expliquer les agissements de son père.

Au-dessus de lui, une silhouette se détacha sur le ciel. C'était Luke, qui avait atteint à son tour le sommet de l'échelle. Il enjamba non sans mal le bastingage et se laissa tomber sur le pont.

— Tu vas bien ?

— Oui, répondit Jace en se relevant.

Il tremblait de la tête aux pieds : il faisait beaucoup plus froid sur le bateau que dans l'eau. Il jeta un œil à la ronde.

— Il y a une porte qui mène aux entrailles du navire. Je suis tombé dessus la dernière fois. Il ne nous reste plus qu'à la chercher.

Luke se remit sur ses pieds.

— Je passe devant, ajouta Jace en joignant le geste à la parole.

Luke lui lança un regard interloqué, fit mine de répliquer puis se ravisa et lui emboîta le pas. Ils se dirigèrent vers la proue, où Jace s'était tenu la veille au côté de Valentin. Loin en bas, on entendait l'eau clapoter contre la coque.

— Que t'a dit ton père quand tu l'as vu ici ? demanda Luke. Qu'est-ce qu'il t'a promis ?

— Oh, tu sais, le refrain habituel. Un abonnement à vie aux matchs des Knicks, répondit Jace avec désinvolture, alors que le souvenir de la promesse de son père l'assaillissait plus violemment que le froid. Il a juré qu'aucun mal ne me serait fait ainsi qu'à mes proches si je quittais l'Enclave et retournais à Idris avec lui.

— Tu crois…

Luke hésita.

— Tu crois qu'il serait capable de nuire à Clary pour t'atteindre ?

Une fois sur la proue, Jace entrevit au loin la Statue

de la Liberté qui brillait comme une colonne de lumière.

— Non, je pense qu'il l'a enlevée pour nous attirer sur le bateau. Elle est juste un objet de marchandage pour lui.

— Je ne suis pas sûr qu'il ait besoin de marchander quoi que ce soit, observa Luke à voix basse en dégainant sa *kindjal*.

Suivant son regard, Jace se figea de stupéfaction. Un énorme trou rectangulaire était creusé dans le pont, et un essaim noir de monstres se déversait de ses profondeurs. Le garçon se souvint que lors de sa dernière visite, l'Épée Mortelle à la main, il avait vu, horrifié, déferler dans le ciel et la mer d'innombrables créatures de cauchemar. Or cette fois sa vision avait laissé place à la réalité : une foule hurlante de démons se dressait devant lui. Il y avait là les Raums au corps blanchâtre qui les avaient attaqués chez Luke, les Onis, avec leur peau verte, leur bouche béante et leurs cornes, les Kuris, sortes de créatures noires et visqueuses, les démons-araignées, avec leurs huit pattes dotées de pinces et leurs crocs dégoulinant de poison...

Sans essayer de les compter, Jace tira de sa ceinture Camael, qui illumina le pont d'un éclair blanc. Les démons sifflèrent en apercevant le poignard, mais aucun ne recula. La rune sur l'épaule de Jace se mit à le brûler. Il se demanda combien de créatures il aurait le temps de tuer avant que son pouvoir ne disparaisse.

— Arrête ! s'écria Luke en le retenant par son tee-shirt. Ils sont trop nombreux. Si on arrive à atteindre l'échelle...

Jace se dégagea.

— C'est impossible, marmonna-t-il. Ils nous couperont la route des deux côtés.

Il avait vu juste : une armée de Molochs crachant des flammes par leurs orbites vides leur bloquaient la retraite. Luke jura entre ses dents.

— Alors, saute par-dessus bord, ordonna-t-il. Je les retiendrai.

À ces mots, il rejeta la tête en arrière. Ses oreilles s'allongèrent, ses lèvres se retroussèrent sur des canines pointues.

— Tu...

Luke n'eut pas le temps d'achever sa phrase : un Moloch se rua sur lui, toutes griffes dehors. Jace le poignarda dans le dos d'un geste tranquille, et la créature s'effondra sur Luke en hurlant. Il la saisit par les pattes et la balança dans le fleuve.

— Tu t'es servi de cette rune d'intrépidité, n'est-ce pas ? demanda-t-il en tournant ses yeux jaunes vers Jace.

Un « plouf ! » lointain leur parvint.

— Ça se pourrait.

— Bon sang ! Tu te l'es appliquée toi-même ?

— Non, c'est Clary qui s'en est chargée, répondit Jace. Elle est douée pour ça, tu sais.

Au même moment, son poignard séraphique fendit l'air, et deux Drevaks tombèrent à ses pieds. Une douzaine d'autres s'avançaient déjà vers eux en titubant.

— Ah, les ados ! lâcha Luke d'un air dégoûté, comme si c'était la pire insulte de son répertoire, avant de se jeter dans la mêlée.

— Mort ? répéta Clary en regardant Maia comme si elle venait de lui parler en bulgare. Ce... ce n'est pas possible !

Maia se contenta de la fixer d'un air triste.

— Je l'aurais su ! s'écria Clary.

Elle se frappa la poitrine.

— Je l'aurais senti là !

Elle se leva en chancelant, ôta d'un geste impatient la veste de Jace et la jeta par terre. Elle était irrécupérable : le dos était en lambeaux, une manche à moitié arrachée. « Jace sera furieux quand il la verra ! songea-t-elle. Il faut que je lui en achète une autre. Il faut... »

Elle poussa un long soupir saccadé. Les battements de son cœur lui parvenaient comme de très loin.

— Co... comment c'est arrivé ? réussit-elle à demander.

Maia, toujours agenouillée par terre, inspira à fond :

— Valentin nous a capturés tous les deux. Il nous a enchaînés ici. Puis il est entré avec une grande épée qui semblait irradier de l'intérieur. Il m'a jeté de la poudre d'argent pour m'empêcher de l'attaquer, et il... il a tranché la gorge de Simon. Puis il a entaillé ses poignets et versé le sang dans une bassine, qu'une de ses créatures a emportée. Ensuite, il est parti en laissant Simon étendu là comme un jouet cassé. J'ai crié... mais je savais qu'il était mort. C'est là que l'un des démons est venu me chercher et m'a amenée ici.

Clary plaqua sa main sur la bouche et se mordit jusqu'au sang. Le goût âcre sur sa langue dissipa le brouillard qui s'immisçait à l'intérieur de son crâne.

— Il faut qu'on sorte d'ici !

— Tu vois une issue, toi ? lança Maia en se levant péniblement. Même un Chasseur d'Ombres ne parviendrait pas à s'échapper. Jace, peut-être...

— Oui, eh bien, je ne suis pas Jace, rétorqua Clary, qui arpentait leur cellule. Mais j'ai d'autres talents.

Elle donna un coup de pied dans le mur. Un faible écho lui répondit. Elle sortit sa stèle et se mit à tracer des lignes sur la paroi, noires comme du charbon, brûlantes comme sa fureur. Elle s'acharna encore et encore sur le mur ; les lignes jaillissaient de la stèle comme des flammes. Une fois sa tâche finie, elle recula, hors d'haleine. Elle s'aperçut que Maia l'observait avec stupéfaction.

— Qu'est-ce que c'est que ça ?

Clary ne sut que répondre. On aurait dit qu'elle avait jeté un seau d'acide sur le mur. Tout autour de la rune, le métal s'était mis à fondre et à couler tel un sorbet par une journée de grande chaleur. Elle se tint à distance tandis qu'un trou de la taille d'un gros chien se formait dans la paroi, révélant les entrailles en acier du navire. Au bout d'un moment, il cessa de s'agrandir, mais ses bords continuèrent à fumer. Maia s'avança en prenant Clary par le bras.

— Attends, dit cette dernière, nerveuse. Les émanations du métal fondu... Elles pourraient être toxiques.

Maia pouffa.

— Je viens du New Jersey. La pollution, ça me connaît !

Elle s'approcha d'un pas décidé et risqua un œil par le trou.

— Il y a une passerelle de l'autre côté. Allez, je tente une sortie.

Le dos au mur, elle passa d'abord les jambes dans le trou avec des gestes précautionneux, puis s'y glissa tout entière. Soudain, elle s'immobilisa.

— Aïe ! J'ai les épaules coincées. Pousse-moi, tu veux ? dit-elle en tendant les bras.

Clary s'arc-bouta contre ses mains, et Maia finit par passer de l'autre côté, comme un bouchon jaillissant d'une bouteille de champagne. Elle tomba à la renverse avec un cri de frayeur. Entendant le bruit de la chute, Clary jeta un regard anxieux par le trou.

— Ça va ?

Maia avait atterri sur une étroite passerelle en fer deux mètres plus bas. Elle se redressa avec une grimace de douleur.

— Ma cheville... Je pense que ça ira, ajouta-t-elle après un silence. Nous aussi, on guérit vite, tu sais.

— Bon, à mon tour.

La stèle de Clary lui rentra dans l'estomac quand elle se baissa pour se glisser dans le trou à la suite de Maia. Le vide la séparant de la passerelle l'effrayait un peu, moins cependant que la perspective d'attendre qu'on vienne la chercher dans la réserve.

Soudain, on la tira en arrière. La stèle glissa de sa poche et tomba avec fracas sur le sol. Elle poussa un cri de surprise et de douleur : le col de son sweat-shirt lui coupait la respiration. Un instant plus tard, elle s'affalait lourdement sur le sol. À moitié étranglée, elle roula sur le dos, leva les yeux et ne s'étonna pas de trouver Valentin debout devant elle.

Il tenait à la main un poignard séraphique qui dispensait une lumière blanche et crue. Une moue dédaigneuse tordait son visage pâle aux traits durs.

— Tu es bien la fille de ta mère, Clarissa ! Qu'est-ce que tu as encore fait ?

Clary se redressa péniblement sur les genoux. Sa lèvre supérieure s'était fendue et elle avait le goût du sang dans la bouche. Elle sentait la rage bouillonner en elle et s'épanouir dans son cœur comme une fleur vénéneuse. Cet homme, son père, avait tué Simon avant d'abandonner son corps comme un vulgaire détritus. S'il lui était arrivé de détester des gens dans sa vie, jamais elle n'avait éprouvé autant de haine à l'égard de quelqu'un.

— La fille loup-garou, reprit Valentin. Où est-elle passée ?

Clary se pencha pour cracher un filet de bave sanglante sur les chaussures de son père. Il recula avec un grognement de dégoût, leva le poignard et, l'espace d'une seconde, en voyant un éclair de fureur incontrôlable dans ses yeux, Clary crut qu'il allait la tuer sur-le-champ.

Pourtant, il baissa lentement la main et, sans un mot, alla jeter un coup d'œil dans le trou. Clary chercha des yeux la stèle de sa mère, tendit le bras pour la ramasser... Valentin vit son geste, la rejoignit en une enjambée, et shoota dans la stèle, qui vola de l'autre côté du mur. Clary ferma les yeux, désespérée ; c'était comme si, en perdant sa stèle, elle avait perdu sa mère une seconde fois.

— Mes démons finiront par mettre la main sur ton amie, dit Valentin de sa voix froide et tranquille en glissant son poignard dans un fourreau attaché à sa ceinture. Elle n'a nulle part où se cacher. Maintenant, debout, Clarissa.

Clary se releva lentement : tout son corps la faisait souffrir. Valentin la saisit par les épaules, la fit pivoter dos à lui et siffla entre ses dents. Un battement d'ailes sinistre résonna dans la pièce. Clary tenta de se dégager avec un petit cri de frayeur, mais Valentin était trop fort pour elle. Les ailes de la créature les enveloppèrent tous deux, et ils s'élevèrent ensemble dans les airs, Valentin la serrant contre lui dans un geste paternel.

Jace se disait qu'ils auraient déjà dû être morts à cette heure. Il ignorait par quel miracle ils étaient toujours en vie. Le pont du bateau était poissé de sang. Lui était couvert d'immondices ; ses cheveux étaient collés par l'ichor, et le sang et la sueur lui piquaient les yeux. Une grosse entaille saignait sur son bras droit ; cependant il n'avait pas le temps d'y appliquer une rune de guérison.

Ils avaient réussi à se réfugier dans un recoin du bateau, et de là ils s'efforçaient de repousser les démons qui les chargeaient. Jace avait utilisé deux de ses *chakhrams* ; il ne lui restait plus qu'un poignard séraphique et la dague d'Isabelle. Ce n'était pas grand-chose : en temps normal, il ne se serait jamais attaqué à quelques démons avec un aussi piètre arsenal, et voilà qu'il se trouvait confronté à une véritable armée. Il n'avait pas peur : il ne ressentait que du dégoût pour ces ennemis d'un autre monde, et de la rage vis-à-vis de Valentin, qui les avait fait venir. Il ne s'inquiétait même pas du sang qui s'écoulait de sa blessure. Il se rendait vaguement compte que ce détachement n'était pas qu'un atout.

Un démon-araignée se jeta sur lui en crachant son venin jaunâtre. Il l'évita de justesse ; pas assez vite, cependant, et quelques gouttes de poison éclaboussèrent son tee-shirt. Le tissu se consuma rapidement ; il sentit le liquide corrosif lui brûler la peau comme des dizaines de minuscules aiguilles chauffées à blanc.

Le monstre émit un sifflement de satisfaction et cracha un autre jet de venin. Jace se baissa, alors qu'un démon Oni l'attaquait par le flanc. La créature poussa un hurlement de dépit et se jeta sur le démon-araignée, toutes griffes dehors. Ils s'empoignèrent et roulèrent sur le pont.

Les démons qui les cernaient bondirent de côté pour éviter le poison répandu par terre, qui formait une barrière entre eux et les Chasseurs d'Ombres. Jace profita de ce répit momentané pour se tourner vers Luke. Ce dernier était méconnaissable : il avait les oreilles allongées d'un loup, ses babines retroussées étaient figées en un rictus féroce et ses mains griffues étaient souillées par l'ichor démoniaque.

— Il faut atteindre le bastingage et quitter le navire, grogna-t-il. On ne pourra pas tous les tuer. Peut-être que Magnus…

— Je trouve qu'on ne se débrouille pas trop mal…

Jace fit tournoyer son poignard séraphique. Mal lui en prit : ses mains dégoulinaient tellement de sang qu'il faillit le faire tomber.

— … finalement.

Luke lâcha un autre grognement, qui exprimait la colère ou l'hilarité, sinon les deux. À cet instant, une créature énorme et difforme déboula du ciel et les jeta par terre.

Jace heurta violemment le sol. Son poignard séraphique rebondit quelques mètres plus loin, glissa sur la surface métallique du pont, puis tomba par-dessus bord. Jace poussa un juron et se releva en chancelant.

Le monstre qui venait de les attaquer était un démon Oni. Il était étonnamment gros pour une créature de son espèce, et surtout plus intelligent que la moyenne pour avoir pensé à monter sur le toit de la cabine afin de prendre de l'élan. Il était maintenant assis sur Luke et tentait de l'embrocher à l'aide de ses deux cornes effilées. Luke se défendait comme il pouvait avec ses griffes et ses dents, mais il était déjà en sang ; sa *kindjal* gisait sur le pont à deux pas de lui. Le démon saisit l'une de ses jambes et la cassa sur son genou comme un vulgaire bâton. Jace entendit l'os craquer ; Luke poussa un cri terrible.

Jace plongea vers la *kindjal*, se releva d'un bond et décapita la créature, qui tomba en avant, des flots de sang noir jaillissant de son cou sectionné. Un instant plus tard, elle avait disparu.

Jace s'agenouilla auprès de Luke.

— Ta jambe...

— Elle est fichue, dit Luke, qui, le visage déformé par la douleur, parvint tant bien que mal à s'asseoir.

— Mais tu guéris vite.

L'air sombre, Luke jeta un coup d'œil à la ronde. Certes, l'Oni était mort ; mais, suivant son exemple, les autres démons s'agglutinaient sur le toit. À la lueur pâle de la lune, Jace n'aurait pas su dire combien ils étaient : des dizaines ? des centaines ? Au-delà d'un certain nombre, cela n'avait plus d'importance.

Luke referma sa main sur le manche de la *kindjal.*

— Pas assez vite.

Jace tira de sa ceinture la dague d'Isabelle. C'était la dernière de ses armes, et soudain elle lui paraissait ridiculement petite. Une émotion soudaine le submergea : non pas la peur, il avait dépassé ce stade, mais la tristesse. Il vit Alec et Isabelle, aussi nettement que s'ils se tenaient à son côté, le visage éclairé d'un sourire, puis Clary, les bras tendus comme pour l'accueillir enfin chez lui.

Il se leva juste au moment où la horde de démons déferlait du toit telle une énorme vague masquant la lune. Il fit un pas en avant pour protéger Luke. Peine perdue : les monstres les avaient déjà encerclés. L'un d'eux surgit devant lui : un squelette, haut de six pieds, qui montrait ses dents ébréchées. Des lambeaux de bannières de prière tibétaines pendaient de ses os putréfiés. Il tenait dans sa main osseuse un *katana*, le sabre des samouraïs, ce qui avait de quoi surprendre, la plupart des démons n'étant pas armés. La lame du sabre, recourbée à son extrémité et gravée de runes démoniaques, était plus longue que le bras de Jace.

Jace projeta sa dague qui alla se planter dans la cage thoracique du squelette. Ce dernier parut à peine s'en apercevoir et continua à avancer d'un pas inexorable comme la mort. Une odeur de cadavre et de cimetière flottait autour de lui. Il leva le *katana* dans sa main griffue...

À cet instant, une ombre grise fendit les ténèbres avec une rapidité et une précision exceptionnelles. Un bruit s'éleva – le frottement du métal contre le métal –, et l'inconnu repoussa le sabre du démon en le poignardant de l'autre main d'un geste fulgurant, trop rapide pour que Jace puisse le suivre des yeux. La créature tomba à la renverse, son crâne vola en éclats, et elle disparut. Tout autour, les démons poussaient des cris de surprise et de souffrance. Jace fit volte-face et vit des dizaines de silhouettes – humaines, celles-là – enjamber le bastingage et se lancer à l'assaut des êtres démoniaques qui rampaient, sifflaient et volaient autour d'elles. Les nouveaux venus étaient armés de dagues scintillantes et portaient la tenue sombre des...

— Chasseurs d'Ombres ? s'exclama Jace, ébahi.

— Qui veux-tu que ce soit ? répliqua l'ombre avec un grand sourire.

— Malik ? C'est bien vous ?

— Désolé pour tout à l'heure, lança ce dernier en inclinant la tête. J'obéissais aux ordres.

Jace était sur le point de répondre qu'en lui sauvant la vie il s'était plus qu'amendé d'avoir tenté de l'empêcher de quitter l'Institut quand un groupe de Raums surgit devant eux en fouettant l'air de leurs tentacules. Malik se détourna pour charger l'ennemi avec un cri de guerre ; son poignard séraphique scintilla comme une étoile dans sa main. Jace allait le suivre quand quelqu'un le retint par le bras et l'entraîna à l'écart.

C'était un Chasseur d'Ombres, tout de noir vêtu, le visage dissimulé sous un capuchon.

— Viens avec moi.

Il tira sur sa manche avec insistance.

— Il faut que j'aille aider Luke ! Il est blessé, protesta Jace en essayant de se dégager. Lâchez-moi.

— Oh, pour l'amour de l'Ange…

L'inconnu repoussa le capuchon de sa longue cape, révélant un visage blême aux traits anguleux et des yeux gris brillants comme des gemmes.

— Quand te décideras-tu enfin à obéir, Jonathan ?

C'était l'Inquisitrice.

Malgré la vitesse à laquelle ils se déplaçaient dans les airs, Clary aurait frappé Valentin s'il ne lui avait pas bloqué les bras. Elle aurait toujours pu lui donner un coup de pied ; or, même si elle en avait eu la force, elle avait l'impression que plus rien ne la rattachait à la réalité.

Soudain, le démon fit une embardée, et Clary étouffa un cri tandis que Valentin éclatait de rire. Ils venaient de s'engager dans un tunnel, qui déboucha bientôt sur une vaste salle. Là, le monstre volant les déposa délicatement sur le sol.

À la grande surprise de Clary, Valentin desserra son étreinte. Elle recula d'un bond et fit quelques pas chancelants en jetant un regard affolé autour d'elle. L'endroit, immense, avait probablement été la salle des machines par le passé. Celles-ci s'alignaient à présent contre le mur, entreposées là pour aménager le plus de place possible au centre. Le sol noir en tôle était maculé çà et là de taches sombres. Au milieu de l'espace vide trônaient quatre bassines. L'intérieur des deux premières comportait des traces brun rouille. La troisième était remplie d'un liquide rouge sombre. La quatrième était vide.

À côté des bassines, Clary vit une cantine en fer recouverte d'un linge noir. En se rapprochant, elle s'aperçut que l'étoffe servait d'écrin à une épée en argent qui dispensait un halo de lumière noire : c'était comme si les ténèbres étaient capables de rayonner.

Clary se tourna vers Valentin, qui l'observait en silence.

— Comment avez-vous pu tuer Simon ? cria-t-elle. C'était un garçon comme les autres, un être humain sans défense...

— Il n'était plus humain, répondit Valentin d'un ton doucereux. C'était devenu un monstre. Tu étais incapable de t'en rendre compte, Clarissa, parce qu'il avait le visage d'un ami.

— Ce n'était pas un monstre ! C'était toujours Simon.

Elle fit un pas vers l'Épée, se demandant si elle serait en mesure de soulever un objet aussi lourd. Et, si elle y parvenait, pourrait-elle s'en servir sans ployer sous son poids ?

— Ne crois pas que je sois insensible à ton désarroi, dit Valentin. J'ai ressenti la même chose lorsque Lucian a été mordu.

Il se tenait immobile sous le rai de lumière filtrant à travers la trappe située au-dessus de sa tête.

— Il m'a raconté, cracha Clary. Après lui avoir donné une dague, vous avez exigé qu'il se tue.

— C'était une erreur.

— Au moins, vous l'admettez...

— J'aurais dû m'en charger moi-même. C'eût été une preuve de considération.

Clary secoua la tête.

— Vous n'avez jamais eu de considération pour qui que ce soit ! Pas même pour ma mère ou Jace. Vous les avez traités comme des objets.

— Mais n'est-ce pas la définition de l'amour, Clarissa ? Le besoin de posséder quelqu'un ? « Je suis à mon bien-aimé, et mon bien-aimé est à moi », pour citer le Cantique des cantiques.

— Laissez la Bible tranquille ! Ça m'étonnerait que vous la compreniez.

Elle se trouvait tout près de la cantine, à présent : l'Épée était à portée de main. D'un geste furtif, elle essuya ses doigts moites sur son jean.

— L'amour, ce n'est pas posséder une personne, reprit-elle. C'est se donner à elle. Je doute que vous ayez jamais donné quoi que ce soit à quiconque. Excepté des cauchemars.

— Se donner à quelqu'un ?

Un mince sourire étira les lèvres de Valentin.

— Comme tu t'es donnée à Jonathan ?

Clary, qui tendait la main vers l'Épée, se figea.

— Quoi ? souffla-t-elle, incrédule.

— Tu crois que je n'ai pas remarqué vos échanges de regards ? Sa façon de prononcer ton nom ? Tu penses que je ne ressens rien ? Cela ne signifie pas que je ne sais pas déchiffrer les sentiments des autres. Ta mère et moi ne pouvons nous en prendre qu'à nous-mêmes : étant restés si longtemps séparés, vous n'avez jamais développé l'un vis-à-vis de l'autre ce réflexe de rejet naturel qui existe entre frères et sœurs.

— Je ne comprends rien à ce que vous racontez.

Clary s'était mise à claquer des dents.

— Je crois pourtant avoir été clair, lança Valentin en s'écartant de la lumière. Comme tu le sais, j'ai vu Jonathan après son face-à-face avec le démon de la peur, qui lui est apparu sous ta forme. C'était suffisant pour m'éclairer. La plus grande peur dans la vie de Jonathan est liée à l'amour qu'il porte à sa sœur.

— Obéir, ce n'est pas mon genre, déclara Jace. Mais je ferai peut-être un effort si vous me le demandez gentiment.

L'Inquisitrice leva les yeux au ciel.

— Il faut que je te parle.

— Maintenant ?

Elle posa la main sur son épaule.

— Oui, maintenant.

— Vous êtes folle !

Jace balaya du regard le pont du bateau : il avait l'impression de regarder une œuvre de Bosch. Les ténèbres grouillaient de démons qui chargeaient les Chasseurs d'Ombres, toutes griffes dehors, et la nuit résonnait de leurs hurlements. Des Nephilim surgissaient au milieu d'eux, leurs armes étincelant au clair de lune. Jace voyait déjà qu'ils n'étaient pas assez nombreux.

— Pas question ! La bataille fait rage, et…

La main osseuse de l'Inquisitrice le retenait avec une force étonnante.

— J'ai dit : maintenant.

Elle le poussa devant elle ; il recula d'un pas, puis d'un autre, trop surpris pour réagir, jusqu'à se retrouver acculé contre un mur. Après l'avoir lâché, l'Inquisitrice fouilla les plis de sa cape noire et en sortit deux poignards séraphiques. Elle murmura leurs noms, suivis de quelques mots que Jace ne comprit pas, puis les planta dans le pont de chaque côté de lui. Un écran de lumière d'un blanc bleuté apparut, les isolant tous les deux du reste du bateau.

— Vous m'enfermez encore ? demanda Jace en jetant à son interlocutrice un regard incrédule.

— Ce n'est pas une Configuration de Malachie, cette fois. Tu peux partir si tu le souhaites. Jonathan..., ajouta-t-elle en joignant les mains.

— Vous voulez dire Jace.

Il ne voyait plus la bataille au-delà du mur de lumière blanche, mais il en entendait toujours la clameur, les rugissements et les plaintes des démons. En tournant la tête, il pouvait distinguer un coin d'océan reflétant les étoiles : on aurait dit des diamants éparpillés sur la surface d'un miroir. Il aperçut une douzaine de bateaux qui avaient jeté l'ancre à proximité, et reconnut les petits trimarans qui naviguaient sur les lacs d'Idris. C'étaient les embarcations des Chasseurs d'Ombres.

— Qu'est-ce que vous faites ici, Éminence ? Pourquoi êtes-vous venue ?

— Tu avais raison au sujet de Valentin. Il a refusé mon offre.

Un léger vertige fit chanceler Jace.

— Il vous a dit de me laisser mourir...

— Dès l'instant où il a refusé, j'ai rassemblé la Force et je l'ai menée jusqu'ici. Je... je vous dois une excuse, à toi et à ta famille.

— C'est noté, lâcha Jace, qui avait horreur des

excuses. Alec et Isabelle sont ici ? demanda-t-il. Ils ne seront pas punis pour m'avoir aidé ?

— Oui, ils sont là, et non, ils ne seront pas punis, le rassura l'Inquisitrice en le jaugeant du regard. Je ne comprends pas Valentin, poursuivit-elle. Sacrifier la vie de son fils unique...

— Mmm, fit Jace, la tête de plus en plus lourde, en priant pour qu'elle se taise ou qu'un démon vienne les attaquer. C'est une énigme, c'est vrai.

— À moins que...

Il la dévisagea avec surprise.

— Quoi ?

Elle pointa du doigt son épaule.

— Qu'est-ce que c'est que ça ?

Jace baissa les yeux et s'aperçut que le venin du démon-araignée avait percé un trou dans le tissu de son tee-shirt.

— Macy's. Les soldes d'hiver.

— Je parle de cette cicatrice.

— Oh, ça ! Je ne sais plus trop, répondit Jace, étonné par l'intensité avec laquelle l'Inquisitrice fixait son ancienne blessure. Un accident quelconque quand j'étais tout petit, d'après mon père. Pourquoi ?

— C'est impossible, murmura l'Inquisitrice. Tu ne peux pas être...

— De quoi parlez-vous ?

La voix de l'Inquisitrice prit une inflexion hésitante.

— Pendant toutes ces années... tu as vraiment cru que tu étais le fils de Michael Wayland ?

Une rage folle submergea Jace, d'autant plus incontrôlable qu'elle s'accompagnait de déception.

— Par l'Ange ! cracha-t-il. Vous m'avez traîné ici au beau milieu de la bataille pour me reposer les mêmes fichues questions ? Vous ne m'avez pas cru la première fois, et vous ne me croyez toujours pas. Jamais vous ne me ferez confiance, malgré tout ce qui s'est passé, et pourtant ce que je vous ai raconté est la pure vérité !

Il montra du doigt la scène sanglante qui se déroulait au-delà du mur de lumière.

— Je devrais être là-bas, en train de me battre ! Pourquoi me retenez-vous ici ? Pour aller raconter à l'Enclave, une fois cette guerre finie, et si par miracle nous sommes encore en vie, que j'ai refusé de combattre à vos côtés contre mon père ? Bien tenté.

L'Inquisitrice blêmit.

— Jonathan, ce n'est pas ce...

— Je m'appelle Jace !

Elle tressaillit, ouvrit la bouche comme pour parler, mais Jace ne voulait plus rien entendre. Il s'éloigna au pas de charge en la bousculant au passage, et donna un grand coup de pied dans l'un des poignards plantés dans le sol : le mur de lumière disparut.

Sur le pont, c'était le chaos. Des formes sombres couraient en tous sens, des démons piétinaient des cadavres en repartant à l'assaut ; l'air était lourd de fumée et de cris. Il chercha des visages connus dans la mêlée. Où étaient donc Alec et Isabelle ?

— Jace ! cria l'Inquisitrice en se hâtant derrière lui, les traits figés d'inquiétude. Jace, tu n'es pas armé ! Prends au moins...

Elle s'interrompit : un démon venait de surgir des ténèbres devant lui, comme un iceberg devant un navire. Il ne ressemblait en rien aux créatures que Jace avait affrontées au cours de la nuit : il avait la face ridée et les mains agiles d'un singe, et la longue queue hérissée de piquants d'un scorpion. Il le fixa de ses yeux jaunes et siffla entre ses dents pointues. Avant que Jace ait pu réagir, la queue du monstre fusa avec la rapidité d'un cobra. Il vit son aiguillon se rapprocher de son visage...

Et pour la deuxième fois de la soirée, une ombre s'interposa entre la mort et lui. Dégainant un long poignard, l'Inquisitrice se jeta sur la créature, dont le dard s'enfonça dans sa poitrine.

Elle poussa un cri, mais ne bougea pas. Au moment où le démon reculait pour se préparer à un nouvel assaut, elle lança son poignard d'un geste sûr. Les runes gravées sur la lame étincelèrent juste avant qu'elle se plante dans la gorge du monstre. Avec un sifflement semblable à celui de l'air qui s'échappe d'un ballon de baudruche, il se recroquevilla sur lui-même, un dernier spasme agita sa queue, et il disparut.

L'Inquisitrice s'effondra de tout son long sur le pont. Jace s'agenouilla à côté d'elle et la fit rouler sur le dos. Une flaque de sang s'épanouissait sur son corsage gris. Son visage avait pris une teinte jaunâtre ; pendant quelques secondes, Jace crut qu'elle était déjà morte.

— Éminence ?

Il ne pouvait se résoudre à l'appeler par son prénom, même en ces circonstances. Les yeux de la femme s'entrouvrirent. Ils s'étaient déjà couverts d'un voile. Au prix d'un effort immense, elle lui fit signe d'approcher. Il se pencha vers elle, assez près pour l'entendre lui murmurer à l'oreille dans un dernier souffle...

— Quoi ? fit-il, perplexe. Qu'est-ce que ça signifie ?

Pas de réponse. La tête de l'Inquisitrice retomba sur le pont ; ses yeux grands ouverts le fixaient sans le voir. Les coins relevés de sa bouche semblaient esquisser un sourire.

Jace s'assit sur ses talons, le regard dans le vague. Elle était morte. Morte par sa faute.

Quelqu'un le releva en le tirant par son tee-shirt. Il porta la main à sa ceinture, se souvint qu'il était désarmé et, se retournant brusquement, vit une paire d'yeux bleus qui le fixaient avec incrédulité. Alec !

— Tu es en vie ! s'exclama ce dernier, mettant dans ces quelques mots tout ce qu'il éprouvait pour Jace.

Ses traits accusaient à la fois le soulagement et une extrême fatigue. Malgré le froid, la sueur collait ses cheveux noirs sur ses joues et son front. Ses vêtements étaient couverts de sang, la manche de sa veste rembourrée était déchirée de haut en bas. Dans sa main il tenait une guisarme sanguinolente.

— On dirait que oui, lança Jace. Mais je ne le resterai pas longtemps si tu ne me donnes pas une arme.

Alec jeta un regard à la ronde, prit un poignard séraphique glissé à sa ceinture et le tendit à son frère adoptif.

— Tiens ! Il s'appelle Samandiriel.

Jace avait à peine saisi le poignard qu'un Drevak se rua sur eux en poussant des piaillements furieux. Quand il brandit Samandiriel, Alec avait déjà expédié la créature d'un coup de guisarme.

— Bel accessoire, commenta Jace.

Mais Alec regardait la forme grise allongée sur le pont derrière lui.

— C'est l'Inquisitrice ? Elle est...

— Morte, oui.

— Bon débarras ! Comment c'est arrivé ?

Jace était sur le point de répondre quand un cri perçant retentit dans son dos.

— Alec ! Jace !

Émergeant de la fumée nauséabonde, Isabelle se précipita vers eux. Elle portait une veste noire ajustée, tachée d'un liquide jaunâtre. Ses chevilles et ses poignets étaient cerclés de chaînes en or chargées d'amulettes en forme de runes, et son fouet en électrum ondulait dans sa main comme un serpent. Elle tendit les bras vers son frère adoptif.

— Jace, on te croyait...

— Eh non, fit-il en se dérobant à son étreinte. Je suis couvert de sang, Isabelle.

Une expression peinée se peignit sur le visage de l'adolescente.

— Tout le monde te cherchait. Papa et maman...

— Isabelle ! cria Jace.

Trop tard ! Un énorme démon-araignée venait de surgir derrière elle en crachant du poison jaune. Elle poussa un cri, son fouet jaillit à la vitesse de l'éclair et coupa le monstre en deux morceaux, qui tombèrent sur le pont avant de disparaître.

Jace s'élança pour rattraper la jeune fille. Le fouet glissa de sa main au moment où elle tombait dans ses bras. Tout en la serrant maladroitement contre lui, il examina sa blessure : le poison avait surtout éclaboussé sa veste ; cependant quelques gouttes avaient coulé sur sa gorge. À cet endroit, la peau se consumait déjà en grésillant. Isabelle, qui ne se plaignait jamais d'avoir mal, poussa un gémissement à peine audible.

— Laisse, je vais la tenir, dit Alec en abandonnant ses armes pour venir en aide à sa sœur.

Il prit Isabelle des bras de Jace et la déposa doucement par terre. Puis, s'agenouillant auprès d'elle, la stèle à la main, il leva les yeux.

— Protège nos arrières pendant que je la soigne.

Jace ne pouvait pas détacher les yeux d'Isabelle. Le sang s'échappant de sa blessure se répandait sur sa veste et poissait ses cheveux.

— Il faut lui faire quitter le bateau ! Si elle reste ici…

— Elle mourra ?

Avec des gestes très doux, Alec traça une ligne sur la gorge de sa sœur.

— Nous allons tous mourir. Ils sont trop nombreux. On se fait massacrer ! L'Inquisitrice n'a eu que ce qu'elle méritait : tout ça, c'est sa faute.

— Elle m'a sauvé la vie. Un démon-scorpion a tenté de me tuer, dit Jace en se demandant pourquoi il défendait quelqu'un qu'il haïssait par-dessus tout, et elle s'est interposée.

— Vraiment ? s'exclama Alec, visiblement stupéfait. Pourquoi ?

— Elle a dû décider que je valais la peine de survivre.

— Mais elle a toujours…

Alec s'interrompit : sur son visage, la surprise laissa place à l'affolement.

— Jace, derrière toi !

Jace fit volte-face : deux démons s'avançaient vers eux : un Vorace – corps d'alligator, dents acérées et queue de scorpion recourbée – et un Drevak, dont la chair flasque et blanche luisait au clair de lune. Il lança Samandiriel, qui fendit l'air et trancha la queue du Vorace, juste en dessous de la vésicule à venin.

Le monstre poussa un sifflement aigu. Surpris, le Drevak se retourna et reçut en pleine face la poche de poison, qui creva en déversant son liquide mortel sur lui. Il émit un seul hurlement étouffé, s'affaissa, la tête rongée jusqu'à l'os par le venin corrosif, et se désintégra. Malgré les flots de sang noir qui s'échappaient de sa queue, le Vorace fit quelques pas dans la direction de Jace avant de disparaître à son tour.

Le garçon se pencha et ramassa Samandiriel avec précaution. À l'endroit où le poison s'était répandu, le sol en tôle fumait et se creusait de trous minuscules.

Alec se leva en soutenant une Isabelle livide, qui arrivait encore à se tenir debout.

— Il faut l'emmener loin d'ici, déclara-t-il.

— D'accord, vas-y. Moi, je dois m'occuper de ça.

— De quoi ?

— De ça, répéta Jace, le doigt tendu.

Une énorme créature voûtée s'avançait dans leur direction à travers la fumée et les flammes. Cinq fois plus grande que n'importe quel autre démon présent sur le bateau, elle avait le corps recouvert d'une carapace, de nombreux membres terminés par une griffe acérée, et des pattes d'éléphant. Tandis qu'elle s'approchait, Jace s'aperçut qu'elle avait une tête de moustique géant, avec de gros yeux d'insecte et une longue trompe rouge sang.

— Qu'est-ce que c'est que ce machin ? s'exclama Alec.

Jace réfléchit quelques instants et, ne trouvant pas de réponse, se contenta d'observer :

— C'est gigantesque, en tout cas.

— Jace...

Jace regarda tour à tour Alec et Isabelle. Une petite voix lui soufflait que c'était peut-être la dernière fois qu'il les voyait, et pourtant il ne ressentait toujours aucune peur, pour lui-même en tout cas. Il aurait voulu leur dire qu'il les aimait et qu'ils valaient tous les Instruments Mortels du monde à ses yeux, mais les mots ne venaient pas.

— Alec, emmène Isabelle, ou on va tous mourir.

Alec soutint son regard pendant quelques instants, puis hocha la tête et entraîna sa sœur vers le bastingage. Ignorant ses protestations, il l'aida à passer par-dessus le garde-fou. Avec un soulagement immense, Jace vit la chevelure sombre d'Isabelle disparaître tandis qu'elle descendait l'échelle. « À toi maintenant, Alec, pensa-t-il. Vas-y ! »

Mais Alec ne bougeait pas. Isabelle, désormais hors de vue, cria son nom au moment où il sautait de nouveau sur le pont. Il ramassa sa guisarme et s'avança vers Jace pour combattre le démon à ses côtés.

Il ne réussit pas à le rejoindre. La créature qui fonçait sur Jace fit un écart et se rua vers lui en agitant sa trompe d'un air menaçant. Jace fit volte-face pour s'interposer, mais le sol à ses pieds, gorgé de poison corrosif, céda sous son poids. Le pied coincé dans la ferraille, il tomba de tout son long.

Alec eut le temps de crier son nom avant que le démon ne fonde sur lui. Il plongea l'extrémité effilée de sa guisarme dans la chair de la créature, qui recula avec un hurlement étonnamment humain tandis que du sang noir jaillissait de sa blessure. Alec battit en retraite pour chercher une autre arme, mais le démon fendit l'air de ses griffes et le jeta sur le pont. Puis sa trompe s'enroula autour de son torse.

Jace se débattit avec l'énergie du désespoir pour dégager sa jambe. Les bords du trou lui labourèrent la chair quand il parvint enfin à se libérer d'une secousse.

Après s'être relevé en chancelant, il brandit Samandiriel, dont la lame scintillait comme une étoile filante. Le démon recula en sifflant et desserra son étreinte autour d'Alec, si bien que, l'espace d'un bref moment, Jace crut qu'il allait le laisser partir. Non : plus rapide que l'éclair, il le jeta de toutes ses forces sur le pont souillé de sang. Alec glissa sur quelques mètres et tomba par-dessus bord avec un cri rauque.

Les hurlements déchirants d'Isabelle, qui appelait son frère, transperçaient les oreilles de Jace comme autant d'aiguilles. Le halo lumineux de Samandiriel éclaira le démon qui se ruait sur lui, ses yeux d'insecte brillant d'une lueur vorace ; et pourtant seul Alec occupait ses pensées. Alec, qui risquait de se noyer. Jace crut sentir le goût de l'eau saumâtre sur sa langue ; à moins que ce ne soit celui du sang. Le démon était tout proche désormais. Fou de rage, il planta le poignard dans la poitrine du monstre, qui poussa un cri aigu de souffrance.

Soudain, le pont céda sous Jace dans un grincement de métal, et il tomba dans les ténèbres.

19

Dies Irae

— Vous dites n'importe quoi, lâcha Clary sans conviction. Vous ne savez rien de Jace ni de moi. Vous essayez de…

— J'essaie de te toucher, Clarissa. De t'ouvrir les yeux.

Clary ne décelait aucune émotion dans la voix de Valentin, juste un soupçon d'ironie.

— Vous vous moquez de nous, répliqua-t-elle. Vous pensez pouvoir m'utiliser pour faire du mal à Jace. Vous n'êtes même plus en colère ! Tout père qui se respecte serait furieux.

— Pourtant je suis ton vrai père. Le même sang coule dans nos veines.

— Non, mon vrai père, c'est Luke, protesta Clary d'un ton las. On en a déjà parlé.

— Si tu t'es tournée vers Luke, c'est à cause de sa relation avec ta mère…

— Quelle relation ? Ils sont amis, rien de plus.

Pendant un instant, Clary crut voir passer une lueur d'étonnement dans les yeux de Valentin.

— Vraiment ? se contenta-t-il de dire avant d'ajouter : Tu t'imagines peut-être que Lucian a subi tout cela – cette vie de silence, passée à se terrer et à fuir, cet acharnement à protéger un secret que lui-même ne parvenait pas à percer complètement – par simple amitié ? À ton âge, on ne sait pas grand-chose des hommes, Clarissa.

— C'est ça, continuez avec vos insinuations, je m'en fiche ! Vous vous trompez autant sur son compte que sur Jace. Il faut toujours que vous prêtiez de mauvaises intentions à tout le monde, parce que vous ne comprenez rien d'autre.

— Quel mal y aurait-il à être amoureux de ta mère ? L'amour n'est donc pas un sentiment noble, Clarissa ? À moins qu'au fond de toi tu ne soupçonnes ton cher Lucian de ne pas être tout à fait humain ou capable de vrais sentiments...

— Luke est aussi humain que moi ! se récria Clary. Vous n'êtes qu'un fou sectaire !

— Oh non, susurra Valentin. Bien au contraire.

Il s'avança vers Clary, et elle fit un pas de côté pour soustraire l'Épée à sa vue.

— Si tu me considères comme tel, c'est seulement parce que tu me vois à travers le prisme de ta compréhension terrestre du monde. Les Terrestres créent entre eux des barrières de toutes sortes, lesquelles sont ridicules pour nous, Chasseurs d'Ombres. Des distinctions basées sur la race, la religion, l'identité nationale, et d'autres détails insignifiants. Pour les Terrestres, cela semble logique : s'ils ignorent l'existence des mondes démoniaques, ils ont conscience de la notion d'altérité et de non-appartenance, qui ne signifie pour eux que mal et destruction. Étant donné que la menace démoniaque est invisible à l'œil humain, ils reportent leur méfiance sur leur propre espèce. Leur voisin prend le visage d'un ennemi ; ainsi, des générations entières sont vouées au malheur.

Il fit un autre pas vers Clary ; elle recula d'instinct et se retrouva acculée contre la cantine en fer.

— Je ne suis pas comme eux, poursuivit-il. Je connais la vérité. Alors que les Terrestres voient le monde à travers du verre teinté, nous autres Chasseurs d'Ombres le voyons tel qu'il est. Nous connaissons le mal véritable, et savons que, s'il est parmi nous, il n'est pas des nôtres pour autant. Ce qui n'appartient pas à notre monde ne doit pas être autorisé à s'y enraciner et à s'y épanouir, telle une grosse fleur vénéneuse détruisant toute vie autour d'elle.

Clary, qui allait s'emparer de l'Épée et se jeter sur Valentin, suspendit son geste, ébranlée par ses paroles. Il parlait d'une voix douce, persuasive, et elle était d'accord sur ce point : les démons devaient être chassés de la Terre, qu'ils menaçaient de réduire en cendres, comme tant d'autres mondes qu'ils avaient visités auparavant... Oui, ce que disait Valentin faisait plus ou moins sens ; cependant...

— Luke n'est pas un démon.

— Il me semble, Clarissa, que tu ignores la définition de ce mot. Tu as croisé quelques Créatures Obscures qui t'ont paru inoffensives et qui ont faussé ton jugement. Pour toi, les démons sont des bêtes hideuses qui surgissent des ténèbres pour tuer et détruire. En effet, de tels monstres existent. Mais il en est d'autres, plus sournois, qui se promènent parmi les humains sans être inquiétés. Pourtant je les ai vus commettre des actes affreux, à tel point que leurs semblables, réputés plus cruels, font figure d'agneaux en comparaison. J'ai connu à Londres un démon qui se faisait passer pour un homme d'affaires très puissant. Il était toujours entouré, si bien qu'il m'était difficile de l'approcher pour lui régler son compte, alors que je connaissais sa véritable nature. Il exigeait de ses serviteurs qu'ils lui amènent des animaux et de jeunes enfants, n'importe quelle créature petite et sans défense…

— Taisez-vous ! s'écria Clary en se bouchant les oreilles. Je ne veux pas entendre ça.

Mais Valentin, impitoyable, poursuivit d'un ton neutre :

— Il prenait le temps de les déguster. Souvent pendant plusieurs jours. Il avait recours à toutes sortes de tortures incroyables pour les garder en vie. Imagine un enfant qui rampe vers toi, les membres inférieurs arrachés…

— Arrêtez ! Assez, ASSEZ !

— Les démons se repaissent de la souffrance et de la folie. Quand je tue, c'est parce que je le dois. Tu as grandi dans un Éden à la beauté trompeuse, protégé par des parois de verre, ma fille. Ta mère a créé le monde dans lequel elle souhaitait vivre et t'élever, sans jamais te révéler qu'il s'agissait d'une illusion. Et pendant tout ce temps, les démons, avec leurs armes de terreur et de destruction, attendaient le moment propice pour briser le verre et t'arracher à ce mensonge.

— C'est vous qui l'avez fait voler en éclats, murmura Clary. C'est vous qui m'avez entraînée dans ce cauchemar. Vous seul.

— Et les blessures que tu as subies, la souffrance, le sang ? Tu me reproches aussi cela ? Ce n'est pas moi qui t'ai mise dans cette prison.

— Ça suffit ! Taisez-vous, implora Clary, la tête bourdonnante.

« Vous avez enlevé ma mère ! Tout ça, c'est votre faute ! » avait-elle envie de crier. Cependant, elle commençait à comprendre ce que sous-entendait Luke quand il prétendait qu'on ne pouvait pas discuter avec Valentin. D'une façon ou d'une autre, il s'arrangeait pour qu'elle ne puisse pas le contredire sans se donner l'impression d'être du côté des démons qui dévoraient les petits enfants. Elle se demanda comment Jace avait pu vivre pendant toutes ces années dans l'ombre d'une personnalité aussi exigeante et dominatrice. Elle comprenait maintenant d'où venait l'arrogance de son frère et sa capacité de contrôler ses émotions.

À présent, elle était acculée contre la cantine. Le froid glacial émanant de l'Épée lui picotait la nuque.

— Qu'est-ce que vous me voulez ? lâcha-t-elle.

— Qu'est-ce qui te fait croire que je te veux quelque chose ?

— Vous ne m'adresseriez pas la parole si ce n'était pas le cas. Vous m'auriez déjà assommée avant de... de passer à la prochaine étape.

— La prochaine étape consiste à attendre que tes amis Chasseurs d'Ombres viennent te chercher. Je leur dirai que pour te récupérer saine et sauve il faudra qu'ils me livrent la fille loup-garou. J'ai besoin de son sang.

— Ils n'accepteront jamais de m'échanger contre Maia !

— C'est là que tu te trompes. Ils connaissent la valeur d'une Créature Obscure, comparée à celle d'un des leurs. Ils accepteront mon marché, l'Enclave l'exige.

— L'Enclave ? Vous voulez dire que c'est écrit dans la Loi ?

— Noir sur blanc. Tu vois ? Nous ne sommes pas si éloignés, l'Enclave et moi-même. Nos méthodes diffèrent un peu, c'est tout.

À ces mots, Valentin sourit et fit un pas vers elle. Avec une agilité qui la surprit elle-même, Clary s'empara de l'Épée de Vérité. La lame était si lourde qu'elle faillit perdre l'équilibre. Se redressant, elle brandit l'arme, la pointant sur Valentin.

Jace atterrit sur une surface dure en métal ; la force de l'impact lui coupa le souffle. Il toussa, sentit le goût du sang dans sa bouche et se releva péniblement.

Il se trouvait sur une passerelle en fer peinte d'un ton de vert terne. Les entrailles vides du bateau aux parois de métal incurvées lui faisaient l'effet d'une énorme caisse de résonance. Levant les yeux, il aperçut un coin de ciel étoilé au-delà des bords encore fumants du trou percé dans la coque.

Le ventre du navire était un véritable labyrinthe de passerelles et d'échelles qui se déroulaient les unes au-dessus des autres comme les intestins d'un serpent gigantesque et semblaient ne mener nulle part. Il y régnait un froid glacial : à chaque fois qu'il soufflait de l'air, de petits nuages de buée blanche s'échappaient de sa bouche. Comme l'endroit était sombre, il chercha la pierre de rune dans sa poche.

Bientôt, sa lumière blafarde chassa l'obscurité. La passerelle, interminable, débouchait sur une échelle accédant à un niveau inférieur. Au moment où Jace allait s'y diriger, il vit un objet briller à ses pieds.

Il se baissa pour le ramasser. C'était une stèle. Il jeta un regard à la ronde, s'attendant presque que quelqu'un surgisse des ténèbres : comment la stèle d'un Chasseur d'Ombres avait-elle pu atterrir ici ? Il l'examina de plus près. Toutes les stèles possédaient une sorte d'aura, une empreinte fantomatique de la personnalité de leur propriétaire. Celle-ci fit apparaître une image douloureuse dans son esprit. Clary !

Un rire déchira soudain le silence. Jace fit volte-face et glissa la stèle dans sa poche. À la lumière de la pierre de rune, il distingua à l'autre bout de la passerelle une silhouette dont le visage était dissimulé dans l'ombre.

— Qui est là ? cria-t-il.

Il n'obtint pas de réponse. D'un geste instinctif, il porta la main à sa ceinture, pour constater qu'il avait perdu son poignard séraphique en tombant. Il était désarmé !

Se souvenant de ce que lui avait appris son père – utilisé à bon escient, n'importe quel objet peut faire office d'arme – il s'avança lentement vers l'inconnu en balayant du regard les moindres détails autour de lui : une poutre susceptible de servir d'appui pour donner des coups de pied à son adversaire ; un bout de ferraille qui ferait un bon projectile. Toutes ces pensées l'assaillirent en un quart de seconde, juste avant que la silhouette se tourne vers lui, ses cheveux blancs luisant dans la clarté de la pierre de rune. C'est alors que Jace le reconnut. Il s'arrêta net.

— Père ? C'est vous ?

La première sensation qu'éprouva Alec fut un froid glacial. Puis il s'aperçut qu'il ne pouvait plus respirer. Quand il essaya d'avaler de l'air, son corps se convulsa. Il se redressa en expulsant de ses poumons un jet d'eau sale et nauséabonde.

Enfin, il parvint à inspirer malgré ses poumons qui le brûlaient et jeta un regard autour de lui. Il se trouvait sur un radeau en tôle ondulée. Non, en fait il était à l'arrière d'une camionnette flottant au milieu du fleuve, les cheveux et les vêtements dégoulinant d'eau. Et Magnus Bane, assis face à lui, l'observait de ses yeux de chat qui étincelaient dans l'obscurité.

— Que… qu'est-ce qui s'est passé ? demanda-t-il en claquant des dents.

— Tu as essayé de boire toute l'eau de l'East River, répondit Magnus. C'est moi qui t'ai sorti de là.

Alec s'aperçut alors que les vêtements de son ami étaient eux aussi trempés, et qu'ils moulaient son corps comme une seconde peau. La tête lourde, il chercha en vain sa stèle et se repassa le film des derniers événements : le bateau grouillant de démons ; Isabelle tombant et Jace s'élançant pour l'attraper ; du sang partout, l'attaque du démon…

— Isabelle ! Elle descendait l'échelle quand je suis tombé…

— Elle va bien. Je l'ai vue gagner une embarcation à la nage.

Le sorcier tendit la main pour toucher la tête d'Alec.

— Toi, par contre, tu as peut-être eu une commotion.

— Je dois retourner me battre, répliqua Alec en repoussant son bras. Tu ne pourrais pas – je ne sais pas, moi – me téléporter sur le bateau ou un truc du genre, et soigner mon traumatisme crânien, tant que tu y es ?

Pour toute réponse, Magnus se blottit de nouveau contre la paroi de la camionnette. À la lumière des étoiles, ses yeux brillaient d'un éclat froid, comme des fragments d'or et d'émeraude.

— Pardon, murmura Alec en prenant conscience de la façon brutale avec laquelle il s'était exprimé, même si, selon lui, Magnus aurait dû comprendre que retourner au bateau était la priorité. Je sais bien que tu n'es pas obligé de nous aider, reprit-il. C'est une faveur…

— Arrête, Alec. Il n'y a pas de faveur qui tienne avec toi. Si j'accepte de t'aider, c'est parce que… Eh bien, pourquoi, à ton avis ?

Alec sentit sa gorge se nouer comme à chaque fois qu'il se trouvait en présence du sorcier. Il avait l'impression qu'une bulle de chagrin – ou de regret – se nichait dans sa poitrine : quand il voulait dire quelque chose – n'importe quoi – qui lui tenait à cœur, la bulle gonflait et l'empêchait de parler.

— Il faut que je retourne là-bas, répéta-t-il.

Magnus semblait trop fatigué pour se mettre en colère.

— J'aimerais bien t'aider, mais je ne peux pas. Se

débarrasser des sortilèges de protection était déjà suffisamment difficile : c'est un enchantement démoniaque très, très puissant. Quand tu es tombé à l'eau, j'ai dû jeter un sort à la va-vite sur la camionnette pour éviter qu'elle coule si jamais je perdais conscience. Et je vais perdre conscience, Alec. Ce n'est qu'une question de temps.

Il se passa la main sur les yeux.

— Je ne voulais pas que tu te noies. L'enchantement devrait tenir le temps que tu ramènes la camionnette sur la terre ferme.

— Je... je n'avais pas compris.

Alec regarda Magnus qui, malgré ses trois siècles d'existence, paraissait éternellement jeune, comme s'il avait cessé de vieillir vers l'âge dix-neuf ans. Or, à présent, des plis marqués accusaient les contours de sa bouche et de ses yeux. Ses cheveux retombaient en désordre sur son front et, pour une fois, ses épaules voûtées devaient plus à son extrême fatigue qu'à ses habituelles poses nonchalantes.

Alec tendit les mains : elles étaient pâles sous le clair de lune, ridées par son séjour prolongé dans l'eau et striées de dizaines de petites cicatrices argentées. Magnus les contempla, puis leva vers Alec un regard interrogateur.

— Tiens, prends mes mains, dit le garçon. Et prends ma force avec. Prends tout ce qu'il te faudra pour rester debout.

Magnus ne cilla pas.

— Je croyais que tu devais retourner sur le bateau.

— Je dois me battre, oui. Mais c'est bien ce que tu fais, au même titre que les Chasseurs d'Ombres là-bas.

Je sais que tu peux prendre ma force, j'ai entendu parler de sorciers qui faisaient ça... Alors, vas-y, prends-la. Elle est à toi.

Valentin sourit. Il portait son armure noire et des gantelets luisants comme la carapace d'un insecte.

— Mon fils.

— Ne m'appelez pas comme ça, marmonna Jace.

Soudain, ses mains se mirent à trembler et il demanda :

— Où est Clary ?

Sans cesser de sourire, Valentin répondit :

— Elle m'a défié. J'ai dû lui donner une petite leçon.

— Qu'est-ce que vous lui avez fait ?

— Rien. Elle survivra.

Il s'approcha de Jace, assez près pour le toucher. Le garçon serra les poings pour que son père ne s'aperçoive pas qu'il tremblait violemment.

— Je veux la voir.

— Vraiment ? Avec tout ce qui se passe ici ? répliqua Valentin. J'aurais cru que tu préférerais aller te battre aux côtés de tes amis Chasseurs d'Ombres. Quel dommage qu'ils se donnent autant de mal pour rien !

— Ne parlez pas trop vite.

— Je n'ai aucun doute à ce sujet. Pour chacun d'entre eux, je peux invoquer un millier de démons. Même le meilleur Nephilim n'est pas capable de se mesurer à une telle armée. Cette pauvre Imogène en a fait l'expérience, ajouta-t-il.

— Comment savez-vous...

— Je suis au courant de tout ce qui arrive à bord

de mon bateau. Tu sais que c'est ta faute, si elle est morte, n'est-ce pas ?

Jace prit une grande inspiration ; il sentait son cœur battre la chamade comme s'il cherchait à s'échapper de sa poitrine.

— Sans ton intervention, aucun d'eux ne serait monté à bord de ce bateau. Ils sont venus pour te secourir. S'il n'avait été question que de ces deux Créatures Obscures, ils ne se seraient pas donné cette peine.

— Simon et Maia..., murmura Jace, qui les avait presque oubliés.

— Oh, ils sont morts tous les deux, lança Valentin avec désinvolture. Combien devront périr avant que tu ne regardes la vérité en face ?

Jace avait l'impression de voir son père à travers un brouillard. Son épaule le faisait atrocement souffrir.

— Nous avons déjà eu cette conversation. Vous avez tort, père. Vous ne vous trompez peut-être pas en ce qui concerne les démons, voire l'Enclave, mais...

— Ce n'est pas ce que je veux dire, l'interrompit Valentin. Ma question est : quand comprendras-tu que tu es comme moi ?

Malgré le froid, Jace transpirait à grosses gouttes.

— Quoi ?

— Toi et moi, nous sommes pareils. Comme tu l'as déjà constaté, tu es ce que j'ai fait de toi. Or je t'ai façonné à mon image. Tu as mon arrogance. Mon courage. Et cette qualité rare de pousser les autres à sacrifier leur vie pour toi.

Une pensée vague taraudait Jace, un détail qu'il aurait dû savoir, qu'il avait oublié. Oh, comme son épaule lui faisait mal !

— C'est faux ! s'écria-t-il. Je ne veux pas que les gens meurent pour moi !

— Mais si. Cela te flatte de savoir qu'Isabelle et Alec, ou encore ta sœur, le feraient sans hésiter. C'est bien ce qu'a fait l'Inquisitrice, non ? Et toi, tu l'as laissée...

— Non !

— Tu es comme moi, Jonathan. Cela n'a rien de surprenant, tu es mon fils : il est normal que nous nous ressemblions.

— Non !

Rapide comme l'éclair, Jace ramassa le bout de ferraille déchiqueté et pointu comme un poignard, qu'il avait repéré dans la pénombre. Avec un cri de rage, il l'enfonça dans la poitrine de son père.

— Je ne suis pas comme toi !

Valentin ouvrit la bouche et chancela. Pendant quelques instants, Jace le dévisagea, horrifié, en pensant : « Je me suis trompé... C'est bien lui... » Mais, soudain, Valentin se recroquevilla sur lui-même et son corps se décomposa en un millier de grains de sable. Une odeur de brûlé assaillit Jace tandis que ce qui restait de Valentin se transformait en cendres, bientôt disséminées par le courant d'air glacé.

Jace tâta son épaule ; là où la rune d'intrépidité s'était consumée, la peau était brûlante. Une grande faiblesse l'envahit. « Agramon », murmura-t-il avant de tomber à genoux sur la passerelle.

Quelques secondes à peine passèrent avant que son pouls ne reprenne un rythme normal, mais Jace eut l'impression qu'une éternité s'était écoulée. Quand il se releva enfin, il était transi. L'extrémité de ses doigts avait bleui. Une odeur de brûlé flottait encore dans l'air, bien qu'il n'y ait plus trace du démon.

Jace ramassa son arme de fortune et s'avança vers l'échelle au bout de la passerelle. Il descendit les barreaux en s'agrippant d'une main, et cet effort lui éclaircit les idées. Puis il se laissa tomber sur une seconde passerelle, qui courait le long d'une vaste salle. Des dizaines de structures du même genre longeaient les murs, ainsi qu'un vaste réseau de tuyaux et de machines. Des gargouillis sonores s'en s'échappaient ; de temps à autre, l'un d'eux lâchait un nuage de vapeur dans l'air glacial.

« C'est un sacré endroit que vous vous êtes trouvé là, père », songea Jace. Les entrailles vides du bateau n'étaient pas un lieu qui collait à la personnalité du Valentin qu'il connaissait, lequel était du genre à se montrer tatillon sur la qualité du cristal de ses carafes à vin. Jace jeta un coup d'œil à la ronde. Il se trouvait au milieu d'un véritable labyrinthe dépourvu du moindre repère. Il s'avança vers une autre échelle et remarqua une tache rouge sombre sur le sol.

Du sang. Le tapotant de la pointe de sa botte, il constata qu'il n'avait pas encore séché. Son pouls se mit à battre plus vite. Un peu plus loin, il trouva une autre tache, puis encore une autre : il pensa aux miettes de pain semées par le Petit Poucet.

Il suivit les traces de sang en faisant claquer ses bottes sur le métal de la passerelle. Ces taches ne semblaient pas résulter d'une confrontation quelconque ; leur espacement indiquait plutôt qu'on avait transporté un corps ensanglanté.

Il s'arrêta devant une porte en métal noir portant des traces de coups. Il y avait des empreintes rouges sur la poignée. Serrant son bout de fer dans la main, il poussa le battant.

Un courant d'air glacial le fit tressaillir. Il se trouvait dans une pièce vide à l'exception d'une conduite longeant un mur et une espèce de tas de chiffons dans un coin. Un rai de lumière qui filtrait à travers un hublot l'éclairait faiblement. Quand Jace s'avança sur la pointe des pieds, il s'aperçut qu'il s'agissait en réalité d'un corps.

Son cœur s'accéléra. Le sol était poissé de sang ; à chaque pas, ses semelles se décollaient avec un bruit de succion répugnant. Il s'agenouilla près de la forme recroquevillée par terre : c'était un garçon aux cheveux bruns, vêtu d'un jean et d'un tee-shirt imbibé de sang.

Il souleva le corps par l'épaule ; celui-ci s'affaissa mollement contre lui telle une poupée désarticulée, ses yeux noirs fixés sur le plafond. Jace retint son souffle : c'était bien Simon. Il était pâle comme un linge, une vilaine entaille se détachait sur la peau blanche à la base de son cou, et ses poignets tranchés laissaient voir des plaies béantes.

Jace tomba à genoux tout en maintenant Simon. La mort dans l'âme, il pensa à Clary, à son chagrin lorsqu'elle apprendrait la nouvelle, à ses mains qui se cramponneraient aux siennes – tant de force dans ces petits doigts ! « Tu retrouveras Simon, avait-elle dit. J'en suis sûre. »

Il l'avait bel et bien retrouvé. Mais trop tard.

Quand Jace avait dix ans, son père lui avait énuméré tous les moyens d'éliminer les vampires. Leur planter un pieu dans le cœur. Leur trancher la tête, puis y mettre le feu, comme on allume une citrouille de Halloween. Laisser le soleil les réduire en cendres. Ou les vider de leur sang. Il leur fallait du sang pour vivre ; c'était de là qu'ils tiraient leur énergie. D'après la profonde entaille qui barrait la gorge de Simon, il n'était pas difficile de deviner ce qu'avait fait Valentin.

Jace se pencha pour lui fermer les yeux. Si Clary devait le voir mort, autant qu'il ne soit pas dans cet état. Il remonta le tee-shirt de Simon pour cacher la blessure.

Et c'est alors que ce dernier remua. Ses paupières s'entrouvrirent, révélant le blanc de l'œil. Puis il émit un faible gargouillis, ses lèvres se retroussèrent sur ses crocs de vampire et un faible râle s'échappa de sa gorge tranchée.

Jace fut pris de nausée et sa main s'agrippa au col de Simon. Il n'était pas mort ! En revanche, il devait souffrir un véritable martyre. Il ne pouvait pas guérir, ni se régénérer…

À moins qu'on ne le nourrisse ! À l'aide de son bout de ferraille, Jace s'entailla le poignet, et du sang perla sur sa peau. Il lâcha le couteau de fortune, qui tomba sur le sol avec fracas. L'odeur puissante et métallique de son propre sang parvint à ses narines.

Un filet rouge dégoulinait sur sa main ; il ressentait des picotements dans le poignet. Se penchant sur le visage de Simon, il laissa le sang couler le long de ses doigts dans la bouche du vampire. Aucune réaction : Simon restait immobile comme une pierre. Jace appuya son poignet ensanglanté contre ses lèvres.

— Bois mon sang, idiot, murmura-t-il. Bois.

Pendant quelques instants, rien ne se produisit. Enfin, Simon battit des paupières, colla sa bouche au poignet de Jace et sa main agrippa son bras. Il se redressa légèrement et lui enfonça les crocs dans la chair. Jace sentit la douleur remonter dans son épaule.

— C'est bon, dit-il, ça suffit.

Simon ouvrit les yeux et son regard se posa sur Jace. Ses joues avaient repris des couleurs ; derrière ses lèvres entrouvertes, ses crocs luisaient dans la pénombre.

— Simon ?

Le vampire se leva et, rapide comme l'éclair, il se jeta sur lui. La tête de Jace heurta le sol, ses oreilles se mirent à bourdonner tandis que les crocs de son assaillant se plantaient dans son cou. Il tenta de se dégager, en vain : Simon le maintenait d'une poigne de fer, ses doigts s'agrippant à ses épaules.

Pourtant, Jace n'avait pas vraiment mal : la douleur, fulgurante au début, avait laissé place à une brûlure ténue, agréable, qui rappelait le picotement de la stèle. Une sensation de paix s'insinua dans son esprit. Il sentit ses muscles se relâcher ; ses mains, qui essayaient de repousser le vampire quelques instants plus tôt, l'attirèrent à lui. Les battements de son cœur s'espacèrent, se réduisant à un faible écho. Des ténèbres d'une étrange beauté se substituèrent peu à peu à son champ de vision. Jace ferma les paupières...

Soudain, la brûlure dans son cou se réveilla. Il rouvrit les yeux avec un hoquet de surprise ; Simon, assis à califourchon sur lui, le fixait d'un air ébahi, une main plaquée sur la bouche. Ses blessures avaient disparu.

Jace sentit la douleur affluer de nouveau dans tout son corps : ses épaules meurtries, son poignet entaillé, sa gorge ouverte. Il n'entendait plus battre son cœur, qui pourtant lui martelait la poitrine.

Simon ôta la main de devant sa bouche ; ses crocs s'étaient rétractés.

— J'aurais pu te tuer, dit-il d'une voix presque suppliante.

— Je t'aurais laissé faire, murmura Jace.

Simon le considéra, l'air sidéré, puis il poussa un grognement et tomba à genoux sur le sol. Jace distinguait le réseau de ses veines sous la peau pâle de sa gorge. Elles étaient gorgées de sang.

« Mon sang », songea-t-il en se redressant. Il sortit sa stèle et la fit courir le long de son bras. La tête lui tournait. Quand il eut fini de tracer l'*iratze* sur sa peau, il s'adossa au mur, le souffle court, et attendit que la rune fasse son effet. « Mon sang dans ses veines. »

— Je suis désolé, gémit Simon. Sincèrement.

La douleur commençait à refluer. Jace recouvrait peu à peu ses esprits ; les palpitations de son cœur s'apaisaient. Il se leva avec des gestes précautionneux, s'attendant à être pris de vertige, mais n'éprouva qu'une légère faiblesse. Simon, toujours à genoux, contemplait ses mains. Jace se baissa pour l'aider à se mettre debout.

— Pas de quoi. Allez, en route ! Valentin retient Clary prisonnière, nous n'avons pas beaucoup de temps.

À la seconde où les doigts de Clary se refermèrent autour de Maellartach, une vague de froid remonta le long de son bras. Valentin l'observait d'un air détaché sans esquisser un geste. Elle poussa un petit cri de douleur en sentant ses muscles s'engourdir et serra l'épée de toutes ses forces, mais celle-ci lui glissa des mains et s'écrasa à ses pieds.

Elle vit à peine Valentin bouger. Avant même qu'elle ait pu réagir, il avait déjà ramassé l'Épée. Sa main la brûlait ; baissant les yeux, elle vit une marque rouge sur sa paume.

— Tu croyais vraiment que j'allais laisser à ta portée une arme dont tu aurais pu te servir contre moi ? lâcha Valentin avec dédain.

Il poursuivit en secouant la tête :

— Tu n'as pas compris un mot de ce que je viens de te dire, n'est-ce pas ? J'ai l'impression que, de mes deux enfants, un seul est capable d'entendre la vérité.

Clary referma les doigts sur sa blessure. La douleur était presque un réconfort.

— Jace vous déteste autant que moi ! lança-t-elle avec véhémence.

Valentin appuya l'Épée sur la clavicule de Clary.

— Ça suffit !

À chaque respiration, elle sentait la pointe acérée de la lame s'enfoncer dans sa gorge. Bientôt, un filet de sang coula le long de sa poitrine. Au contact de l'Épée, elle avait l'impression qu'un froid glacial s'insinuait dans ses veines et engourdissait ses membres.

— Tu es le fruit d'une éducation ratée, reprit Valentin. Ta mère a toujours été une femme obstinée. Au début, cela me plaisait : je croyais qu'elle resterait fidèle à ses idéaux.

« Comme c'est étrange ! » songea Clary avec un mélange d'horreur et de résignation : lors de sa première rencontre avec Jace à Renwick, Valentin avait déployé tout son charisme dans le seul but d'impressionner son fils. Avec elle, il ne se donnait pas cette peine, et sans le vernis superficiel de son charme, il semblait… vide.

— Dis-moi, Clarissa… Est-ce que ta mère t'a parlé de moi ?

— Elle m'a raconté que mon père était mort.

« Tais-toi ! », s'enjoignit-elle. Pourtant, elle était certaine qu'il pouvait lire ses pensées dans ses yeux : « Et je regrette que ce ne soit pas la vérité. »

— Elle ne t'a jamais dit que tu étais différente ? Spéciale ?

Clary avala péniblement sa salive, et la pointe de la lame s'enfonça un peu plus dans sa chair.

— Elle n'a même pas cru bon de me révéler que j'étais une Chasseuse d'Ombres.

— Sais-tu pourquoi elle m'a quitté ?

Un sanglot noua la gorge de Clary.

— Vous sous-entendez qu'il n'y a qu'une seule raison ?

— Elle me reprochait d'avoir fait de son fils un monstre, poursuivit Valentin comme si de rien n'était.

Elle s'est enfuie avant que je puisse faire de même avec toi. Mais il était déjà trop tard.

Clary était tellement transie qu'elle ne tremblait même plus : elle avait l'impression que l'Épée l'avait transformée en statue de glace.

— Elle n'aurait jamais utilisé ce mot, murmura-t-elle. Jace n'est pas un monstre, et moi non plus.

— Je ne parlais pas de... Valentin

La trappe au-dessus de leur tête s'ouvrit brusquement, et deux silhouettes s'en laissèrent tomber. Clary constata avec bonheur et soulagement que le premier de ses sauveurs était Jace. Il atterrit avec légèreté et assurance, un bout de fer ensanglanté dans la main.

L'individu qui l'accompagnait atterrit à côté de lui avec la même légèreté, sinon la même grâce. Clary crut d'abord que ce garçon maigre aux cheveux noirs était Alec. Ce n'est que lorsqu'il se redressa qu'elle le reconnut.

Elle en oublia l'Épée, le froid, la douleur, tout.

— Simon !

Leurs regards se croisèrent un bref instant, et Clary espéra que le sien exprimait son immense joie de le revoir sain et sauf. Les larmes qu'elle retenait depuis la nouvelle de sa mort coulèrent enfin : elle ne les essuya pas. Le visage de Valentin se figea en une expression de surprise sincère, la première que Clary lui ait jamais vue.

À la seconde où il éloigna l'Épée de sa gorge, la sensation de froid quitta Clary, et ses forces l'abandonnèrent. Elle tomba à genoux, secouée de spasmes incontrôlables. En portant les mains à ses yeux pour sécher ses larmes, elle s'aperçut que les bouts de ses doigts étaient blancs de givre.

Jace la considéra un instant, horrifié, puis foudroya son père du regard.

— Qu'est-ce que vous lui avez fait ?

— Rien, répondit Valentin, qui avait repris contenance. Pour l'instant, du moins. C'est moi qui devrais te demander des comptes, Jonathan, poursuivit-il en désignant Simon. Pourquoi vit-il encore ? Les revenants ne peuvent pas se régénérer avec aussi peu de sang dans leurs veines.

— C'est de moi que vous parlez ? lâcha Simon.

Clary le dévisagea avec étonnement. Son ton avait changé : ce n'était pas un gamin qui défiait un adulte, mais un homme qui se sentait capable d'affronter Valentin Morgenstern d'égal à égal.

— Oh, c'est vrai, poursuivit-il. Vous m'aviez laissé pour mort. Enfin, plus mort que je ne le suis déjà.

— Tais-toi, dit Jace en lui lançant un regard noir. Puis, se tournant vers son père, il expliqua :

— J'ai donné à Simon un peu de mon sang pour qu'il ne meure pas.

Les traits déjà sévères de Valentin se durcirent.

— Tu as, de ton propre chef, permis à un vampire de boire ton sang ?

Jace hésita un instant ; il jeta un œil à Simon, qui fixait Valentin d'un regard brûlant de haine. Puis il répondit simplement :

— Oui.

— Tu ne mesures pas la gravité de ton acte, Jonathan ! tonna Valentin.

— J'ai sauvé une vie que vous aviez tenté de prendre. C'est tout ce que je sais.

— Ce n'était pas une vie humaine. Tu as ressuscité un monstre qui doit tuer pour se nourrir. Cette espèce-là n'est jamais rassasiée...

— Justement, j'ai une petite faim, dit Simon en découvrant ses crocs étincelants. Dommage que votre sang soit probablement imbuvable, espèce de...

Valentin ricana.

— Essaie toujours, revenant ! Quand l'Épée de Vérité t'aura taillé en pièces, il ne restera de toi que des cendres.

Clary vit le regard de Jace se poser sur l'Épée, puis sur elle. Une question semblait flotter sur ses lèvres. Elle s'empressa d'y répondre :

— L'Épée n'a pas été transformée. Maia s'est échappée, et il n'a pas pu finir la cérémonie...

Valentin se tourna vers elle, le sourire aux lèvres. L'Épée tournoya dans sa main, et avant de pouvoir réagir elle reçut un coup sur le crâne. Elle eut l'impression d'être balayée par une vague, roula sur le sol et heurta violemment le mur. Elle se recroquevilla sur elle-même avec un gémissement de douleur.

Simon s'élança vers elle, mais Valentin brandit l'Épée de Vérité, et un rideau de flammes s'éleva entre eux. Le garçon recula en chancelant.

Clary se redressa péniblement sur les coudes. Elle avait la bouche pleine de sang ; tout vacillait. Pendant quelques secondes, elle crut qu'elle allait perdre conscience.

Le feu s'éteignit, mais Simon resta immobile, l'air

désarçonné. Valentin lui jeta un coup d'œil méprisant avant de se tourner vers Jace.

— Si tu consens à tuer ce revenant, tu peux encore te racheter.

— Non, murmura Jace.

— Il te suffit de lui transpercer le cœur avec cette chose que tu tiens à la main, susurra Valentin. Un simple geste. Tu l'as déjà fait avant.

Jace soutint le regard de son père.

— J'ai vu Agramon, lança-t-il. Il avait votre visage.

— Vraiment ?

Valentin s'avança vers son fils ; l'Épée de Vérité étincela dans sa main.

— Et par quel miracle as-tu survécu ?

— Je l'ai tué.

— Tu es venu à bout du démon de la peur, et tu refuses d'éliminer un vulgaire vampire, alors que je te l'ordonne ?

— C'est un vampire, vous avez raison. Mais celui-là se prénomme Simon.

Valentin s'arrêta devant son fils ; l'Épée projetait une lumière crue autour de lui. Pendant une seconde interminable, Clary craignit qu'il n'embroche Jace.

— J'en déduis que tu n'as pas changé d'avis, déclara Valentin. Était-ce ton dernier mot, ou regrettes-tu de m'avoir désobéi ?

Jace secoua lentement la tête. De sa main libre, il tâtonna sa ceinture sans quitter des yeux Valentin. Clary n'était pas certaine que ce dernier n'avait pas remarqué son manège.

— C'est vrai, dit enfin Jace, je regrette de vous avoir désobéi.

« Non ! » pensa Clary, la mort dans l'âme. Quoi, il abandonnait ? Il croyait donc que c'était le seul moyen de les sauver, elle et Simon ?

Le visage de Valentin se radoucit.

— Jonathan...

— D'autant que j'ai l'intention de recommencer, et pas plus tard que maintenant !

Rapide comme l'éclair, sa main jaillit, et Clary vit voler dans sa direction un objet en métal, qui tomba tout près d'elle. Ses yeux s'écarquillèrent : c'était la stèle de sa mère.

Valentin se mit à rire.

— Une stèle ? C'est une plaisanterie ? À moins que tu n'aies...

Clary n'attendit pas qu'il ait fini sa phrase. Elle se redressa, les yeux larmoyants, la vue trouble, et tendit une main tremblante vers la stèle. Au moment où ses doigts rencontraient le métal, elle entendit dans sa tête la voix de Jocelyne aussi distincte que si celle-ci s'était tenue près d'elle. « Prends la stèle, Clary. Fais-en bon usage. Tu sais comment t'en servir. »

Ses doigts se refermèrent spasmodiquement autour du précieux objet. Elle s'assit en ignorant la douleur intolérable qui lui vrillait le crâne. Elle était une Chasseuse d'Ombres et, à ce titre, elle devait apprendre à surmonter la douleur. Elle entendit vaguement Valentin l'appeler par son nom, puis perçut un bruit de pas qui se rapprochait. Elle s'élança vers le mur et y appliqua la stèle avec tant de force qu'elle perçut le sifflement de la matière chauffée à blanc.

Elle se mit à tracer frénétiquement des lignes et, comme à chaque fois qu'elle dessinait, le monde autour d'elle disparut : il ne restait plus qu'elle, la stèle et la surface sur laquelle elle travaillait. Elle se revit, devant la cellule de Jace, en train de murmurer : « Ouvre-toi, ouvre-toi. » Elle avait alors mobilisé toute son énergie pour créer la rune qui avait rompu les liens de son frère. Et elle savait que les forces qu'elle avait rassemblées pour cette rune-là n'étaient rien à côté de celles qu'elle devait déployer maintenant. Il lui sembla que sa main prenait feu ; elle poussa un cri en traçant le long du mur une ligne épaisse et noire comme du charbon. « Ouvre-toi ! »

Toute sa frustration et sa déception, elle les communiquait à la stèle. « Ouvre-toi ! » Tout son amour et son soulagement de revoir Simon vivant, tous ses espoirs de survie. « Ouvre-toi ! »

Soudain, sa main qui tenait la stèle retomba. Pendant quelques instants, Jace, Valentin et Simon fixèrent en silence la rune qui brillait sur la paroi du bateau.

Puis Simon se tourna vers Jace.

— Qu'est-ce que ça veut dire ?

Ce fut Valentin qui lui répondit sans détacher les yeux du mur. Son visage avait une expression inattendue, un mélange de triomphe et d'horreur, de désespoir et de ravissement.

— Cela dit : *« Mene mene tekel upharsin. »*

— Non, murmura Clary en chancelant. Ça dit : « Ouvre-toi. »

Valentin posa les yeux sur elle.

— Clary...

Ses mots furent noyés sous un grincement terrible. Le mur qui portait la rune de Clary, composé de plusieurs feuilles d'acier robuste, se mit à trembler. Les rivets encastrés dans la paroi sautèrent un à un et, soudain, des trombes d'eau s'engouffrèrent dans la salle.

Le cri de Valentin fut couvert par le craquement assourdissant du métal qui se disloquait tandis que cédait chaque clou, chaque vis qui maintenait l'énorme structure du navire.

Clary voulut courir vers Jace et Simon, mais elle tomba à genoux, balayée par un torrent d'eau glacée. Quelque part, Jace criait désespérément son nom. Elle eut le temps de lui répondre avant d'être aspirée par le trou béant, puis recrachée dans les eaux du fleuve.

Elle se débattit désespérément dans les flots noirs, en proie à une terreur panique face aux ténèbres insondables qui la cernaient, des millions de tonnes d'eau qui l'entraînaient vers le fond et comprimaient sa poitrine. Elle ne savait plus dans quelle direction nager pour gagner la surface. Incapable de retenir plus longtemps son souffle, elle avala une grande gorgée d'eau sale, qui mit ses poumons au supplice. Des étoiles explosèrent derrière ses paupières, et soudain, le rugissement des flots laissa place à une douce mélopée irréelle. « Je suis en train de mourir », se dit-elle. À cet instant, deux mains blanches surgirent des eaux noires tandis qu'une longue chevelure s'enroulait autour d'elle. « Maman », pensa-t-elle, mais avant qu'elle puisse voir distinctement le visage de sa mère, elle sombra dans l'obscurité.

Clary fut réveillée par des lumières aveuglantes et un concert de voix. Elle était étendue sur la plate-forme de la camionnette de Luke, le ciel nocturne au-dessus de la tête. À l'odeur du fleuve, omniprésente, s'ajoutait celle de la fumée et du sang. Des visages blêmes étaient penchés sur elle ; on aurait dit des ballons de baudruche suspendus à une ficelle. Elle cligna des yeux, l'image devint nette, et elle reconnut Luke et Simon, qui l'observaient avec anxiété. L'espace d'une seconde, elle crut que les cheveux de Luke avaient blanchi, mais en y regardant de plus près, elle s'aperçut qu'ils étaient couverts de cendre, ainsi que sa peau et ses vêtements. L'air lui-même avait un goût de brûlé.

Elle fut prise d'une quinte de toux.

— Où est Jace ? demanda-t-elle, une fois calmée.

— Il...

Simon regarda Luke du coin de l'œil, et Clary sentit son cœur se serrer.

— Il va bien, n'est-ce pas ? lâcha-t-elle.

Elle se redressa péniblement, la tête lourde.

— Où est-il ? OÙ EST-IL ?

— Je suis là.

Jace apparut dans un coin de son champ de vision, le visage dissimulé par la pénombre. Il s'agenouilla auprès d'elle.

— Désolé, j'aurais dû être là quand tu t'es réveillée. C'est juste...

Sa voix se brisa.

— Quoi ?

À la lumière des étoiles, des reflets argentés s'allumaient dans ses cheveux. Ses yeux avaient perdu leur couleur ; sa peau était constellée de poussière noire.

— Il te croyait morte, toi aussi, intervint Luke en se levant brusquement.

Il scruta le fleuve, le regard fixé sur quelque chose que Clary ne pouvait pas voir. Des colonnes de fumée noire et rouge s'élevaient çà et là dans le ciel qui semblait s'embraser.

— Moi aussi ? Qui d'autre... ?

Un accès de nausée l'empêcha de poursuivre. En voyant cela, Jace tira sa stèle de sa ceinture.

— Tiens-toi tranquille, Clary.

Elle ressentit un picotement dans l'avant-bras, et peu à peu ses idées s'éclaircirent. Elle s'assit et constata que la plate-forme de la camionnette était noyée sous plusieurs centimètres d'eau, à laquelle se mélangeait la cendre tombant en pluie fine du ciel.

Elle jeta un coup d'œil sur son bras, à l'endroit où Jace avait tracé une rune de guérison. Sa faiblesse se dissipait déjà comme s'il lui avait injecté une dose d'adrénaline dans les veines.

Du bout des doigts, Jace effleura le tracé de l'*iratze* qu'il venait d'appliquer sur sa peau. Sa main était aussi froide que son propre corps. Il était trempé : l'eau dégoulinait de ses cheveux et de ses vêtements. Clary avait un goût âcre dans la bouche, comme si elle avait léché le bord d'un cendrier.

— Qu'est-ce qui s'est passé ? Il y a eu un incendie ?

Jace se tourna vers Luke, qui avait toujours les yeux rivés sur les eaux tourmentées du fleuve. De petites embarcations étaient disséminées çà et là ; le bateau de Valentin, lui, avait disparu.

— Oui, répondit Jace. Le navire a brûlé. Il n'en reste rien.

— Où sont passés les autres ?

Clary reporta son regard sur Simon, le seul à ne pas être mouillé. Sa peau livide avait pris une teinte verdâtre, et il paraissait souffrant et fiévreux.

— Où sont Alec et Isabelle ?

— À bord d'un des bateaux des Chasseurs d'Ombres. Ils vont bien.

— Et Magnus ?

Clary se retourna pour jeter un œil à l'intérieur de la cabine.

— On l'a appelé pour soigner les plus mal en point, répondit Luke.

— Mais tout le monde va bien, n'est-ce pas ? Alec, Isabelle, Maia… Ils sont sains et saufs, hein ? s'enquit Clary d'une voix étouffée.

— Isabelle est blessée. Robert Lightwood aussi. Il lui faudra du temps pour guérir. Beaucoup de Chasseurs d'Ombres, dont Malik et Imogène, sont morts. On a mené une rude bataille, Clary, et on y a laissé des plumes. Valentin a disparu, et l'Épée avec lui. La Force a été décimée. Je ne sais pas…

Luke se tut. Clary l'observait en silence. Il y avait quelque chose d'effrayant dans le ton de sa voix.

— Je suis désolée, dit-elle enfin. C'est ma faute. Si je n'avais pas…

— Sans toi, Valentin aurait tué tout le monde sur ce bateau, la coupa Jace. Tu as empêché la situation de tourner au massacre.

— Tu veux parler de la rune que j'ai dessinée ?

— Tu as réduit ce navire en miettes, déclara Luke. Le moindre boulon, la moindre pièce qui maintenait la coque ont été arrachés. Les réservoirs d'essence ont explosé. Nous avons juste eu le temps de sauter par-dessus bord avant que le bateau ne parte en flammes. Ce que tu as fait... c'est du jamais-vu.

— Oh, fit-elle d'une petite voix. Est-ce que quelqu'un a été blessé par ma faute ?

— Un bon nombre de démons ont péri dans le naufrage, répondit Jace. Mais les Chasseurs d'Ombres qui ont survécu à la bataille s'en sont tirés sans trop de dégâts.

— Ils ont réussi à s'enfuir à la nage ?

— Ils n'y seraient pas arrivés sans l'aide des nixes : elles nous ont sortis de l'eau un par un.

Clary repensa aux mains surgissant des flots et aux chants irréels qu'elle avait entendus. Ainsi, ce n'était pas sa mère qui l'avait sauvée.

— Les nixes ? Les nymphes des eaux, c'est ça ?

— La reine de la Cour des Lumières est intervenue à sa manière. Elle nous avait promis de faire ce qui était en son pouvoir pour nous aider.

— Mais comment...

« Comment a-t-elle su ? » voulait demander Clary ; puis elle se remémora le regard plein de sagesse et de ruse de la reine, et Jace, jetant un bout de papier dans l'eau sur la petite plage de Red Hook, et elle ne jugea pas utile d'aller au bout de sa question.

— Les bateaux des Chasseurs d'Ombres se remettent en route, annonça Simon. Ils ont dû repêcher tous les survivants.

— Bon, dit Luke. À notre tour de déguerpir.

Il s'avança vers la cabine en boitillant, se glissa sur le siège du conducteur et fit démarrer le moteur. La camionnette se mit en branle en soulevant des gouttelettes d'eau qui accrochaient la lumière argentée du ciel.

— C'est dingue ! s'exclama Simon. Je m'attends toujours à ce que le pick-up coule d'un moment à l'autre.

— Ce que je trouve dingue, moi, c'est que tu focalises encore sur ce genre de détail après ce qu'on vient de traverser, observa Jace sans malice.

Il était trop fatigué pour s'en prendre à Simon.

— Que vont devenir les Lightwood ? s'enquit Clary. Après tout ce qui s'est passé... L'Enclave...

Jace haussa les épaules.

— L'Enclave a des méthodes déroutantes. J'ignore ce qu'ils feront. Une chose est certaine, en revanche : ils s'intéresseront de près à toi et à tes pouvoirs.

Simon lâcha un grognement. Clary crut qu'il protestait, mais en se tournant vers lui elle s'aperçut qu'il avait viré au vert.

— Quelque chose ne va pas, Simon ?

— C'est le fleuve, répondit-il. Les vampires n'aiment pas l'eau : c'est un élément pur, contrairement à nous.

— Ça ne vaut pas pour l'East River, objecta-t-elle en lui prenant le bras.

Simon sourit.

— Toi, tu n'es pas tombé à l'eau quand le bateau s'est disloqué, reprit-elle.

— Non, Jace m'a hissé sur un gros débris de coque, et je me suis laissé flotter.

Clary jeta un coup d'œil à Jace par-dessus son épaule. Elle distinguait mieux ses traits dans la lueur de l'aube.

— Merci. Tu crois que... que Valentin s'est noyé ?

— Ne jamais conclure que le méchant est mort tant qu'on n'a pas retrouvé le corps, récita Simon. Ça évite les ennuis et les mauvaises surprises.

— Tu n'as pas tort, intervint Jace. À mon avis, il est toujours vivant. Dans le cas contraire, on aurait retrouvé les Instruments Mortels.

— Est-ce que l'Enclave pourra continuer sans eux ?

— L'Enclave s'en sortira toujours, répondit Jace. Perdurer, c'est tout ce qu'elle sait faire.

Les yeux fixés sur l'horizon, il ajouta :

— Le soleil se lève.

Simon se figea ; Clary le dévisagea avec étonnement avant de comprendre à son tour, et suivit le regard de Jace. Il disait vrai : à l'est, l'horizon se teintait de rouge. Les premiers rayons du soleil peignaient l'eau de reflets verts, écarlates et or.

— Non, murmura-t-elle.

Jace les fixa tous les deux, l'air surpris, alors que Simon, immobile, regardait le soleil se lever comme une souris acculée regarde un chat. Il se précipita vers la cabine et dit quelques mots à voix basse à Luke. Clary vit ce dernier se tourner vers elle et Simon, puis secouer la tête.

La camionnette bondit en avant : Luke avait dû appuyer à fond sur la pédale d'accélération. Clary se cramponna au bord de la plate-forme pour ne pas perdre l'équilibre. Elle entendit Jace crier à Luke qu'il y avait forcément un moyen de faire avancer plus vite ce tas de ferraille, mais elle savait qu'ils ne pourraient pas fuir la lumière.

— On va trouver une solution, dit-elle à Simon, constatant qu'en l'espace de cinq minutes elle était passée du soulagement hébété à l'horreur incrédule. Peut-être que si on te couvrait avec nos vêtements...

Simon contemplait toujours l'horizon, le visage livide.

— Ça n'y changera rien. Raphaël m'a expliqué que seuls des murs peuvent nous protéger du soleil. Il nous brûle à travers les vêtements.

— Mais il existe sans doute...

— Clary.

À présent, il lui apparaissait nettement dans la clarté grisâtre du levant ; ses yeux noirs, immenses, se détachaient sur la pâleur de sa peau. Il tendit les bras vers elle :

— Viens ici.

Elle se blottit contre lui en s'efforçant de le couvrir de son corps. Elle savait que c'était inutile : au premier contact des rayons du soleil, il se transformerait en cendres.

Ils restèrent un moment assis l'un contre l'autre, immobiles, étroitement enlacés. Clary sentait la poitrine de Simon se soulever et s'abaisser ; une habitude, se rappela-t-elle, et non une nécessité. Seulement, s'il n'avait plus besoin de respirer pour vivre, il pouvait toujours mourir.

— Je ne te laisserai pas partir, souffla-t-elle.

— Je ne crois pas que tu aies le choix, dit-il en souriant. Et moi qui pensais ne plus jamais revoir le soleil ! Apparemment, je me trompais.

— Simon...

Jace poussa un cri. Levant les yeux, Clary vit des flots de lumière rosée inonder le ciel. Simon se raidit contre elle.

— Je t'aime, murmura-t-il. Je n'ai jamais aimé que toi.

Des fils d'or zébraient maintenant le ciel comme les veinures brillantes d'un marbre coûteux. La lumière du jour embrasa soudain les eaux du fleuve. Simon se figea, la tête rejetée en arrière, ses yeux grands ouverts éclairés de reflets ambrés pareils à de l'or liquide. Clary crut voir des lignes noires apparaître sur sa peau, telles les craquelures d'une antique statue.

— Simon ! cria-t-elle.

Au moment où elle se penchait vers lui, Jace la tira en arrière et la maintint fermement par les épaules. Elle tenta de se dégager tandis qu'il lui répétait inlassablement le même mot à l'oreille. Il lui fallut quelques secondes pour comprendre ce qu'il disait.

— Clary, regarde ! Regarde !

— Non ! s'écria-t-elle en se couvrant le visage de ses mains.

Elle sentit sur ses doigts le goût de l'eau du fleuve : elle était salée comme ses larmes.

— Je ne veux pas regarder. Je ne veux pas...

— Clary.

Jace la prit par les poignets pour écarter ses mains. Elle cligna des yeux, éblouie, et lâcha un cri de surprise. Simon, assis à la même place, contemplait ses mains, bouche bée. Derrière lui, des rayons cuivrés dansaient sur l'eau ; ses cheveux étaient nimbés d'un halo de lumière dorée. Il se tenait en plein soleil, et pourtant la peau blanche de son visage et de ses bras était intacte.

Le soir tombait sur l'Institut. Les lueurs rougeâtres du crépuscule filtraient par les fenêtres de la chambre de Jace, qui considérait d'un air perplexe les effets personnels amoncelés sur son lit. La pile s'avérait beaucoup plus petite que dans ses estimations. Sept ans de sa vie passés dans cette pièce, et c'était tout ce qu'il avait rassemblé : un sac de sport à moitié rempli de vêtements, un petit tas de livres et quelques armes.

Il s'était demandé s'il devait emporter les rares objets qu'il avait réussi à sauver en quittant le manoir d'Idris. Magnus lui avait rendu la bague en argent de son père, qu'il n'avait plus envie de porter autrement que suspendue à une chaîne autour du cou. Pour finir, il avait décidé de ne rien laisser derrière lui. À quoi bon ?

Il était en train de finir son sac quand des coups retentirent à la porte. Il alla ouvrir, s'attendant à trouver sur le seuil Alec ou Isabelle.

C'était Maryse, vêtue d'une robe noire austère, les cheveux tirés en arrière. Elle paraissait plus âgée : deux plis profonds accusaient les commissures de ses lèvres ; son visage était gris. La seule touche de couleur était le bleu de ses yeux.

— Je peux entrer ? demanda-t-elle.

— Tu peux faire ce qui te chante, répondit Jace en retournant vers le lit. Tu es chez toi.

Il prit une pile de tee-shirts et la glissa dans le sac d'un geste inutilement énergique.

— En fait, cet endroit appartient à l'Enclave, fit remarquer Maryse. Nous n'en sommes que les gardiens.

Jace attrapa le tas de livres.

— Comme tu veux.

— Qu'est-ce que tu fais ?

Si Jace la connaissait moins bien, il aurait cru que sa voix tremblait un peu.

— Mes bagages. C'est ce que font les gens quand ils déménagent, non ?

Maryse blêmit.

— Ne pars pas. Si tu as envie de rester...

— Je n'en ai pas envie. Je ne me sens plus chez moi ici.

— Où comptes-tu aller ?

— Je vais rester un peu chez Luke, répondit-il et, du coin de l'œil, il la vit tressaillir. Après, je ne sais pas. J'irai peut-être à Idris.

— Tu penses que, là-bas, c'est chez toi ? demanda Maryse avec une tristesse poignante dans la voix.

Jace suspendit son geste, les yeux fixés sur son sac.

— Je ne sais pas où c'est, chez moi.

— Ta place est ici, auprès de ta famille, dit Maryse en faisant un pas vers lui.

— Tu m'as jeté dehors ! lança Jace avec colère.

Puis, d'un ton radouci, il reprit :

— Je suis désolé pour tout ce qui s'est passé. Mais tu ne voulais plus de moi, et j'ai du mal à croire que je sois le bienvenu en ce moment. Robert va devoir rester alité quelque temps, il faut que tu prennes soin de lui. Je vous gênerais.

— Toi, nous gêner ? Robert ne souhaite pas que tu partes, Jace...

— J'en doute.

— Et Alec, Isabelle, Max ? Ils ont besoin de toi. Si tu doutes de mes dispositions à ton égard, ce que je peux comprendre, tu sais bien qu'eux te veulent ici. Nous traversons des moments difficiles, et ils ont déjà assez souffert comme ça.

— Ce n'est pas juste !

— Je sais que tu me détestes, dit-elle d'une voix tremblante.

Jace tourna vers elle un regard ébahi.

— Mais en te mettant à la porte, je ne cherchais qu'à te protéger. Et puis, j'avais peur.

— Peur de moi ?

Maryse hocha la tête.

— Eh bien, merci, je me sens beaucoup mieux.

Elle poussa un gros soupir.

— Je craignais que tu ne me brises le cœur, comme Valentin. Hormis ma famille, tu as été le premier à m'inspirer de l'amour après lui, vois-tu. Tu n'étais qu'un enfant…

— Tu m'as pris pour quelqu'un d'autre.

— Non. J'ai toujours su qui tu étais. Depuis le jour où je t'ai vu descendre du bateau d'Idris… Tu es entré dans ma vie et dans mon cœur, comme mes propres enfants à leur naissance.

Elle se tut un instant.

— Tu ne comprends pas, soupira-t-elle de nouveau. Seuls les parents peuvent comprendre. Rien ne se compare à l'amour d'une mère pour ses enfants. Ils sont la plus grande source de bonheur. Mais aussi la plus grande source de conflit.

— Ça, je m'en suis aperçu, répliqua Jace.

— Je n'espère pas que tu me pardonnes. Mais si tu restes pour Isabelle, pour Alec et pour Max, je t'en serai très reconnaissante…

Ce n'était pas le bon argument.

— Je ne veux pas de ta gratitude, lâcha Jace en se tournant de nouveau vers son sac.

Il ne restait plus rien à y mettre. Il remonta la fermeture Éclair.

— « À la claire fontaine, m'en allant promener », dit Maryse.

— Quoi ?

— « Il y a longtemps que je t'aime, jamais je ne t'oublierai. » C'est la vieille berceuse française que je chantais à Alec et à Isabelle. C'était ta question, tu te souviens ?

Un dernier rayon de soleil éclaira la chambre. Dans la lumière ténue, Maryse regarda Jace de la même façon que lorsqu'il était enfant : à croire qu'il n'avait pas changé ces sept dernières années. Elle avait une expression grave et anxieuse, mais pleine d'expectative. Son visage était celui de la seule mère qu'il ait jamais eue.

— Tu te trompes. À toi aussi, je la chantais, poursuivit-elle. Seulement, tu ne m'entendais pas.

Jace ne répondit rien. Puis il ouvrit son sac et en vida le contenu sur le lit.

Épilogue

— Clary !

Le visage de la mère de Simon s'éclaira quand elle découvrit la jeune fille debout sur le seuil.

— Ça fait une éternité qu'on ne t'avait pas vue ! Je commençais à croire que Simon et toi, vous vous étiez disputés.

— Oh non, dit Clary. C'est juste que je ne me sentais pas très bien ces derniers temps.

« Même avec des runes de guérison magiques à disposition, apparemment on n'est pas invulnérable », songea-t-elle. Le lendemain de la bataille, elle s'était réveillée avec un violent mal de tête et une poussée de fièvre. Elle avait pensé qu'il s'agissait d'un rhume – rien d'étonnant, après avoir grelotté pendant des heures dans des vêtements mouillés –, mais, d'après Magnus, elle avait sans doute épuisé ses forces en créant la rune qui avait détruit le bateau de Valentin.

La mère de Simon gloussa gentiment.

— Je parie que tu as attrapé le même microbe que Simon la semaine dernière ! Il pouvait à peine quitter le lit.

— Mais il va mieux, n'est-ce pas ?

Si elle connaissait déjà la réponse à cette question, c'était toujours agréable de se l'entendre dire.

— Oui. Il est dans le jardin, je crois. Passe par le portail.

Elle ajouta en souriant :

— Il sera content de te voir.

Les demeures en brique rouge de la rue étaient séparées par de jolies grilles blanches en fer forgé, avec un portail qui menait à un minuscule jardin derrière la maison. Le ciel était d'un bleu limpide, mais le temps restait frais malgré le soleil : Clary sentait déjà dans l'air l'odeur de la neige.

Elle referma la grille derrière elle et se mit à la recherche de Simon. Elle le trouva affalé dans une chaise longue en plastique, un magazine ouvert sur les genoux. Il le posa par terre en la voyant s'avancer et se redressa, l'air heureux.

— Salut, chérie.

— Chérie ? répéta-t-elle en se perchant sur l'accoudoir de la chaise longue. Tu plaisantes ?

— Je tentais le coup. Non ?

— Non, répondit-elle avant de se pencher pour planter un baiser sur sa bouche.

Quand elle se redressa, les doigts de Simon s'attardèrent dans ses cheveux. Ses yeux avaient une expression pensive.

— Je suis content que tu sois là.

— Moi aussi. Je serais venue plus tôt, mais…

— Tu as été malade. Je sais.

Elle avait passé la semaine à lui envoyer des textos depuis le canapé de Luke où, emmitouflée dans une couverture, elle regardait des rediffusions des *Experts*.

C'était réconfortant, d'évoluer dans un monde où chaque énigme avait une réponse scientifique.

— Je vais mieux.

Clary jeta un regard à la ronde et frissonna en resserrant son cardigan blanc.

— Pourquoi tu traînes dehors ? Tu n'as pas froid ?

Simon secoua la tête.

— Je ne ressens plus le froid ni la chaleur. Et puis, ajouta-t-il en souriant, je veux passer le plus de temps possible à la lumière. J'ai toujours sommeil pendant la journée, mais j'essaie de me tenir éveillé.

Elle lui caressa la joue du dos de la main. Malgré le soleil, sa peau était froide.

— Et, pour le reste… rien n'a changé ?

— Tu veux savoir si je suis toujours un vampire ? Oui, on dirait bien. J'ai tout le temps envie de sang, et mon cœur ne bat plus. Je vais devoir éviter les médecins ! Mais comme les vampires ne tombent jamais malades…

Il haussa les épaules.

— Tu as parlé à Raphaël ? Il ne sait toujours pas pourquoi tu peux sortir au soleil ?

— Il n'a pas le début d'une piste. Et ça l'énerve au plus haut point, apparemment.

Simon cligna des yeux d'un air assoupi comme s'il était deux heures du matin.

— Ça doit perturber sa notion de l'ordre des choses. Et puis, il va avoir du mal à me convaincre de rôder la nuit, vu que j'ai l'intention de vivre la journée.

— Et moi qui croyais qu'il serait transporté de joie !

— Les vampires n'aiment pas les changements. Ils sont très conservateurs, expliqua Simon en souriant.

Clary songea : « Il aura éternellement ce visage. Quand j'aurai cinquante ou soixante ans, lui aura toujours l'apparence d'un garçon de seize ans. » Cette pensée n'avait rien de réjouissant.

— Enfin, tout ça, c'est bon pour ma carrière musicale, poursuivit-il. À en croire les bouquins d'Anne Rice, les vampires font de grandes rock-stars.

— Je ne suis pas certaine de la fiabilité de cette information.

Simon s'adossa à sa chaise longue.

— Qu'est-ce qui est encore fiable ? À part toi, évidemment.

— Fiable ? C'est l'adjectif qui te vient à l'esprit quand tu penses à moi ? demanda Clary en feignant l'indignation. Ce n'est pas très romantique.

Une ombre passa sur le visage de Simon.

— Clary…

— Quoi ? Qu'est-ce qu'il y a ? dit-elle en lui prenant la main. Tu as ta voix des mauvaises nouvelles.

Il détourna les yeux.

— Je ne sais pas si c'en est une.

— Rassure-moi, tu vas bien ?

— Oui, répondit-il, mais… je ne crois pas qu'on devrait continuer à se voir.

Clary faillit en tomber de son perchoir.

— Tu ne veux plus qu'on soit amis ? souffla-t-elle.

— Clary…

— C'est à cause des démons ? Ou c'est parce que tu es devenu vampire par ma faute ? lança-t-elle d'une voix suraiguë. Je sais que la vie a pris une tournure complètement folle ces derniers temps, mais je peux te tenir à l'écart de tout ça. Je peux...

Simon fit la grimace.

— Tu t'entends parler ? On dirait un dauphin.

Clary se tut.

— On est toujours amis, reprit-il. C'est pour le reste que je ne suis pas sûr.

— Le reste ?

Simon s'empourpra : Clary ignorait que les vampires en étaient capables.

— Le plan petit copain.

Clary prit le temps de chercher ses mots.

— Au moins, tu n'as pas dit « le plan bécots », dit-elle enfin. C'est déjà ça.

Simon contempla leurs mains entrelacées sur l'accoudoir de la chaise longue. Les doigts de Clary semblaient si petits dans les siens ! Et, pour la première fois, sa peau était plus foncée. Il caressa distraitement du pouce les jointures de ses doigts et la rassura :

— Un « plan bécots » ? Ça ne m'a jamais traversé l'esprit.

— Je croyais que c'était ce que tu voulais. Tu as dit...

— Que je t'aimais ? C'est la vérité. Mais ce n'est pas tout.

— C'est à cause de Maia ?

Clary commençait à claquer des dents, en partie à cause du froid.

— Tu l'aimes bien, c'est ça ?

Simon hésita.

— Non. Enfin, si, mais pas dans le sens où tu l'entends. Simplement, quand je suis avec elle, je sais qu'elle me comprend, parce qu'elle est comme moi. Avec toi, c'est différent.

— Mais tu ne l'aimes pas...

— Ça viendra peut-être.

— Moi aussi, un jour, je pourrai peut-être t'aimer.

— Si ça arrive, fais-moi signe. Tu sais où me trouver.

Clary claquait des dents de plus belle.

— Je ne veux pas te perdre, Simon.

— Tu ne m'as pas perdu. Je suis toujours là. Mais je préfère quelque chose d'authentique, d'honnête et qui compte à tes yeux que de te voir faire semblant. Quand je suis avec toi, j'ai envie de voir la vraie Clary.

Elle appuya sa tête contre la sienne et ferma les yeux. Malgré tout, certaines choses ne changeaient pas : Simon avait gardé cette odeur de linge propre qui n'appartenait qu'à lui.

— Je ne suis pas sûre de savoir qui c'est.

— Moi, je sais.

Le pick-up flambant neuf de Luke stationnait au bord du trottoir quand Clary sortit en fermant le portail derrière elle.

— C'était déjà gentil de me déposer ; tu n'étais pas obligé de venir me chercher, dit-elle en se glissant sur le siège à côté de lui.

Il s'était débrouillé pour remplacer sa vieille camionnette hors d'usage par une nouvelle, en tous points semblable. À cette pensée, Clary sourit !

— Désolé pour cette sollicitude paternelle, plaisanta-t-il en lui tendant un gobelet de café.

Elle en but une gorgée – il était bien noir et bien sucré, comme elle l'aimait.

— Ces derniers temps, j'ai tendance à me montrer nerveux dès que tu n'es pas dans mon champ de vision, poursuivit-il.

— Ah oui ? Et ça va durer longtemps, à ton avis ?

Clary resserra ses mains autour du gobelet pour éviter que le café se renverse tandis qu'ils s'engageaient sur la route sillonnée d'ornières.

Luke fit mine de réfléchir à la réponse.

— Cinq ans, peut-être six.

— Luke !

— Je ne te laisserai pas fréquenter les garçons jusqu'à la trentaine, s'il le faut.

— Tout compte fait, ça n'est pas une mauvaise idée. À ce train-là, je ne serai pas prête avant.

Luke lui lança un coup d'œil.

— Simon et toi... ?

Clary fit un geste vague de sa main libre.

— Pas de questions, s'il te plaît.

— Je vois.

Et il voyait sûrement.

— Tu veux que je te dépose à la maison ?

— Tu vas à l'hôpital, non ?

Elle l'avait deviné à la tension qu'elle sentait derrière ses plaisanteries.

— Je viens avec toi, déclara-t-elle.

Ils venaient d'emprunter le pont. Clary regarda le fleuve d'un air rêveur en jouant avec son gobelet : elle ne se lassait jamais de contempler le ruban d'eau étroit brillant entre les tours de Manhattan et de Brooklyn, qui formaient un long canyon. Le fleuve miroitait au soleil comme une feuille d'aluminium. Pourquoi n'avait-elle jamais essayé de le dessiner ? Elle se souvenait d'avoir demandé un jour à sa mère pourquoi elle ne l'utilisait pas comme modèle, elle, sa propre fille. « Dessiner quelque chose, c'est tenter d'en capturer l'essence pour toujours, avait répondu Jocelyne, assise par terre, son pinceau dégoulinant de peinture bleue sur son jean. Si tu aimes vraiment quelqu'un, n'essaie jamais de le figer dans le temps. Il faut lui donner la liberté de changer. » « Mais, moi, je déteste le changement », avait dit Clary.

Elle poussa un gros soupir.

— Luke, Valentin m'a dit quelque chose quand j'étais sur ce bateau…

— Je me méfie des phrases qui commencent par « Valentin m'a dit », marmonna Luke.

— Il parlait de maman et de toi. D'après lui, tu es amoureux d'elle.

Luke ne répondit pas. Ils étaient coincés dans les embouteillages sur le pont. Le métro aérien passa avec un grondement assourdissant.

— Et tu crois que c'est la vérité ? demanda enfin Luke.

— Eh bien…

Clary sentit qu'il était tendu et s'efforça de choisir ses mots avec soin.

— Je ne sais pas. Il m'en avait déjà parlé, et j'avais mis sa réflexion sur le compte de la haine et de la paranoïa. Mais cette fois, j'y ai réfléchi et… C'est tout de même bizarre que tu aies toujours été dans les parages et que tu te sois occupé de moi comme un père ! On passait pratiquement tout l'été à la ferme, et ni toi ni ma mère n'avez jamais fréquenté quelqu'un. Alors, j'ai pensé que peut-être...

— Peut-être quoi ?

— Peut-être que vous étiez ensemble tout ce temps-là et que vous ne vouliez pas me l'avouer, sous prétexte que j'étais trop jeune pour comprendre. Ou alors vous aviez peur que je ne commence à poser des questions sur mon père. Luke, je ne suis plus une petite fille. Tu peux tout me raconter.

— Peut-être pas tout, non.

Un autre silence s'installa entre eux tandis que la camionnette progressait lentement sur le pont engorgé. Luke cligna des yeux à cause du soleil en pianotant sur le volant.

— C'est vrai, finit-il par dire. Je suis amoureux de ta mère.

— C'est génial ! s'exclama Clary en s'efforçant de paraître enthousiaste, alors que l'idée que des gens de l'âge de Luke et de sa mère puissent tomber amoureux la mettait mal à l'aise.

— Mais elle ne le sait pas.

— Hein ?

Clary balaya d'un geste la révélation de Luke ; heureusement, son gobelet était vide.

— Comment est-il possible qu'elle ne soit pas au courant ? Tu ne lui as rien dit ?

— En fait, marmonna Luke en écrasant la pédale d'accélération, non.

— Pourquoi ?

Il poussa un soupir et caressa son menton mal rasé d'un geste las.

— Parce que ce n'était jamais le bon moment.

— C'est nul comme excuse, et tu le sais !

Luke émit un son bizarre, mi-rire, mi-grognement agacé.

— Peut-être, mais c'est la vérité. La première fois que j'ai pris conscience de mes sentiments pour Jocelyne, j'avais ton âge, seize ans. Nous venions tous de rencontrer Valentin, et je n'étais pas à la hauteur. Comme elle ne pouvait pas me choisir, moi, j'étais presque content qu'elle jette son dévolu sur quelqu'un qui la méritait vraiment. Quand j'ai compris à quel point je me trompais, il était trop tard, poursuivit-il d'un ton morne. Lorsque nous avons fui Idris, alors qu'elle était enceinte de toi, je lui ai proposé de l'épouser et de prendre soin d'elle. Le fait que je n'étais pas le père de son enfant à naître n'avait aucune importance, lui ai-je assuré : j'étais prêt à l'élever comme le mien. Elle a cru que j'essayais de me montrer charitable. Je n'ai pas réussi à la convaincre que j'étais aussi égoïste que d'habitude. Elle m'a répondu qu'elle ne voulait pas être un fardeau pour moi, que c'était trop exiger de qui que ce soit. Après qu'elle m'a quitté à Paris, je suis rentré à Idris, mais je ne tenais pas en place, j'étais malheureux. Il me manquait toujours une part de moi-même, et cette part-là, c'était Jocelyne. Chaque nuit, je rêvais qu'elle avait besoin de moi, qu'elle m'appelait à l'aide et que je ne pouvais pas l'entendre. Alors, je suis parti à sa recherche.

— Je me souviens qu'elle était heureuse quand tu nous as retrouvées, dit Clary d'une petite voix.

— Oui et non. Elle était contente de me voir, et en même temps je représentais pour elle le monde qu'elle avait fui et dont elle ne voulait plus. Elle m'a laissé rester à condition que je coupe les ponts avec la meute, l'Enclave, Idris, tout. J'aurais bien emménagé avec vous, mais Jocelyne était d'avis qu'il serait trop difficile de te cacher mes transformations, et je ne pouvais que me ranger à son opinion. J'ai acheté la librairie, pris un nouveau nom et fait comme si Lucian Graymark n'était plus. Et, d'une certaine manière, il est bel et bien mort.

— Tu as fait beaucoup pour maman. Tu as sacrifié ta vie.

— J'en aurais fait plus si j'avais pu. Mais elle répétait qu'elle ne voulait plus avoir affaire à l'Enclave ni au Monde Obscur et que, quoi que je fasse, je resterais un lycanthrope. Ma présence lui rappelait son passé. Elle était tellement déterminée à ce que tu ignores tout de ce monde-là ! Tu sais, je n'ai jamais cautionné ces allées et venues chez Magnus pour altérer tes souvenirs ou ta Seconde Vue. Cependant c'était son souhait, et je l'ai laissée faire : si j'avais tenté de m'y opposer, elle m'aurait chassé de sa vie. Par ailleurs, elle n'aurait jamais accepté de m'épouser et de me laisser t'élever comme un père sans te révéler la vérité à mon sujet. Or cette révélation aurait détruit les murs fragiles qu'elle s'efforçait d'élever entre elle et le Monde Invisible. Je ne pouvais pas lui infliger ça ; alors j'ai gardé le silence.

— Tu veux dire que tu ne lui as jamais parlé de tes sentiments ?

— Ta mère n'est pas idiote, Clary.

Luke paraissait calme, mais une certaine sévérité perçait dans sa voix.

— Elle s'en est sûrement doutée. J'ai demandé sa main ! Malgré son refus plein de tact, je suis certain d'une chose : elle sait ce que je ressens, et elle ne partage pas mes sentiments.

Clary ne dit rien.

— Ne t'en fais pas, reprit Luke d'un ton qui se voulait désinvolte. Je l'ai accepté il y a longtemps.

Clary avait soudain les nerfs à fleur de peau, et elle ne mettait pas cela sur le compte de la caféine. Elle s'efforça de ne pas faire de parallèle entre le récit de Luke et sa propre histoire.

— Quand tu lui as proposé de l'épouser, lui as-tu dit que c'était par amour ? Je n'en ai pas l'impression.

Luke resta silencieux.

— Tu aurais dû lui avouer la vérité ! À mon avis, tu t'es trompé sur ses sentiments.

— Non, Clary, protesta Luke d'un ton ferme qui signifiait : « Ça suffit, maintenant. »

— Je me souviens de lui avoir demandé un jour pourquoi elle ne cherchait pas à refaire sa vie, poursuivit-elle, ignorant la mise en garde qu'elle avait perçue dans la voix de Luke. Elle m'a répondu qu'elle avait déjà donné son cœur à quelqu'un. J'ai cru qu'elle parlait de mon père, mais maintenant... je n'en suis plus si sûre.

Luke parut sincèrement surpris.

— Elle a dit ça ? lâcha-t-il.

Il se ressaisit et ajouta :

— Elle faisait sans doute allusion à Valentin.

— Je ne pense pas, murmura Clary en le regardant du coin de l'œil. Et puis, ça ne te rend pas fou de n'avoir jamais dévoilé tes sentiments ?

Cette fois, le silence s'étira jusqu'à ce qu'ils aient quitté le pont pour s'engager dans Orchard Street, une rue bordée de boutiques et de restaurants dont les enseignes rouge et or étaient rédigées dans de beaux caractères chinois.

— Si, ça me rend fou, répondit Luke. À l'époque, je croyais que ce que je partageais avec ta mère, c'était mieux que rien. Seulement, si tu ne peux pas dire la vérité à ceux qui comptent pour toi, tu finis par ne plus être capable d'être honnête avec toi-même.

De nouveau, un bruit de ressac emplit les oreilles de Clary. Baissant les yeux, elle s'aperçut que le gobelet vide n'était plus qu'une boule de carton entre ses doigts.

— Emmène-moi à l'Institut, s'il te plaît, demanda-t-elle.

Luke lui jeta un regard surpris.

— Tu ne veux plus m'accompagner à l'hôpital ?

— Je te retrouverai là-bas plus tard. J'ai quelque chose à faire avant.

Le rez-de-chaussée de l'Institut était inondé de soleil ; des particules de poussière dansaient dans la lumière. Clary traversa en courant l'allée étroite entre les bancs, se précipita vers l'ascenseur et appuya frénétiquement sur le bouton d'appel.

— Allez, allez ! marmonna-t-elle.

À cet instant, les grilles dorées s'ouvrirent sur Jace. Il écarquilla les yeux en la voyant.

— Oh, salut ! lança-t-elle.

— Clary ?

— Tu t'es fait couper les cheveux, remarqua-t-elle.

C'était vrai : ses boucles dorées ne lui retombaient plus sur le visage. Sa nouvelle coupe, propre et nette, lui donnait l'air plus civilisé, voire plus âgé. Il était sobrement vêtu d'un pull bleu marine et d'un jean. Un objet en argent étincelait à son cou.

Il porta la main à ses cheveux.

— Oh. Oui, c'est Maryse qui s'en est chargée.

Comme la porte de l'ascenseur commençait à se refermer, il la bloqua avec son bras.

— Tu montes à l'Institut ?

Clary secoua la tête.

— Non, je voulais juste te parler.

— Ah.

Il parut surpris, mais sortit de l'ascenseur.

— J'allais commander à manger chez Taki's. Personne n'a envie de cuisiner... On pourra discuter là-bas.

Il s'avança vers la sortie, s'arrêta et se tourna vers elle. Immobile entre deux candélabres, dont la lumière nimbait d'un halo pâle son visage et ses cheveux, il ressemblait à l'icône d'un ange. Clary le contemplait sans bouger.

— Tu viens, oui ou non ? s'exclama-t-il d'un ton qui n'avait rien d'angélique.

— Oh... Oui, j'arrive.

Elle courut pour le rattraper.

Pendant le trajet jusqu'au restaurant, elle s'efforça d'éviter les sujets relatifs à lui, à elle, ou à eux deux, et lui demanda comment allaient Isabelle, Max et Alec.

Jace hésita. Ils traversaient la Première Avenue ; une brise froide soufflait sur la grande artère. Le ciel sans nuages était d'un bleu limpide, c'était une journée d'automne idéale à New York.

— Désolée, se reprit-elle en pestant intérieurement contre sa bêtise. Ils doivent être très malheureux : tellement de gens qu'ils connaissaient sont morts !

— C'est différent pour les Chasseurs d'Ombres. En tant que guerriers, nous sommes préparés à mourir, contrairement à...

Clary ne put s'empêcher de soupirer.

— « Contrairement à vous les Terrestres. » C'est ce que tu allais dire, n'est-ce pas ?

— Oui. Parfois, même pour moi c'est dur de savoir ce que tu es vraiment.

Ils s'étaient arrêtés devant le restaurant, avec son toit effondré et ses fenêtres condamnées. L'ifrit qui gardait la porte posa sur eux un œil rouge et soupçonneux.

— Ce que je suis ? Clary, tout simplement.

Le vent lui plaquait les cheveux sur le visage. Jace repoussa une de ses mèches d'un air absent.

— Je sais.

À l'intérieur, ils trouvèrent sans problème une banquette libre. La salle était presque déserte : Kaelie, la serveuse, adossée au comptoir, battait paresseusement de ses ailes bleu pâle. Elle et Jace étaient sortis ensemble à une époque. Deux loups-garous occupaient une autre banquette. Ils mangeaient de l'agneau cru en essayant de déterminer qui, de Magnus Bane ou de Dumbledore, le personnage des *Harry Potter*, l'emporterait dans un face-à-face.

— Dumbledore gagnerait haut la main, dit le premier. Son sortilège de mort, ce n'est pas de la gnognotte !

Le second loup-garou avança un argument irréfutable.

— Oui, mais Dumbledore n'existe pas.

— Parce que tu crois que Magnus Bane existe, lui ? lâcha son compagnon avec dédain. Tu l'as rencontré, toi ?

— C'est la quatrième dimension, chuchota Clary en se glissant sur la banquette. Tu as entendu ?

— Non, c'est impoli d'écouter les conversations des autres.

Jace était en train d'examiner le menu, ce qui donna à Clary toute liberté de l'observer en cachette. « Je ne te regarde pas », lui avait-elle dit un jour. Elle n'avait pas menti ; du moins ne le regardait-elle jamais comme elle l'aurait voulu, c'est-à-dire avec l'œil de l'artiste. Il fallait toujours qu'elle se laisse distraire par un détail : l'arrondi de sa pommette, la courbe de ses cils, la forme de sa bouche...

— Tu m'espionnes, dit-il sans lever les yeux du menu. Quelque chose ne va pas ?

L'arrivée de Kaelie dispensa Clary de répondre. En guise de stylo, la serveuse tenait à la main un rameau de bouleau argenté. Elle posa sur Clary un regard étrange.

— Vous avez choisi ?

Prise au dépourvu, Clary commanda quelque chose au hasard. Jace, quant à lui, demanda une assiette de frites et plusieurs plats à emporter, destinés aux Lightwood. Kaelie s'éloigna en laissant dans son sillage un parfum délicat de fleurs.

— Dis à Alec et à Isabelle que je suis désolée pour tout ce qui s'est passé, lança Clary une fois la serveuse hors de portée de voix. Et promets à Max de ma part que je l'emmène à Forbidden Planet quand il veut.

— C'est bien un truc des Terrestres, d'employer le mot « désolé » à tout bout de champ quand ils veulent dire : « Je partage ta douleur », observa Jace. Ce n'est pas ta faute, Clary. C'est celle de Valentin.

Une lueur de haine s'alluma dans ses yeux.

— Je suppose qu'il n'a pas donné signe de vie ?

— Non. Il doit se terrer quelque part, le temps de finir ce qu'il a commencé avec l'Épée. Ensuite...

Jace haussa les épaules.

— Ensuite quoi ?

— Je n'en sais rien. Cet homme est dérangé. C'est difficile de prévoir les faits et gestes d'un fou, déclara-t-il en évitant le regard de Clary, qui lut dans ses pensées : « Ensuite, ce sera la guerre. »

C'était ce que Valentin voulait, la guerre contre les Chasseurs d'Ombres. Et, à n'en pas douter, il l'obtiendrait. La seule question qui subsistait, c'était : où frapperait-il en premier ?

— Mais ce n'est pas de ça que tu voulais me parler, je me trompe ? reprit Jace.

— Non.

Maintenant que le moment était venu, Clary avait du mal à trouver ses mots. Elle entrevit son reflet dans son rond de serviette en métal. Cardigan blanc, visage blanc, joues cramoisies : on aurait dit qu'elle avait de la fièvre. Elle se sentait un peu fébrile, d'ailleurs.

— Ça fait plusieurs jours que je veux te dire...

— Ne me raconte pas de salades, la coupa-t-il d'un ton inhabituellement agressif. Chaque fois que je t'ai appelée, Luke a prétendu que tu étais malade. J'en ai déduit que tu m'évitais. Une fois de plus.

— Non, c'est faux ! s'écria Clary.

Il lui sembla soudain qu'une distance énorme les séparait bien qu'ils fussent assis tout près l'un de l'autre.

— J'ai beaucoup pensé à toi.

Il lui jeta un regard surpris et tendit la main par-dessus la table. Elle la serra dans la sienne, et sentit une vague de soulagement la submerger.

— Moi aussi, j'ai pensé à toi, dit-il.

Sa paume était chaude et réconfortante. Clary se revit en train de le bercer dans ses bras à Renwick tandis qu'il serrait dans sa main le débris ensanglanté du Portail, tout ce qu'il lui restait de son ancienne vie.

— J'étais vraiment patraque, je t'assure, reprit-elle. J'ai failli mourir sur ce bateau.

Jace lâcha sa main sans la quitter des yeux. Il la fixait intensément comme s'il cherchait à mémoriser chaque trait de son visage.

— Je sais. Chaque fois que tu risques ta vie, j'ai l'impression de mourir un peu.

Clary l'écoutait, émue : ses mots lui réchauffèrent le cœur comme si elle venait d'avaler une grande gorgée de café.

— Jace. Je suis venue te dire que…

— Attends, laisse-moi d'abord m'expliquer. Avant que tu commences, je tiens à te présenter mes excuses.

— Pour quoi ?

— Pour ne pas t'avoir écoutée.

À cet instant, elle aperçut une petite cicatrice sur son cou, qu'elle n'avait jamais remarquée auparavant.

— Tu ne cessais pas de me répéter que je ne pouvais pas obtenir ce que je voulais de toi, et moi, j'insistais, refusant de t'entendre. Tout ce que je réclamais, c'était toi. Je me fichais de l'avis des autres, y compris du tien.

Clary avala sa salive avec difficulté. Avant qu'elle ait pu répondre, Kaelie était de retour avec les frites de Jace et les plats qu'elle avait choisis. Clary examina sa commande : un milk-shake vert, un steak haché cru et une assiette de sauterelles trempées dans du chocolat ; de toute manière, elle avait l'estomac trop noué pour avaler quoi que ce soit.

— Tu n'as rien fait de mal, Jace, protesta-t-elle une fois la serveuse partie. Tu...

— Non, laisse-moi finir.

Il fixait ses frites comme si elles recelaient les secrets de l'univers.

— Clary, il faut que je crache le morceau maintenant ou... ou je n'y arriverai jamais. J'avais l'impression d'avoir perdu ma famille. Ce n'est pas de Valentin que je parle, mais des Lightwood. J'ai cru qu'ils ne voulaient plus de moi, et que tu étais la seule personne au monde qu'il me restait. J'étais... j'étais fou de chagrin, alors je me suis tourné vers toi. J'en suis désolé. Tu avais raison.

— Non. C'est moi qui ai été bête et cruelle envers toi.

— Tu avais toutes les raisons de l'être.

Il leva les yeux vers elle et, bizarrement, un souvenir revint en mémoire de Clary : un jour à la plage – elle devait avoir quatre ans –, elle avait éclaté en sanglots quand une vague avait détruit son château de sable. Sa mère lui avait proposé d'en bâtir un autre, mais cela n'avait pas séché ses larmes pour autant. Elle avait compris ce jour-là que tout ce qu'elle croyait permanent était en réalité fragile comme le sable dispersé par les vagues et le vent.

— Tu avais raison, répéta Jace. On n'est pas seuls au monde. Il y a des gens autour de nous qui nous aiment, et qui seraient peinés, voire anéantis, si on se laissait aller à nos sentiments. C'est de l'égoïsme digne... digne de Valentin.

Il prononça le nom de son père avec tant de brusquerie que Clary eut l'impression de recevoir une porte en pleine figure.

— Dorénavant, je serai ton frère, et rien d'autre, déclara-t-il.

Il leva vers elle des yeux pleins d'espoir, comme s'il s'attendait à lui faire plaisir. Elle eut envie de lui crier qu'il lui brisait le cœur.

— C'est ce que tu voulais, non ? conclut-il.

Il fallut à Clary du temps pour trouver une réponse, et quand elle parla, sa propre voix lui fit l'effet d'un lointain écho.

— Oui.

Alors, elle entendit de nouveau des vagues déferler dans sa tête, et ses yeux se mirent à larmoyer comme si une rafale d'air iodé lui fouettait le visage.

— Oui, c'est ce que je voulais.

Clary monta comme un automate les marches qui menaient aux grandes portes en verre de l'hôpital. Elle n'avait qu'une envie, se jeter dans les bras de sa mère et pleurer tout son soûl, même si elle n'aurait jamais pu lui avouer la cause de son chagrin. Puisqu'il n'était pas question qu'elle se confie, sangloter à son chevet restait la meilleure option.

Au restaurant, elle avait réussi à se contenir. Elle était même parvenue à serrer Jace dans ses bras en partant et n'avait pas versé une larme avant d'entrer dans le métro. Là, elle avait enfin pu se laisser aller, tant et si bien que l'homme assis en face d'elle avait fini par lui proposer un mouchoir. Elle s'était écriée : « De quoi je me mêle ? », parce que c'est la coutume à New York dans ce genre de situation. Après quoi, elle s'était sentie un peu mieux.

Une fois en haut des marches, elle vit une femme immobile devant l'entrée de l'hôpital. Elle portait un long manteau en velours noir, pas vraiment le genre de tenue que l'on croise souvent dans une rue de Manhattan. Le manteau était muni d'un capuchon qui dissimulait les traits de l'inconnue. Jetant un regard autour d'elle, Clary constata qu'elle était la seule dans les parages à avoir remarqué sa présence. Il s'agissait donc d'un charme.

Elle se figea et leva les yeux vers la femme, dont elle ne pouvait toujours pas distinguer le visage.

— Écoutez, dites-moi ce que vous me voulez. Je ne suis pas d'humeur à supporter des cachotteries.

Elle s'aperçut que des passants s'étaient arrêtés pour regarder la folle qui parlait toute seule, et refoula l'envie de leur tirer la langue.

— D'accord, répondit une voix douce, étonnamment familière.

L'étrangère ôta son capuchon, et des cheveux argentés se répandirent sur ses épaules. C'était la femme que Clary avait surprise en train de l'observer dans la cour du Cimetière de Marbre, la même qui les avait sauvés du couteau de Malik à l'Institut. Elle avait un visage creusé, trop anguleux pour être beau, mais ses yeux avaient une jolie couleur noisette.

— Mon nom est Madeleine Bellefleur.

— Et… ?

Madeleine hésita.

— J'ai bien connu ta mère, Jocelyne. Nous étions amies à Idris.

— Vous ne pouvez pas la voir. Seule sa famille est autorisée à lui rendre visite jusqu'à ce que son état s'améliore.

— Ce n'est pas près d'arriver.

Clary eut l'impression d'avoir reçu une gifle.

— Quoi ?

— Pardon, dit la femme. Je ne voulais pas te faire de la peine. Voilà, je sais de quoi souffre Jocelyne. Un hôpital terrestre ne lui est d'aucun secours dans ces circonstances. Le mal dont elle est atteinte… c'est elle-même qui se l'est infligé, Clarissa.

— Non, vous ne comprenez pas. Valentin…

— Elle s'en est occupée avant son arrivée afin qu'il ne puisse pas lui soutirer des informations. Elle avait tout planifié. C'était un secret qu'elle n'a partagé qu'avec une seule personne, à qui elle a révélé comment défaire le sort. Or cette personne, c'est moi.

— Vous voulez dire…

— Oui, déclara Madeleine. Je peux t'aider à réveiller ta mère.

Remerciements

Ce livre n'aurait pas vu le jour sans le soutien et les encouragements de mon groupe d'écriture : Holly Black, Kelly Link, Ellen Kushner, Delia Sherman, Gavin Grant et Sarah Smith. Je n'y serais pas arrivée non plus sans la NB Team : Justine Larbalestier, Maureen Johnson, Margaret Crocker, Libba Bray, Cecil Castellucci, Jaida Jones, Diana Peterfreund et Marissa Edelman. Merci également à Eve Sinaiko et à Emily Lauer pour leur aide (et leurs remarques désagréables), ainsi qu'à Sarah Rees Brennan pour l'amour inconditionnel qu'elle porte à Simon. Toute ma gratitude aux équipes de Simon & Schuster et de Walker Books, qui ont cru en cette trilogie. Merci en particulier à Karen Wojtyla, pour ses corrections au stylo rouge, à Sarah Payne pour avoir procédé à des modifications bien après l'échéance, à Bara MacNeill pour s'être souvenue de la cache d'armes de Jace, et à mon agent, Barry Goldblatt, qui sait me secouer quand c'est nécessaire. Merci enfin à ma famille : ma mère, mon père, Kate Conner, Jim Hill, ma tante Naomi et ma cousine Joyce, pour leurs encouragements. Et à Josh, le garçon que je préfère.

Ouvrage composé par
PCA - 44400 Rezé

Cet ouvrage a été imprimé
au Canada par
Marquis

Dépôt légal : mars 2012
Suite du premier tirage : avril 2013
Suite du deuxième tirage : juillet 2013

Pocket Jeunesse, une marque d'Univers Poche,
est un éditeur qui s'engage pour
la préservation de son environnement
et qui utilise du papier fabriqué à partir
de bois provenant de forêts gérées
de manière responsable.

12, avenue d'Italie – 75627 PARIS Cedex 13